W9-CYT-657

O LAR DA SRTA. PEREGRINE

PARA

CRIANÇAS PECULIARES

RANSOM RIGGS

O LAR DA SRTA. PEREGRINE

PARA

CRIANÇAS PECULIARES

Tradução de Ângelo Lessa

intrínseca

Copyright © 2011 by Ransom Riggs
Copyright do trecho de *Cidade dos etéreos* © 2013 by Ransom Riggs
Copyright da entrevista © 2013 by Quirk Productions, Inc.
Todos os direitos reservados. Publicado originalmente em inglês pela
Quirk Books, Filadélfia, Pensilvânia, mediante acordo com a Ute Körner
Literary Agent, S.L., Barcelona. www.uklitag.com

TÍTULO ORIGINAL
Miss Peregrine's Home for Peculiar Children

REVISÃO
Giuliana Alonso
Luiz Felipe Fonseca

ARTE DE CAPA E PROJETO GRÁFICO
Doogie Horner

FOTO DE CAPA
Cortesia de Yefim Tovbis

ADAPTAÇÃO DE PROJETO GRÁFICO, DIAGRAMAÇÃO E ADAPTAÇÃO DE CAPA
Julio Moreira | Equatorium Design

ADAPTAÇÃO DE IMAGENS
ô de casa

Trechos de Ralph Waldo Emerson usados em tradução livre.

Trecho de *Cidade dos etéreos* traduzido por Fernando Carvalho.

CIP-BRASIL. CATALOGAÇÃO NA PUBLICAÇÃO
SINDICATO NACIONAL DOS EDITORES DE LIVROS, RJ

R426L

    Riggs, Ransom
      O lar da srta. Peregrine para crianças peculiares / Ransom Riggs ;
tradução Ângelo Lessa. -
1. ed. - Rio de Janeiro : Intrínseca, 2016.
      352 p. : il. ; 23 cm.   (O lar da srta. Peregrine para crianças peculiares)

      Tradução de: Miss Peregrine's home for peculiar children
      Continua com: Cidade dos etéreos
      ISBN 978-85-510-0068-7

      1. Ficção americana. I. Lessa, Ângelo. II. Título. III. Série.

16-35679   CDD: 813
                                  CDU: 821.111(73)-3

[2016]

Todos os direitos desta edição reservados à
Editora Intrínseca Ltda.
Rua Marquês de São Vicente, 99, 3º andar
22451-041 – Gávea
Rio de Janeiro – RJ
Tel./Fax: (21) 3206-7400
www.intrinseca.com.br

Sono não é, morte não é;

Quem parece morrer, vive.

A casa em que nasceste,

Os amigos de tua primavera.

Ancião e donzela,

O trabalho diário e sua recompensa,

Tudo desvanece,

Refugia-se em fábulas.

Não podem receber amarras.

Ralph Waldo Emerson

PRÓLOGO

Eu tinha acabado de aceitar que minha vida seria banal quando eventos extraordinários começaram a acontecer. O primeiro deles me causou um choque tremendo e, como tudo que nos transforma para sempre, dividiu minha vida em duas partes: o Antes e o Depois. Do mesmo modo que muitos dos outros eventos extraordinários que estavam por vir, esse primeiro envolvia meu avô, Abraham Portman.

Durante toda a minha infância, vovô Portman foi a pessoa mais fascinante do meu mundo. Ele tinha morado num orfanato, lutado em guerras, atravessado oceanos em navios a vapor, cruzado desertos a cavalo e trabalhado como artista de circo. Ele sabia tudo sobre armas, defesa pessoal e sobrevivência na natureza, além de falar pelo menos outros três idiomas. Tudo isso parecia inexplicavelmente exótico para uma criança que sequer tinha saído da Flórida. Sempre que o via, eu insistia para que me brindasse com mais histórias, e ele sempre cedia, contando-as como se fossem segredos que só podia confiar a mim.

Aos seis anos, concluí que precisava me tornar explorador caso quisesse ter uma vida emocionante como a que meu avô tivera, ou ao menos o mais próximo disso. E ele me encorajou a isso. Passava tardes examinando mapas-múndi comigo, imaginando expedições cujo trajeto marcava com alfinetes de cabeça vermelha no atlas e descrevendo os lugares fantásticos que um dia eu descobriria. Em casa, eu expressava minhas ambições andando de lá para cá com um binóculo de papelão e gritando "Terra à vista!", ou "Preparar para desembarque!", até meus pais me enxotarem para o quintal. Acho que eles temiam que meu avô me infectasse com seus devaneios incuráveis e que essas fantasias atuassem como uma vacina danosa, anulando ambições mais práticas. Minha mãe um dia se sentou comigo e me explicou que eu não poderia me tornar explorador porque todos os cantos do mundo já haviam sido descobertos. Eu nascera no século errado, e me senti traído.

E fui me sentindo ainda mais traído à medida que me dava conta de como grande parte das histórias do meu avô era irreal. As narrativas mais fantásticas sempre se passavam durante sua infância. Ele contava, por exemplo, que tinha nascido na Polônia e que aos doze anos fora enviado a um lar para crianças no País de Gales. Quando eu perguntava por que ele havia abandonado os pais, a resposta era sempre a mesma: para fugir dos monstros. A Polônia, segundo vovô, estava infestada deles.

— Que *tipo* de monstros? — perguntava eu, com os olhos arregalados em puro fascínio.

Nosso diálogo já era quase rotina.

— Monstros horríveis, corcundas, com a pele apodrecida e os olhos pretos. Eles andavam assim!

E vovô ia arrastando os pés na minha direção como os monstros dos filmes antigos, até que eu começava a rir e saía correndo.

A cada vez que essa conversa se repetia, vovô acrescentava novos detalhes: os monstros fediam a lixo em putrefação; eram invisíveis, sua aproximação anunciada apenas por sua sombra; em vez de língua, tinham um monte de tentáculos que se retorciam dentro da boca e que eles lançavam como um chicote num piscar de olhos, tragando a pessoa para ser triturada por suas poderosas mandíbulas. Depois de muito ouvir essas mirabolantes descrições, comecei a ter dificuldade para dormir. Minha imaginação fértil transformava o ruído banal de pneus no asfalto molhado numa respiração pesada junto à minha janela, ou sombras debaixo da porta viravam tentáculos escuros que se contorciam. Mas, embora tivesse medo dos monstros, eu me empolgava ao imaginar meu avô lutando contra aquelas criaturas assustadoras e sobrevivendo para contar a história.

Ainda mais fantásticas eram suas histórias sobre como as crianças passavam os dias no lar. Era um lugar encantado, dizia ele, projetado para mantê-las a salvo dos monstros, numa ilha onde o sol brilhava todo dia e ninguém ficava doente nem morria. Todos moravam juntos num casarão protegido por um pássaro muito velho e sábio. Pelo menos era o que ele contava. Com o passar dos anos, comecei a duvidar de tudo aquilo.

— Mas que tipo de pássaro era esse? — perguntei certo dia.

Eu tinha sete anos e o encarava com um olhar cético naquele momento, do outro lado do tabuleiro de Banco Imobiliário (que vovô estava me deixando ganhar).

— Um falcão enorme que fumava um cachimbo — respondeu ele.

— Você deve achar que eu sou bobo, vovô.

Ele contou calmamente o maço cada vez menor de pequenas notas azuis e amarelas do jogo.

— Eu nunca pensaria isso de você, Yakob.

Percebi que o havia ofendido ao detectar o sotaque polonês do qual ele nunca conseguiu se livrar por completo. *Pensaria*, por exemplo, virava *pezaria* e *você* virava *vozê*. Sentindo-me culpado por conta disso, eu lhe dei o benefício da dúvida.

— Mas por que os monstros estavam atrás de vocês?

— Porque não éramos como as outras pessoas. Éramos peculiares — respondeu ele.

— O que vocês tinham de peculiar?

— Ah, todo tipo de coisa. Tinha uma menina que voava, um menino com abelhas dentro do corpo, um casal de irmãos que conseguia levantar pedregulhos acima da cabeça...

Eu não conseguia definir se ele estava falando sério. Se bem que, pensando bem, meu avô não era muito de contar piadas. Ele fez cara feia ao notar minha expressão de desconfiança.

— Tudo bem. Já que você não acredita no que eu digo, eu tenho fotos para provar!

Ele se levantou e entrou em casa, me deixando sozinho na varanda, e voltou um minuto depois com uma caixa de charutos velha. Eu me inclinei para a frente enquanto meu avô pegava da caixa quatro retratos amassados e bastante amarelados.

O primeiro parecia um conjunto de roupas flutuante, sem ninguém dentro. Ou isso, ou a pessoa não tinha cabeça.

— Claro que ele tem cabeça! — exclamou meu avô, com um sorriso. — Só não dá para ver.

— Por quê? Ele é invisível?

— Mas olha só como você é inteligente! — Ele ergueu as sobrancelhas como se eu o tivesse surpreendido com minha capacidade de dedução. — Esse era Millard. Garoto engraçado. Às vezes ele chegava para mim e dizia: "Oi, Abe. Eu sei o que você fez hoje" e começava a dizer aonde eu tinha ido, o que tinha comido, se tinha tirado meleca quando ninguém estava olhando. Às vezes ele tirava toda a roupa para ninguém o ver e seguia a gente, sem fazer barulho nenhum. Ficava só observando! — Vovô balançou a cabeça. — Tanta coisa melhor para fazer, não acha?

Meu avô me entregou outra foto e esperou enquanto eu a observava por alguns instantes.

— E então? O que está vendo aí?

— Uma menina.

— E...?

— Uma menina com uma coroa.

— E quanto aos pés dela? — perguntou ele, batendo com o dedo na parte inferior do retrato.

Aproximei a foto do rosto e vi: os pés da menina não tocavam o chão. Mas ela não estava pulando... Parecia flutuar.

Fiquei boquiaberto.

— Ela está voando!

— Quase isso. Está levitando. O problema era que ela não conseguia se controlar muito bem, então às vezes tínhamos que amarrar uma corda na cintura dessa menina para ela não sair voando!

Meus olhos estavam grudados no assustador rosto de boneca da menina.

— Isso é de verdade?

— Claro que é — respondeu meu avô, de um jeito meio brusco. Ele tomou a foto da minha mão e me deu uma terceira, que mostrava um garoto magricela levantando um pedregulho. — Victor e a irmã não eram lá muito inteligentes, mas, rapaz, como eram fortes!

— Ele não parece forte... — comentei, reparando nos braços magros do garoto.

— Pois acredite: ele era. Teve uma vez que disputamos uma queda de braço e ele quase arrancou minha mão!

No entanto, a fotografia mais estranha era a última, que mostrava uma cabeça com um segundo rosto pintado na parte de trás.

— Ele tinha duas bocas, está vendo? Uma na frente e outra atrás — explicou meu avô, enquanto eu observava a foto com atenção. — Por isso ficou tão grande e gordo!

— Mas é de mentira. O rosto da foto é pintado.

— A *pintura* é de mentira, claro — respondeu vovô. — Era para um espetáculo de circo que ele fazia. Mas estou dizendo, ele tinha duas bocas! Não acredita em mim?

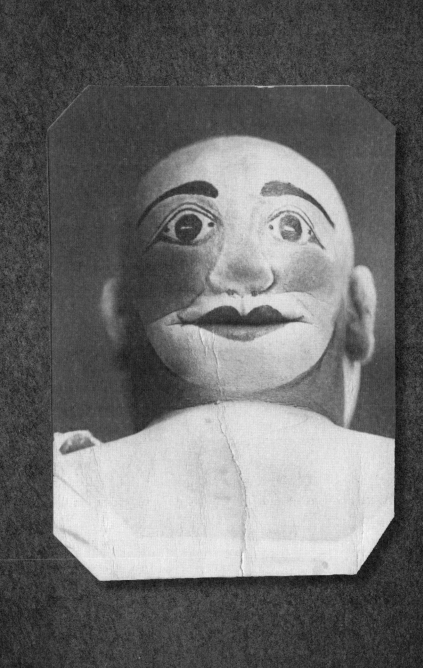

Fiquei pensando enquanto olhava para as imagens e para meu avô. O rosto dele transmitia tanta sinceridade, tanta franqueza! Que motivos ele teria para mentir?

— Eu acredito — respondi.

E realmente acreditei, pelo menos por mais alguns anos. Em grande parte, eu nutria essa crença mais por vontade própria, do mesmo jeito que as outras crianças da minha idade queriam acreditar no Papai Noel. Tendemos a nos apegar aos contos de fadas até a fantasia cobrar um preço alto demais — o que, para mim, aconteceu no segundo ano, no dia em que Robbie Jensen arriou minha calça na frente de uma mesa cheia de garotas e disse que eu acreditava em fadas.

Acho que tive o que mereci por repetir para os meus colegas na escola as histórias que eu ouvia em casa. Durante aqueles segundos humilhantes, pressenti que o apelido Fadinha me acompanharia por alguns anos, e, embora eu não tivesse razão para tanto, aquilo despertou em mim um ressentimento para com meu avô.

Ele foi me buscar na escola naquela tarde, como fazia sempre que meus pais ficavam presos no trabalho. Entrei no carro velho que ele dirigia e anunciei que não acreditava mais nas invenções dele.

— Que invenções? — perguntou vovô, me encarando por cima da lente dos óculos.

— Você sabe. Aquelas histórias. Sobre crianças e monstros.

Ele parecia não entender.

— E quem foi que falou que são invenções?

Respondi que histórias inventadas e contos de fadas eram a mesma coisa, que contos de fadas eram bobagens que se contam para criancinhas bobas que ainda fazem xixi na cama e que aquelas fotos que ele tinha me mostrado eram obviamente falsas. Depois de tudo isso, achei que vovô fosse ficar irritado ou discutir, mas não.

— Tudo bem — disse ele, e então deu partida no carro, pisando fundo no acelerador.

Demos o fora dali. Fim de papo.

Vovô já devia imaginar que aquilo aconteceria mais cedo ou mais tarde. Em algum momento eu não teria mais idade para embarcar naquelas fantasias. Mas ele deixou o assunto de lado tão depressa que tive a impressão de que estava mentindo. Eu não conseguia entender por que ele tinha inventado aquilo tudo, me levado a crer que pessoas e vidas extraordinárias eram possíveis quando não eram.

Somente anos depois meu pai me explicou que, quando ele próprio era criança, ouvira as mesmas histórias de vovô Portman, e que não eram propriamente falsas ou inventadas, mas versões exageradas dos eventos reais — porque a infância de meu avô nada tivera de conto de fadas. Tinha sido uma história de terror.

Meu avô foi o único da família a conseguir fugir da Polônia antes que eclodisse a Segunda Grande Guerra. Ele tinha doze anos, o caçula, quando os pais o enviaram à Grã-Bretanha com apenas uma mala e a roupa do corpo, para viver com estranhos.

Seria uma viagem sem volta. Ele nunca mais viu os pais, nem os irmãos, primos e tios. Quando completou dezesseis anos, todos já tinham sido mortos, assassinados por monstros dos quais ele havia escapado por um triz. Mas esses monstros não eram as criaturas com tentáculos e pele em putrefação (do tipo que uma criança de sete anos consegue compreender); eram monstros com rosto humano, em uniformes impecáveis, que marchavam em fileiras cerradas e pareciam pessoas perfeitamente comuns — tão comuns que sua verdadeira natureza só foi descoberta quando era tarde demais.

Assim como os monstros, a história da ilha encantada também era uma verdade disfarçada. Comparado aos horrores que assolavam a Europa continental, o lar para crianças que acolheu meu avô devia parecer um paraíso. Por isso, era assim que ele o descrevia: um porto seguro, um lugar em que os verões eram intermináveis, habitado por anjos da guarda e crianças mágicas que, é claro, não eram *de fato* capazes de voar, ficar invisíveis ou levantar pedregulhos com uma mão só. A peculiaridade que as tornava alvos dos monstros era o simples fato de serem judias. Eram órfãs de guerra, levadas àquela ilha distante por uma maré de sangue. Elas não eram extraordinárias porque tinham poderes; o fato de terem escapado dos guetos e das câmaras de gás já era um milagre por si só.

Depois de entender isso, parei de pedir a meu avô que me contasse aquelas histórias. E acho que, embora não admitisse, ele se sentiu aliviado. Um ar de mistério passou a cercar os detalhes de sua infância, e eu não toquei mais no assunto. Ele vivera um inferno e tinha o direito de guardar seus segredos. Fiquei envergonhado por ter passado tanto tempo invejando sua vida, levando-se em conta o preço que ele pagara por aquelas "aventuras", e tentei ser grato por minha existência segura e nada extraordinária que eu não tinha feito nada para merecer.

Até que, tempos depois, quando eu tinha quinze anos, algo terrível e realmente extraordinário aconteceu, e foi então que tudo se dividiu em Antes e Depois.

CAPÍTULO UM

Passei a última tarde do Antes construindo uma réplica do edifício Empire State com pacotes de fraldas geriátricas. Era uma verdadeira obra de arte em escala de um para dez mil: tinha um metro e meio de largura e era mais alta que as prateleiras de cosméticos. Aproveitei os pacotes extragrandes para a base, usando os menores para o terraço panorâmico e empilhando os de amostra grátis meticulosamente para reproduzir a icônica agulha. Estava quase perfeito, exceto por um detalhe crucial.

— Você usou a UltraSeca — comentou Shelley, avaliando minha obra-prima com um olhar de profundo desdém. — A que está em promoção é a Segurança Total.

Shelley era a gerente daquela filial da farmácia Smart Aid. Seus ombros curvados e sua expressão austera faziam parte de seu uniforme tanto quanto as blusas polo azuis que nos mandavam usar.

— Achei que você tivesse dito UltraSeca — falei, porque ela realmente tinha dito isso.

— Segurança Total — insistiu Shelley, balançando a cabeça com pesar.

Ela bem poderia estar com um revólver com cabo de madrepérola na mão, prestes a executar o cavalo de corrida machucado que era meu edifício. Fez-se um silêncio constrangedor, enquanto Shelley continuava balançando a cabeça, o olhar indo e voltando de mim para a torre. Eu sustentava a cara de paisagem, como se não fizesse a mais vaga ideia do que ela estava sugerindo em seu estilo passivo-agressivo.

— Ah... — falei, por fim. — A senhora quer que eu refaça tudo?

— É que você usou a UltraSeca — repetiu ela.

— Sem problema. Vou começar agorinha.

Com o bico do tênis preto do uniforme, dei um leve empurrão em um dos pacotes da base, e, num piscar de olhos, toda aquela estrutura magnífica tombou em cascata ao nosso redor, formando um maremoto de fraldas que se espalharam pelo chão e rolaram por entre as pernas de fregueses sobressaltados até chegar à porta automática, que se abriu e permitiu a entrada de uma lufada de calor do mês de agosto.

Shelley ficou com o rosto da cor de berinjela. Aquilo deveria ser motivo para demissão imediata, mas eu sabia que não teria tanta sorte. Vinha tentando isso desde o início do verão, mas era quase impossível. Chegava atrasado — sempre me justificando com as mesmas desculpas esfarrapadas —, dava trocos absurdamente errados e estocava os produtos na prateleira errada de propósito, enfiando sabonetes no meio dos laxantes e preservativos entre os xampus para bebê. Raras vezes eu me esforçava em alguma tarefa, mas mesmo assim, por mais incompetente que eu fingisse ser, Shelley insistia em me manter no quadro de funcionários.

Permita-me explicar melhor esta minha última afirmação: era quase impossível que *eu* fosse demitido da Smart Aid. Fosse qualquer outro funcionário, certamente estaria na rua à menor falha que cometesse. Aquela foi minha primeira lição sobre os meandros da política. Havia três filiais da Smart Aid em Englewood, a entediante cidadezinha praiana onde eu morava; no condado de Sarasota são vinte e sete, e em toda a Flórida, cento e quinze, espalhadas pelo estado como uma micose crônica. Eu só não era demitido porque meus tios eram os donos de todas elas. E não podia pedir demissão, porque ter o primeiro emprego na Smart Aid era uma longa e intocável tradição de família. Os únicos resultados que obtive com minha campanha de autossabotagem foram uma rixa eterna com Shelley e um ressentimento profundo por parte dos meus colegas de trabalho — mas, convenhamos, eles já se ressentiriam de mim de qualquer forma, pois um dia eu herdaria boa parte da empresa, mesmo derrubando tudo que visse pela frente ou dando o troco errado aos clientes.

* * *

Desviando dos pacotes de fralda, Shelley foi até mim, enfiou o dedo na minha cara e estava prestes a me dar uma bela bronca quando foi interrompida pelos alto-falantes internos da loja.

Jacob, ligação na linha dois. Jacob, linha dois.

Ela me fuzilou com o olhar enquanto eu me afastava, deixando-a ali com sua cara de berinjela entre os escombros da minha torre.

*　　*　　*

Na sala dos funcionários, um cômodo úmido, frio e sem janelas, encontrei Linda, a farmacêutica, banhada pelo brilho vívido da máquina de refrigerantes enquanto beliscava o pão de forma sem casca de um sanduíche. Ela apontou com o queixo para o telefone preso à parede.

— Linha dois. Seja lá quem for, está *descontrolado.*

Peguei o fone, que pendia do aparelho.

— Yakob? É você?

— Oi, vô.

— Yakob, graças a Deus! Eu preciso da minha chave. Cadê minha chave? — perguntou ele, com uma voz estranha, sem fôlego.

— Que chave?

— Não brinque comigo. Você sabe muito bem.

— Vai ver o senhor guardou no lugar errado.

— Seu pai mandou você fazer isso, não foi? Pode me contar, não vou comentar com ele.

— Ninguém me mandou fazer nada. — Tentei mudar de assunto: — O senhor tomou seus remédios hoje?

— Eles estão chegando, entendeu? Não sei como me encontraram depois de tantos anos, mas conseguiram. Vou usar o quê contra eles, aquela faquinha de manteiga idiota?

Não era a primeira vez que eu o ouvia falar daquele jeito. Meu avô estava envelhecendo e, para ser franco, tinha começado a ficar senil. No começo, os sinais de declínio eram sutis, como esquecer de fazer compras ou chamar minha mãe pelo nome da minha tia, mas nos últimos meses a demência iminente tomara um rumo cruel. Ele agora enxergava como opressivamente reais as histórias que tinha inventado sobre o que passara na guerra — os monstros, a ilha encantada. Nas semanas anteriores, ficara ainda mais agitado. Com medo de que meu avô se tornasse um perigo para si próprio, meus pais estavam considerando seriamente colocá-lo num asilo. No entanto, por algum motivo eu era o único que recebia aqueles seus telefonemas apocalípticos.

Como sempre, fiz o que pude para acalmá-lo.

— Está tudo bem, vô. Fique tranquilo. Mais tarde eu passo aí para a gente ver um filme, o que acha?

— Não! Fique onde está! Você corre perigo aqui.

— Vô, não tem nenhum monstro na sua casa. O senhor matou todos na guerra, lembra?

Eu me virei para a parede, para não ouvirem aquela conversa bizarra. Linda me lançava olhares curiosos enquanto fingia ler uma revista de moda.

— Nem todos — respondeu meu avô. — Não, não, não. Eu matei um monte, com certeza, mas sempre tem mais. — Dava para ouvir a barulheira que ele fazia, abrindo gavetas pela casa e batendo portas. Ele estava à beira de um colapso nervoso. — Não me apareça aqui, ouviu bem? Vai dar tudo certo... É só cortar as línguas e furar os olhos, é isso! Se pelo menos eu conseguisse encontrar aquela DROGA daquela chave!

A chave em questão abria um armário enorme que havia na garagem dele, onde meu avô guardava um arsenal de armas brancas e de fogo que daria para formar uma pequena milícia. Ele colecionara aquilo tudo ao longo de metade da vida. Frequentava feiras bélicas em outras cidades, fazia longas viagens para caçar e, nos domingos ensolarados, arrastava a família para estandes de tiro, numa tentativa de nos ensinar a usar armas de fogo. Ele as adorava, a ponto de dormir com uma ou outra na cabeceira de vez em quando. Prova daquela fixação de longa data era uma foto muito antiga que meu pai tinha, de vovô cochilando com uma pistola na mão.

Quando perguntei ao meu pai por que vovô era tão louco por armas, ele disse que isso era relativamente comum entre ex-soldados, por terem vivido situações traumáticas. Depois de tudo que testemunhara, meu avô talvez não se sentisse seguro em lugar algum, nem em casa. A ironia da coisa era que os delírios e a paranoia acabavam por tornar realidade esse medo: com aquele monte de armas, ele não estava seguro nem na própria casa. Por isso meu pai tinha escondido a chave.

Repeti a mentira de que não sabia onde estava. Ouvi mais palavrões e pancadas enquanto ele a procurava pela casa.

— Humph. Se essa chave é tão importante para o seu pai, ele que fique com ela. E pode ficar com o meu cadáver também!

Eu me despedi com o máximo de educação que consegui e, em seguida, liguei para meu pai.

— O vovô surtou — falei.

— Ele tomou os remédios?

— Ele não disse. Mas parece que não.

Ouvi meu pai suspirar.

— Você tem como dar uma passada lá? Não posso sair daqui agora.

Meu pai trabalhava meio período como voluntário no abrigo de aves, ajudando na reabilitação de garças atropeladas e tratando pelicanos que engoliam anzóis. Ele era ornitólogo amador e queria se tornar escritor especializado em natureza (os muitos manuscritos serviam de prova), mas essas ocupações só contam como trabalho de verdade se a família do seu cônjuge possui cento e quinze farmácias.

É claro que meu trabalho também estava longe de ser um emprego de verdade, e era fácil dar uma fugida se eu quisesse. Então concordei em ir à casa do meu avô para ver como ele estava.

— Obrigado, Jacob. Prometo que logo vamos resolver toda essa situação, está bem?

Toda essa situação.

— Enfiar vovô num asilo, você quer dizer. Jogar o problema para outra pessoa.

— Sua mãe e eu ainda não decidimos.

— Claro que já decidiram.

— Jacob...

— Eu posso cuidar dele, pai. É sério.

— Talvez, por enquanto. Mas ele só vai piorar.

— Ok. Você que sabe.

Depois que desliguei, telefonei para meu amigo Ricky e pedi uma carona. Dez minutos depois, ouvi a buzina rouca inconfundível de seu velho Crown Victoria no estacionamento. Antes de sair, dei a má notícia a Shelley: a torre de Segurança Total teria que esperar até o dia seguinte.

— Emergência familiar — expliquei.

— Beleza.

Saí para o mormaço viscoso do fim de tarde e encontrei Ricky sentado no capô de seu carro todo amassado, fumando um cigarro. As botas sujas de lama ressecada, o jeito como fazia a fumaça sair ondulada e o cabelo verde refletindo o brilho do sol poente davam a ele um ar de James Dean punk-caipira. E ele era mesmo isso, uma bizarra polinização cruzada de subculturas só possível de se encontrar no sul da Flórida.

Ele desceu do capô de um pulo quando me viu.

— Já conseguiu levar o pé na bunda aí? — gritou ele, do outro lado do estacionamento.

— Shhhh! — fiz, correndo até ele. — Ninguém sabe do meu plano!

Ricky me deu um soco no ombro. Era para ser um gesto animador, mas quase deslocou meu braço.

— Relaxa, Especial. Uma hora você consegue.

Ele tinha inventado esse apelido porque, na escola, eu assistia a algumas aulas de conteúdo avançado que tecnicamente faziam parte do currículo de educação especial — uma nomenclatura em que Ricky via uma sutileza simplesmente hilária. Assim era nossa amizade: irritação e cooperação em partes iguais. A parte da cooperação era um acordo informal segundo o qual trocávamos inteligência por músculos: eu o ajudava a passar de ano, enquanto ele me ajudava a não morrer nas mãos dos brutamontes sociopatas que perambulavam pelos corredores da escola. O extremo desconforto que ele causava nos meus pais era só um bônus. Ricky talvez fosse meu melhor amigo, o que é um jeito menos patético de dizer que era meu único amigo.

Ele deu um bico na porta do carona (era esse o macete para abri-la), e eu entrei. O carro era fantástico, uma obra de arte popular involuntária digna de ser exposta em um museu. Ricky o tinha comprado no lixão da cidade, pelo preço de um pote cheio de moedas — pelo menos era o que ele dizia —, o que lhe rendia um fedor tão horroroso que nem a floresta de purificadores de ar em formato de arvorezinhas pendurados no retrovisor conseguia disfarçar. Os bancos eram protegidos por uma camada de fita adesiva reforçada, para evitar que as molas do estofamento entrassem na bunda. Mas o melhor de tudo era a carroceria, uma paisagem lunar toda enferrujada, repleta de buracos e amassados, que resultara de um plano para arranjar uma grana para a gasolina: por um dólar, baladeiros bêbados podiam detonar o carro com um taco de golfe. A única restrição, não muito rígida, era não mirar nas partes de vidro.

O motor engasgou e ganhou vida em meio a uma nuvem de fumaça azulada. Depois de sairmos do estacionamento e passarmos por pequenos centros comerciais no caminho para a casa do meu avô, comecei a me preocupar com o que encontraria por lá. Entre os piores cenários imaginados, estavam meu avô correndo pelado na rua com um rifle de caça, espumando pela boca no jardim ou segurando algum objeto pontudo para se defender dos monstros quando eles chegassem. Tudo era possível. E meu nervosismo só aumentava ao pensar que aquela seria a primeira impressão que Ricky teria de uma pessoa sobre quem eu falava com absoluta reverência.

O céu estava ficando da cor de um hematoma recente quando chegamos ao condomínio onde meu avô morava, um labirinto caótico de ruelas interligadas conhecido como Circle Village. Paramos na guarita para anunciar nossa chegada, mas o velho na cabine estava roncando e o portão estava aberto, como de costume, por isso resolvemos simplesmente entrar. Meu celular apitou: uma mensagem do meu pai, perguntando como estavam as coisas. No pouco tempo que levei para responder, Ricky conseguiu se perder completamente. Quando eu disse que não fazia ideia de onde estávamos, ele soltou um palavrão e começou a pegar uma sucessão de retornos, cantando pneu e cuspindo tabaco pela janela, enquanto eu prestava atenção na vizinhança para ver se encontrava algum ponto de referência familiar. Embora eu já tivesse visitado meu avô inúmeras vezes, não era uma tarefa fácil, porque todas as casas pareciam exatamente iguais: caixotes atarracados com poucas variações, decorados com esquadrias de alumínio ou madeira escura típica dos anos 1970, ou com colunatas de gesso na fachada que pareciam refletir aspirações quase delirantes. As placas não ajudavam em quase nada, metade delas esbranquiçada e desbotada pela exposição prolongada ao sol. Os únicos pontos de referência de verdade eram os multicoloridos e bizarros enfeites de jardim, que faziam do Circle Village um autêntico museu a céu aberto.

Por fim, reconheci a caixa de correio sustentada por um mordomo de metal que, apesar da postura ereta e da expressão esnobe, parecia chorar lágrimas de ferrugem. Gritei para Ricky virar à esquerda. O carro cantou pneu, e eu fui lançado contra a porta do passageiro. A pancada deve ter acionado algum dispositivo no meu cérebro, porque na mesma hora me lembrei de todo o condomínio.

— Vire à direita depois da orgia de flamingos! Esquerda no telhado cheio de bonecos multirraciais do Papai Noel! Seguir em frente até os querubins mijões!

Quando viramos depois dos querubins, Ricky reduziu bastante e, com um olhar de dúvida, espiou atentamente o quarteirão. Não havia uma única lâmpada acesa nas varandas, nenhuma TV brilhando através de alguma janela, nenhum carro nas garagens. Para escapar do calor abrasador do verão, todos os vizinhos tinham fugido para cidades ao norte, deixando para trás anões de jardim afogados em meio à grama alta, o que, somado às janelas reforçadas antitornado, fazia as casas lembrarem pequenos abrigos antibombas pintados em tons pastel.

— É a última à esquerda — falei.

Ricky pisou no acelerador, e o carro avançou engasgando. Lá pela quarta ou quinta casa, passamos por um velho que molhava o jardim, a cabeça careca como um ovo. De roupão de banho e chinelos, ele estava afundado até o tornozelo no gramado que regava. A casa estava às escuras e toda fechada, como as outras. Quando me virei, tive a impressão de que ele me encarava de volta — embora não fosse possível, pois só então percebi, meio chocado, que seus olhos eram completamente brancos. *Que esquisito*, pensei. *Não sabia que o vovô tinha um vizinho cego.*

A rua terminava numa fileira de pinheirinhos. Ricky fez uma curva brusca para a esquerda, parou em frente à garagem, desligou o motor, saiu do carro e abriu minha porta com um chute. Então nos dirigimos à entrada, nossos tênis produzindo um leve ruído ao roçar o gramado seco.

Toquei a campainha e esperei. Um cachorro latiu pelas redondezas, ressoando solitário naquele fim de tarde abafado. Vovô não apareceu. Talvez a campainha estivesse quebrada, pensei, então bati com força na porta. Ricky abanava o ar, afastando os mosquitos que tinham começado a nos cercar.

— Vai ver ele saiu — disse Ricky, sorrindo. — Foi encontrar uma garota.

— Pode rir, mas aposto que ele tem mais chances de se dar bem do que nós dois. Esse lugar tem um monte de viúvas disponíveis — brinquei, tentando me acalmar. Aquele silêncio estava me deixando nervoso.

Peguei a chave reserva que deixávamos escondida no meio de uns arbustos.

— Espere aqui — falei.

— Fala sério! Por que eu não posso ir?

— Porque você tem quase dois metros e cabelo verde, e meu avô não conhece você e tem um monte de armas.

Ricky deu de ombros, enfiou mais um pedaço de tabaco na boca e foi se esticar em uma cadeira de jardim enquanto eu enfiava a chave na porta e entrava.

Mesmo na penumbra deu para perceber o caos. A casa parecia ter sido saqueada por ladrões. Os enfeites e livros que ficavam nas estantes e nos armários estavam espalhados pelo chão; as almofadas do sofá tinham sido arrancadas; as cadeiras estavam de ponta-cabeça. A geladeira e o freezer estavam escancarados, seu conteúdo pelo chão, derretendo e formando poças grudentas no piso de linóleo.

Fiquei péssimo. Finalmente vovô Portman tinha perdido a cabeça de vez. Chamei seu nome, mas não ouvi resposta.

Fui de cômodo em cômodo acendendo as luzes e procurando em todos os lugares em que um velho paranoico poderia se esconder de monstros: atrás dos móveis, no minúsculo sótão, debaixo da bancada de trabalho na garagem. Tentei até no armário de armas, mas estava trancado, claro. Então notei que a área em volta da maçaneta estava toda marcada por arranhões, de tanto que ele havia tentado abrir. Na varanda dos fundos, vasos de samambaias malcuidadas balançavam à brisa em suportes enferrujados. Eu me ajoelhei no piso e espiei embaixo das cadeiras de vime, mesmo com medo do que poderia descobrir.

Foi então que vi uma luz no quintal.

Fui até lá correndo. Uma lanterna estava largada no gramado, o feixe de luz apontando para o bosque que começava atrás da propriedade — uma área erma com vegetação pouco densa e pontilhada com palmeiras de tamanhos variados, que se estendia por quase dois quilômetros até o condomínio seguinte. Reza a lenda que o lugar era infestado de cobras, guaxinins e javalis. Imaginei meu avô perdido ali enquanto delirava, só de roupão, e senti uma dor sombria crescer dentro de mim. Vez ou outra saía a notícia de algum idoso caindo numa represa e sendo devorado por jacarés. Não era difícil imaginar o pior naquele tipo de situação.

Gritei por Ricky, que deu a volta na casa e apareceu ao meu lado. Na mesma hora ele percebeu uma coisa que me passara despercebida: um rasgo estranho na porta de tela que levava da varanda ao jardim. Ele deu um assobio, impressionado.

— Bizarro, hein? Pode ter sido um lince. Ou algum outro bicho grande. Algum com garras.

Uma espécie de latido, agudo e feroz, soou ali perto. Ricky e eu levamos um susto e trocamos um olhar nervoso.

— Ou um cachorro — completei.

Aquele primeiro ruído deu início a uma reação em cadeia entre os cães das redondezas, que começaram a ladrar por todos os lados.

— Pode ser — concordou Ricky. — Eu tenho uma arma no porta-malas. Já volto.

Quando os latidos pararam, foram substituídos por um coro de insetos noturnos zumbindo de um jeito esquisito. Senti o suor descer pelo rosto. O céu tinha escurecido, mas a brisa tinha parado de soprar e o ar parecia mais quente que ao longo da tarde.

Peguei a lanterna e segui na direção das árvores. Eu sabia que meu avô estaria por ali, mas como encontrá-lo? Nem eu nem Ricky sabíamos andar no mato. No entanto, era como se alguma coisa estivesse me guiando — uma aceleração dentro do peito, um sussurro no ar carregado —, e de repente não consegui esperar mais um segundo que fosse. Saí pisando duro mata adentro, como um cão de caça farejando uma trilha invisível.

Era difícil correr naquele tipo de bosque, em que cada metro quadrado não ocupado por árvores era tomado por palmeiras-anãs que chegavam à coxa e por um emaranhado de trepadeiras, mas segui como pude, gritando por meu avô e apontando a lanterna para todo lado. Avistei um ponto branco pelo canto do olho e fui direto naquela direção, mas era apenas uma bola de futebol desbotada pelo sol e murcha, que eu tinha perdido anos antes.

Estava prestes a desistir e voltar quando vi ali perto uma trilha estreita de mato recém-pisado. Segui por ali, apontando a lanterna para observar em volta. As folhas naquela área estavam salpicadas por alguma substância escura. Engoli em seco e, já me preparando para o pior, avancei pela trilha. A cada passo meu estômago ficava mais embrulhado, como se meu corpo quisesse me alertar para o que me aguardava. Então, quando cheguei a um trecho em que a trilha se alargava, eu o vi.

Meu avô estava caído com o rosto para baixo na vegetação rasteira, as pernas abertas e um braço contorcido embaixo do corpo, como se tivesse caído de uma grande altura. Tive certeza de que estava morto. Tinha a camisa ensopada de sangue, a calça rasgada e um dos pés descalços. Fiquei um bom tempo ali parado, só olhando, o feixe de luz trêmulo da lanterna iluminando seu corpo. Quando consegui voltar a respirar, chamei seu nome, mas ele não se mexeu.

Fui até lá, me ajoelhei ao seu lado e toquei suas costas: o sangue que encharcava o tecido ainda estava quente. E senti que ele respirava, embora com muita fraqueza.

Passei os braços por baixo dele e o virei. Ainda estava vivo, mas por muito pouco, os olhos vidrados e o rosto encovado e sem cor. Quando vi os talhos por todo o seu peito e o abdômen, quase desmaiei. Eram largos e profundos, cheios de terra grudada, e o sangue formava uma camada de lama no solo. Puxei o que restava de sua camisa para cobrir as feridas, tentando não olhar.

No quintal, Ricky gritou meu nome.

— AQUI! — gritei de volta.

Talvez eu devesse ter acrescentado algo como "Cuidado!" ou "Sangue!", mas não consegui formar as palavras. Tudo que passava em minha mente era que avós deveriam morrer em camas, em lugares de atmosfera silenciosa entrecortada apenas pelo leve zumbido de máquinas, e não largados em um chão lamacento enquanto as formigas percorrem seu corpo, com um abridor de cartas na mão trêmula.

Um abridor de cartas. Era só o que ele tivera para se defender. Peguei o objeto, e ele tentou, inutilmente, agarrar o ar. Tomei sua mão. Meus dedos de unhas roídas se entrelaçaram nos dele, pálidos e marcados por uma teia arroxeada de veias.

— Preciso tirar você daqui — falei, passando um braço sob as costas dele e outro sob as pernas.

Quando fui levantá-lo, meu avô soltou um gemido e ficou rígido, então parei. Eu me recusava a lhe causar dor, mas também não podia deixá-lo ali, portanto só me restava esperar. Com todo o cuidado, limpei a terra grudada em seus braços, no rosto e no ralo cabelo branco. Só então notei que ele estava mexendo os lábios.

Eu mal o ouvia, pois sua voz saía mais baixa que um sussurro. Aproximei o ouvido de seu rosto. Em um estado de semilucidez, ele balbuciava ora em inglês, ora em polonês.

— Não estou entendendo — sussurrei.

Repeti seu nome até ter a impressão de que seus olhos focaram meu rosto.

De súbito ele inspirou com força e disse, bem baixinho mas com toda a clareza:

— Vá para a ilha, Yakob... Aqui não é seguro.

A velha paranoia. Apertei a mão dele e falei que estava tudo bem, que ele ficaria bem. Era a segunda vez naquele dia que eu mentia para ele.

Perguntei o que havia acontecido, qual animal tinha feito aquilo, mas ele parecia não me ouvir.

— Vá para a ilha — repetiu. — Lá é seguro. Prometa.

— Eu vou. Prometo.

O que eu poderia dizer?

— Achei que pudesse proteger você... — continuou ele. — Eu devia ter contado há muito tempo...

A vida de meu avô se esvaía diante dos meus olhos.

— Contado o quê? — perguntei, tentando conter as lágrimas.

— Não temos tempo. — Ele ergueu a cabeça do chão, tremendo, e sussurrou em meu ouvido: — Encontre a ave. Na fenda. Do outro lado do túmulo do velho. Três de setembro de 1940. — Fiz que sim, mas ele percebeu que eu

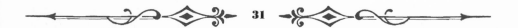

não tinha entendido. Com as poucas forças que lhe restavam, acrescentou: — Emerson... a carta. Conte a eles o que aconteceu, Yakob.

Ele deixou a cabeça cair, esgotado e agonizante. Falei que o amava. E ele desapareceu dentro de si, o olhar se perdendo e se elevando ao céu, que àquela altura cintilava de estrelas.

Ricky apareceu logo em seguida, surgindo de repente do meio das árvores. Ao ver meu avô largado em meus braços, deu um passo para trás.

— Ah, meu Deus... *Meu. Deus.*

Ele esfregou o rosto e balbuciou coisas confusas sobre a pulsação, a polícia, se eu tinha visto alguma coisa por ali. Enquanto o ouvia, uma sensação muito esquisita cresceu dentro de mim. Soltei meu avô e me levantei, cada terminação nervosa do meu corpo reagindo a um instinto que eu desconhecia. Sim, havia algo na floresta. Eu sentia isso.

Não se via a lua nem se ouvia ruído algum no bosque além dos nossos próprios movimentos, mas, de alguma forma, eu soube exatamente o momento de levantar a lanterna e para onde apontar. Por um instante, naquele estreito feixe de luz, vi um rosto que parecia saído direto dos meus pesadelos de infância. Ele me encarou de volta. Seus olhos pareciam mergulhados em um líquido negro, seu corpo era encurvado, a pele enrugada e frouxa, escura como carvão. A boca escancarada formava uma imagem grotesca, deixando escapar uma massa de línguas compridas que se retorciam como enguias. Soltei um grito. A criatura se encolheu e sumiu, fazendo os arbustos balançarem, e só então Ricky notou alguma coisa. Ele ergueu a arma e disparou: *pou-pou-pou-pou.*

— O que era aquilo? Que porcaria era aquilo? — perguntou.

Mas ele não tinha visto, e eu, petrificado, não conseguia abrir a boca para responder, minha lanterna cada vez mais fraca projetando uma luz trêmula na direção do bosque vazio. E depois disso eu devo ter desmaiado, porque Ricky só repetia *Jacob, ei, falacomigocara*, e é a última coisa de que me lembro.

CAPÍTULO DOIS

Depois que meu avô morreu, passei meses circulando por um purgatório de salas de espera genéricas e consultórios com paredes de cor bege, sendo analisado e entrevistado, me tornando assunto de conversas sussurradas, assentindo quando se dirigiam a mim, repetindo minha história à exaustão, recebendo olhares de pena e preocupação. Meus pais me tratavam como se eu fosse uma frágil relíquia familiar, com medo de discutir ou se queixar na minha frente e eu acabar despedaçado.

Eu era atormentado por pesadelos que me faziam acordar aos gritos, tão terríveis que precisei usar um protetor bucal durante o sono para conter o ranger de dentes. Não conseguia fechar os olhos sem ver aquela criatura terrível com tentáculos na boca, a que encontrei no bosque. Estava convencido de que aquilo havia matado meu avô e que em breve voltaria para me matar também. Às vezes, era tomado pelo mesmo pânico nauseante que havia sentido naquela noite e tinha certeza de que o estranho ser estava por perto naquele exato momento, me esperando em algum lugar ao redor — à espreita atrás de árvores mergulhadas na escuridão, oculto pelo carro ao lado no estacionamento, nos fundos da garagem de casa.

A solução que encontrei foi parar de sair de casa. Durante semanas, não me arrisquei nem a pisar na calçada para pegar o jornal de manhã. Comecei a dormir em um emaranhado de cobertas no chão da área de serviço, único lugar da casa que não tinha janelas e cuja porta trancava por dentro. Foi ali que passei o dia do enterro do meu avô, sentado na máquina de lavar com meu laptop, tentando me distrair com jogos on-line.

Eu me culpava pelo que tinha acontecido. Como um refrão, repetia para mim mesmo: *Se ao menos tivesse acreditado nele...* Mas eu não tinha acreditado, nem ninguém, e agora entendia como ele devia ter se sentido, porque ninguém acreditava em mim. Minha versão dos acontecimentos soava perfeitamente racional até o momento em que eu era forçado a dizê-la em voz alta, quando parecia uma insanidade completa. Foi especialmente constrangedor no dia em que um policial foi à nossa casa. Contei tudo, inclusive sobre a criatura, enquanto o homem, sentado na minha frente à mesa da cozinha, assentia sem escrever nada em sua caderneta de espiral. Quando acabei, ele disse apenas "Está bem, obrigado" e, virando-se para meus pais, perguntou se eu já tinha "conversado com alguém". Como se eu não soubesse o que ele queria dizer com aquilo. Falei que não tinha terminado meu depoimento, então mostrei o dedo do meio e saí da cozinha.

Meus pais gritaram comigo pela primeira vez em semanas. Foi meio que um alívio, na verdade — aquele velho e delicioso som. Respondi com algumas palavras cruéis: que eles estavam felizes com a morte do vovô; que eu era o único ali que o amava de verdade.

Meus pais foram conversar com o policial na entrada de casa. Depois de um tempo ele foi embora, mas voltou uma hora depois, acompanhado de um cara que trazia um bloco de desenho bem grande e se apresentou como artista de retratos falados. Pediram que eu descrevesse outra vez a criatura. Conforme eu falava, o cara novo desenhava, parando vez ou outra para pedir alguns esclarecimentos.

— Quantos olhos ele tinha?

— Dois.

— Beleza — disse o homem, como se desenhar monstros fosse parte de sua rotina na polícia.

Era uma tentativa de me apaziguar, estava claro. Prova disso foi que o desenhista estendeu para mim o retrato finalizado.

— Vocês não vão precisar disso? Para, sei lá, arquivar? — perguntei.

Ele trocou um olhar com o outro policial.

— Claro. Onde é que eu estava com a cabeça?

Foi totalmente insultante.

Nem meu único e melhor amigo acreditou em mim, e ele estava lá na hora. Ricky jurou por tudo o que é mais sagrado que não tinha visto nenhuma criatura no bosque naquela noite — mesmo com a luz da lanterna, que a tinha iluminado diretamente —, e foi exatamente o que disse aos policiais. Mas ouvira latidos. Nós dois ouvimos. Portanto, não foi uma grande surpresa quando a polícia concluiu que meu avô fora morto por uma matilha de cães selvagens. Supostamente, animais desse tipo tinham sido avistados em outra parte da cidade pouco antes e, na semana anterior, mordido uma

mulher que caminhava pelo condomínio ao lado do Circle Village. Os três casos haviam acontecido à noite, olha que coisa.

— Justamente quando é mais difícil ver as coisas em volta! — falei.

Ricky balançou a cabeça como se lamentasse e murmurou que eu precisava ir a um "médico de cabeça".

— Um "psiquiatra", você quer dizer — falei. — E muito obrigado. É ótimo ter amigos que apoiam a gente.

Estávamos sentados no terraço da minha casa, vendo o sol se pôr no mar, Ricky encolhido em uma cadeira inexplicavelmente cara que meus pais tinham comprado em uma viagem, as pernas dobradas embaixo do corpo e os braços cruzados com força, fumando um cigarro atrás do outro com uma determinação implacável. Ele sempre parecia um pouco constrangido na minha casa, mas, como seu olhar se demorava em mim por apenas uma fração de segundo antes de se desviar novamente, notei que daquela vez o problema na verdade era eu, não o dinheiro dos meus pais.

— Então tá, cara. Só estou mandando a real — retrucou ele. — Se você continuar falando de monstros, vão acabar te internando. Aí, sim, você vai ser um Especial.

— Não me chame assim.

Ele jogou fora a guimba do cigarro e deu uma baita cusparada brilhosa por cima da grade do terraço.

— Você estava fumando e mascando tabaco ao mesmo tempo?

— Qual é, virou minha mãe?

— E eu lá tenho cara de quem chupa caminhoneiros em troca de tíquete-refeição?

Ricky era especialista em piadinhas de mãe, mas acho que forcei a barra com aquela. Ele se levantou de repente e me deu um empurrão tão forte que quase caí do telhado. Eu o mandei embora aos gritos, mas nem precisava: ele já estava de saída.

Só voltei a vê-lo meses depois. E lá se foi meu único amigo.

*   *   *

Meus pais acabaram realmente me levando a um psiquiatra. Dr. Golan, um homem tranquilo e bronzeado, que era também psicólogo e me acompanhou naquele período. Não ofereci resistência. Eu sabia que precisava de ajuda.

Achei que seria um caso complicado, mas os resultados vieram surpreendentemente rápido. Com seu jeito calmo e objetivo de explicar as coisas — quase hipnotizante —, ele conseguiu, em apenas duas sessões, me convencer de que a tal criatura com tentáculos não passava de fruto da minha imaginação agitada, de que o trauma da morte do meu avô me fizera enxergar uma coisa que não existia de verdade. O dr. Golan me fez entender que as próprias histórias do vovô Portman tinham plantado aquela criatura na minha cabeça e que, portanto, era perfeitamente natural que, naquele momento, ajoelhado no meio do mato com o corpo do meu avô nos braços e atônito diante do pior choque da minha jovem vida, eu tivesse conjurado o bicho-papão criado por ele.

O problema tinha até nome: reação aguda ao estresse.

— Que termo chique — observou minha mãe ao ouvir meu diagnóstico novinho em folha.

Não me importei com o comentário debochado. Qualquer coisa era melhor que "maluco".

Mas só porque eu não acreditava mais nos monstros não significava que estava melhor. Os pesadelos continuavam. Eu andava inquieto, paranoico e tão intratável que meus pais contrataram um professor particular, permitindo que eu só fosse à escola se me sentisse disposto a isso. Para completar, me deixaram — finalmente — sair da Smart Aid. Meu novo trabalho se resumia a "me recuperar".

Não demorou muito para eu começar a me empenhar em ser demitido dessa função também. Resolvido meu probleminha de loucura temporária, o dr. Golan passou a basicamente me prescrever medicações. Ainda os pesadelos? Tome isto. Crise de pânico a caminho da escola? Isto aqui deve resolver. Não consegue dormir? Vamos aumentar a dose. Todos aqueles remédios estavam me deixando gordo e abobalhado, e mesmo assim eu me sentia péssimo, dormindo só umas três ou quatro horas por noite. Por isso, comecei a mentir para o dr. Golan. Fingia estar bem, embora minhas olheiras fossem evidentes e todo mundo notasse que eu me assustava a qualquer ruído, feito um gato arisco. Durante uma semana, inventei todos os registros no meu diário de sonhos, fazendo-os parecer agradáveis e banais como os de uma pessoa normal: sonhei que ia ao dentista; que voava; duas noites seguidas, que ia pelado à escola.

— E as tais criaturas? — perguntou ele, interrompendo meu relato.

Dei de ombros.

— Nem sinal delas. Sinal de que estou melhorando, não é?

O dr. Golan tamborilou com a caneta por alguns segundos e fez alguma anotação.

— Espero que você não esteja só me dizendo o que acha que eu quero ouvir.

— Claro que não — respondi, passando os olhos pelos diplomas emoldurados na parede que atestavam a perícia do dr. Golan em diversos ramos da psicologia (entre os quais, sem dúvida, como saber quando um adolescente que sofreu reação aguda ao estresse está mentindo).

— Vamos abrir o jogo por um minuto. — Ele pousou a caneta na mesa. — Quer dizer que você não teve aquele tipo de sonho nem sequer *uma* vez esta semana?

Nunca fui bom em mentir. Em vez de me humilhar, dei o braço a torcer.

— Bom... talvez uma noite — murmurei.

A verdade é que eu havia tido o sonho *todas* as noites naquela semana. Era sempre o mesmo, com pequenas variações: eu me via no quarto do meu avô, encolhido em um canto, a luz âmbar do pôr do sol descendo pelas janelas até pousar sobre um rifle de ar comprimido todo em plástico cor-de-rosa preso junto à porta. Uma enorme máquina automática de venda se erguia reluzente no lugar da cama, repleta não de doces, mas de facas militares afiadíssimas e pistolas capazes de perfurar coletes à prova de balas. Diante da máquina se encontrava meu avô, em um antigo uniforme do Exército britânico, enfiando cédulas de dólar na máquina, mas era preciso muitas notas para comprar uma arma e nosso tempo estava se esgotando. Por fim, uma reluzente pistola era liberada, mas ficava presa nos mecanismos antes de cair. Ele xingava em iídiche, chutava a máquina, depois se ajoelhava e enfiava a mão pelo buraco para tentar alcançá-la, mas acabava não conseguindo puxar o braço de volta. Era nesse momento que as criaturas chegavam, lambendo o vidro da janela por fora com suas compridas línguas negras, procurando um jeito de entrar. Eu apontava o rifle e puxava o gatilho, mas nada acontecia. Enquanto isso, vovô gritava como louco — *encontre a ave, encontre a fenda, Yakob, por que vozê não entende zeu maldito yutzi* —, e então as janelas se estilhaçavam, os cacos de vidro choviam e as línguas negras nos alcançavam. Em geral, era nesse momento que eu acordava, encharcado de suor, o coração palpitando, um nó no estômago.

Embora o sonho fosse sempre praticamente igual e já tivéssemos discutido o assunto centenas de vezes, o dr. Golan ainda me fazia descrevê-lo todas as sessões. Era como se estivesse interrogando meu subconsciente atrás de alguma pista que lhe pudesse ter escapado nas outras noventa e nove vezes.

— E o que seu avô diz no sonho?

— O mesmo de sempre. A ave, a fenda, o túmulo.

— Que foram as últimas palavras dele.

Fiz que sim.

O dr. Golan apoiou o queixo nas mãos unidas, a imagem perfeita do analista pensativo.

— Algum novo palpite sobre o que seriam essas coisas?

— Ah, sim. Um monte de nada.

— Ora, por favor. Você está falando isso da boca para fora.

Eu queria dar a impressão de que não ligava para as últimas palavras do meu avô, mas ligava, sim. Elas vinham me corroendo quase tanto quanto os pesadelos. Eu sentia que era minha obrigação não considerar um delírio sem sentido a última coisa que vovô Portman dissera a alguém no mundo, e o dr. Golan estava convencido de que entender aquelas palavras me ajudaria a superar os pesadelos. Então, tentei.

Parte do que meu avô tinha falado fazia sentido, como seu desejo de que eu fosse até a ilha. Ele temia que os monstros viessem atrás de mim e achava que lá era o único lugar onde eu me veria livre deles, como acontecera com ele quando criança. Depois disso, vovô tinha dito "Eu devia ter contado", mas imaginei que, por não ter tido tempo de me dizer o quê, ele houvesse recorrido a uma trilha de pistas para me levar a alguém que *pudesse* me contar — alguém que conhecesse seu segredo. Imaginei que toda aquela conversa enigmática sobre fenda, túmulo e carta tivesse a ver com isso.

Por um tempo, pensei que "a fenda" pudesse ser uma rua do Circle Village, já que o condomínio era cheio de becos sem saída estreitos, e que "Emerson" fosse alguém com quem meu avô tivesse se correspondido no passado. Um velho companheiro de guerra com quem ele mantivesse contato, algo assim. Talvez esse tal de Emerson morasse em Circle Village, em uma das vielas, e uma das cartas que ele guardava tivesse a data de 3 de setembro de 1940 e fosse exatamente a que eu precisava ler. Eu sabia que parecia loucura, mas loucuras piores já haviam se provado verdadeiras. Assim, como não encontrei nenhuma resposta na internet, fui ao centro comunitário do condomínio, onde os idosos se reuniam para jogar dominó e contar as novidades sobre suas últimas cirurgias, e perguntei se alguém conhecia um tal de sr. Emerson. Todos me olharam como se eu tivesse uma segunda cabeça saindo do pescoço, estupefatos por um adolescente se dirigir a eles. Mas não havia ninguém chamado Emerson em Circle Village, nem uma Rua da Fenda ou avenida Fenda ou qualquer coisa batizada de Fenda. Quebrei a cara.

Mesmo assim, o dr. Golan não me deixou desistir. Sugeriu que eu pesquisasse sobre Ralph Waldo Emerson, um antigo poeta supostamente famoso.

— Emerson escreveu uma boa quantidade de cartas — disse ele. — Talvez seu avô estivesse se referindo a isso.

Parecia um tiro no escuro, mas, só para tirar o dr. Golan do meu pé, uma tarde pedi ao meu pai que me levasse à biblioteca para eu dar uma pesquisada. Não demorei a descobrir que Ralph Waldo Emerson tinha mesmo um monte de cartas suas publicadas. Fiquei muito empolgado por mais ou menos uns três minutos, como se estivesse prestes a realizar uma grande descoberta, mas então duas coisas ficaram claras: primeiro, que Ralph Waldo Emerson vivera e morrera no século XIX e, portanto, não poderia ter escrito cartas em setembro de 1940; segundo, que não havia a menor chance de que meu avô, não exatamente um leitor ávido, tivesse o mais remoto interesse em sua escrita densa e arcaica. Constatei o poder sonífero de Emerson do pior jeito possível: dormi com a cabeça caída no livro aberto em um ensaio chamado "A confiança em si", babando e tendo pela sexta vez na semana o sonho da máquina de armas. Acordei gritando e fui expulso da biblioteca, o tempo todo xingando o dr. Golan e suas teorias idiotas.

A gota d'água veio dias depois, quando minha família decidiu vender a casa do meu avô. Antes que possíveis compradores começassem a fazer visitas, o lugar precisou ser totalmente esvaziado, e, seguindo a ideia do dr. Golan de que seria bom para mim "confrontar a cena do trauma", fui ajudar meu pai e tia Susie a organizar a bagunça. Chegando lá, no início meu pai me puxava de lado toda hora para me perguntar se eu estava bem, e, para minha surpresa, eu estava, apesar dos vestígios de fita de isolamento presos nos arbustos e da tela rasgada na varanda dos fundos, balançando ao vento. Essas coisas — assim como a caçamba de entulho que tinha sido alugada e colocada na calçada, pronta para engolir o que restava da vida do meu avô — me deixaram triste, não assustado.

Quando ficou claro que eu não surtaria nem começaria a babar, botamos a mão na massa. Munidos de sacos de lixo, limpamos a casa cômodo a cômodo, esvaziando estantes, armários e vãos, descobrindo desenhos geométricos formados pela poeira debaixo de objetos que não saíam do lugar havia anos.

Empilhamos, de um lado, as coisas que poderiam ter alguma serventia ou ser consertadas e, de outro, as que seriam descartadas. Minha tia e meu pai não eram sentimentais, de modo que a montanha do que iria para o lixo era bem maior. Eu me empenhei para ficarmos com as revistas *National Geographic* danificadas pela água, cuja pilha de dois metros e meio ameaçava tombar num canto da garagem — quantas tardes eu havia passado lendo atentamente aquelas páginas, me imaginando entre os homens-lama da Nova Guiné ou descobrindo um castelo no alto de um penhasco no Butão? —, mas acabei derrotado. Assim como não pude ficar com a coleção de camisas de boliche antigas ("São vergonhosas", alegou meu pai), a coleção de discos antigos ("Isso deve valer uma nota"), nem as armas que ele guardava naquele enorme armário, que continuava trancado ("Você está brincando, não está? Espero realmente que esteja brincando").

Acusei meu pai de estar sendo insensível. Minha tia logo saiu de cena ao ouvir isso, nos deixando a sós no escritório. Estávamos dando uma olhada na montanha de registros financeiros.

— É uma questão de praticidade, Jacob — retrucou meu pai. — Isso é o que se faz quando alguém morre.

— Ah, é? E quando *você* morrer? Devo queimar todos os seus rascunhos de livros?

Ele ficou vermelho de raiva. Eu não deveria ter dito aquilo, me referir a seus projetos de livro inacabados; foi um baita golpe baixo. Mas, em vez de gritar comigo, meu pai baixou a voz.

— Eu trouxe você aqui hoje porque achei que tivesse maturidade suficiente para lidar com a situação. Acho que me enganei.

— Também acho. Está muito enganado se pensa que se livrar dessas coisas vai me fazer esquecer o vovô. Não vai mesmo!

— Quer saber? — Ele jogou as mãos para o alto. — Cansei de brigar por causa disso. Pode ficar com o que quiser. — Ele jogou um bolo de folhas amareladas aos meus pés. — Aqui tem um relatório detalhado dos impostos pagos pelo seu avô no ano em que Kennedy foi assassinado. Vai lá, pode mandar emoldurar!

Chutei a papelada e bati a porta ao sair do escritório. Na sala de estar, parei e fiquei esperando meu pai aparecer para pedir desculpas. Mas o ronco da máquina de picar papel me mostrou que isso não ia acontecer, então fui pisando duro até o quarto do vovô e me tranquei lá dentro. O lugar cheirava a mofo, a couro de sapato e à colônia meio acre que meu avô usava. Eu me recostei na parede. Meus olhos seguiram uma trilha gasta no carpete até um retângulo de sol embaixo da cama, iluminando o canto de uma caixa que despontava por baixo da comprida colcha. Fui até lá, me ajoelhei e puxei: era a velha caixa de charutos, empoeirada. Parecia que ele a havia deixado ali de propósito, para que eu a encontrasse.

Dentro da caixa estavam as fotos que eu conhecia tão bem: o garoto invisível, a menina que levitava, o rapaz levantando um pedregulho enorme e o homem com o rosto pintado na parte de trás da cabeça. Estavam quebradiças e perdendo a cor — e pareciam menores do que na minha memória —, e naquele momento, ao vê-las pelos olhos de um quase adulto, percebi como era gritante a manipulação das imagens. Para fazer a cabeça do garoto "invisível" sumir, provavelmente bastaria um truquezinho qualquer durante o processo de revelação, enquanto o pedregulho que o magrelo suspeito segurava podia muito bem ser de gesso ou espuma. Mas esse tipo de olhar crítico era sutil demais para uma criança de seis anos, sobretudo se ela quisesse muito acreditar no que via.

Embaixo dessas fotos, encontrei outras cinco que meu avô nunca havia me mostrado. A princípio eu estranhei, mas então as observei mais de perto. Três delas haviam sido manipuladas de forma tão grotesca que até uma criança notaria: uma delas tinha uma dupla exposição ridícula para simular uma menina "presa" em uma garrafa; outra mostrava um "bebê levitando", sem dúvida suspenso por algum mecanismo escondido na escuridão ao fundo; na terceira, o rosto de um menino havia sido colocado sobre o de um cachorro. Como se essas três fotos já não fossem bizarras o suficiente, as últimas pareciam saídas de um pesadelo digno de David Lynch: uma menininha contorcionista dobrando o corpo de um jeito assustador e dois gêmeos bizarros nas fantasias mais esquisitas que eu já vira. Até vovô Portman, que havia enchido minha cabeça de histórias de monstros com tentáculos em vez de línguas, tinha noção de que imagens como aquelas fariam qualquer criança ter pesadelos.

Fiquei ali no quarto do meu avô, ajoelhado no chão sujo com aquelas fotos, lembrando como me sentira traído ao me dar conta de que as histórias dele eram inventadas. Foi quando eu soube: suas últimas palavras tinham sido apenas sua derradeira tentativa de me encher de pesadelos e delírios paranoicos que só sumiriam após anos de terapia e remédios prejudiciais ao metabolismo.

Fechei a caixa e a levei até a sala, onde meu pai e tia Susie esvaziavam uma gaveta repleta de cupons nunca usados, jogando tudo em um saco de lixo enorme.

Estendi a caixa para que a jogassem fora. Nenhum dos dois me perguntou o que havia dentro.

*   *   *

— Então é isso? — perguntou o dr. Golan. — A morte dele não significou nada?

Eu estava deitado no divã observando o aquário que havia no canto da sala, com seu único prisioneiro dourado nadando em círculos preguiçosos.

— A menos que você tenha uma ideia melhor — falei. — Alguma teoria incrível que ainda não tenha me contado. Senão...

— Senão o quê?

— Senão, isso aqui é perda de tempo.

Ele suspirou e pressionou as têmporas, como se tentasse aliviar uma dor de cabeça.

— Não importa o que eu conclua das últimas palavras do seu avô. O que importa é o que *você* conclui.

— Isso não passa de blá-blá-blá de psiquiatra — retruquei. — O que importa não é o que eu *acho*. O que importa é a verdade! Mas nunca vamos saber a verdade, então quem se importa? Pode continuar me entupindo de remédios e mandando a conta.

Eu queria que ele ficasse zangado, que discutisse, que insistisse, mas não; continuou ali sentado com cara de paisagem nublada, tamborilando a caneta no braço da poltrona.

— Me parece que você está desistindo — disse ele por fim. — Estou decepcionado. Achei que fosse mais perseverante.

— Então você não me conhece bem.

*   *   *

Eu não poderia estar menos animado para uma festa. Descobri que fariam uma devido as pistas nada sutis que meus pais começaram a lançar no ar sobre o fim de semana que prometia ser chato e sem nenhuma novidade, quando todos sabíamos perfeitamente bem que seria meu aniversário de dezesseis anos. Eu tinha implorado para não fazerem festa dessa vez, porque, entre outras razões, não consegui pensar em uma única pessoa que eu gostaria de convidar, mas os dois estavam preocupados por eu andar muito sozinho nos últimos tempos, apegados à ideia de que socializar era uma forma de terapia. Eletrochoque também, lembrei a eles. Mas nunca que minha mãe deixaria passar uma oportunidade para dar uma festa — certa vez ela convidou os amigos para o aniversário da nossa calopsita —, basicamente porque adorava exibir a casa. Com uma taça de vinho na mão, ela levava os convidados em um tour pelos cômodos abarrotados de móveis, exaltando a genialidade do arquiteto e contando "histórias de guerra" sobre a construção ("Essas arandelas levaram *meses* para chegar da Itália").

Tínhamos acabado de chegar da minha consulta desastrosa com o dr. Golan. Eu estava me dirigindo à sala de estar às escuras (muito suspeito) enquanto meu pai murmurava coisas como "Que pena que não planejamos nada para o seu aniversário" e "Ah, bem, ano que vem a gente faz alguma coisa" quando todas as luzes se acenderam, revelando serpentinas, balões e uma miscelânea de tios e primos com quem eu trocara no máximo duas palavras a vida inteira — qualquer um que minha mãe conseguira arrastar até ali. Fiquei surpreso ao ver Ricky perto da jarra de ponche, tão deslocado em sua jaqueta de couro com tachas que chegava a ser cômico. Assim que todo mundo terminou de gritar *parabéns* e eu terminei de fingir surpresa, minha mãe se aproximou e pôs a mão em meu ombro.

— Tudo bem por você? — perguntou ela.

Eu estava chateado e cansado, só queria jogar *Warspire III: A Invocação* e ir dormir com a TV ligada, mas o que podíamos fazer? Mandar todo mundo embora? Respondi que tudo bem, e ela sorriu como se me agradecesse.

— Quem quer ver a última novidade? — cantarolou minha mãe, pegando uma taça de vinho branco e conduzindo uma trupe de parentes escada acima.

Ricky e eu nos cumprimentamos com um aceno de cabeça, cada um em um canto da sala, concordando em tolerar a presença um do outro por uma ou duas horas. Não nos falávamos desde o dia em que ele quase tinha me empurrado do telhado, mas entendíamos como era importante manter a ilusão de que tínhamos amigos. Eu estava indo falar com ele quando tio Bobby me pegou pelo cotovelo e me puxou para um canto. Bobby era um cara grande com um carro grande e uma casa grande que tempos depois acabaria sucumbindo a um grande ataque cardíaco por causa de todos os *foie gras* e hambúrgueres monstruosos com que havia enchido o cólon ao longo dos anos, deixando tudo para meus primos maconheiros e a esposa miúda que nunca abria a boca. Ele e meu tio Les eram copresidentes da Smart Aid e adoravam fazer aquilo de puxar as pessoas para conversas conspiratórias, elogiando o guacamole da anfitriã como se fossem mafiosos tramando um assassinato.

— Então... Sua mãe me contou que você está superando muito bem o... hummm... essa história toda do seu avô.

A "história". Ninguém sabia como chamar aquilo.

— Reação aguda ao estresse — esclareci.

— O quê?

— O que eu tive. Tenho. Sei lá.

— Que bom. É muito bom ouvir isso. — Ele balançou a mão como se estivesse afastando de vez aquele pequeno aborrecimento. — Bom, sua mãe e eu estávamos pensando se você não gostaria de ir a Tampa no verão, ver como funciona o negócio da família, ficar lá na sede por um tempo dando uma de chefão comigo... A não ser que você prefira estocar as prateleiras! — Ele deu uma gargalhada tão alta que involuntariamente recuei um passo. — Você poderia até ficar lá em casa, pescar uns tarpões comigo e seus primos nos fins de semana.

Seguiram-se longos cinco minutos em que tio Bobby descreveu seu novo iate em detalhes quase pornográficos, como se isso por si só bastasse para me convencer. Quando terminou, ele sorriu e estendeu a mão.

— E aí? O que me diz, garotão?

Acho que era para ser uma oferta irrecusável, mas eu preferiria passar o verão em um campo de trabalhos forçados na Sibéria a morar por um tempo com meu tio e seus filhos mimados. Quanto a trabalhar na sede da Smart Aid, aquilo provavelmente era uma parte inevitável do meu futuro, mas eu contava ter pelo menos mais uns dois anos de liberdade e quatro de faculdade até ser obrigado a me trancar numa jaula corporativa. Hesitei antes de responder, tentando pensar em uma escapatória educada.

— Não sei se meu psiquiatra acharia uma boa ideia no momento — foi o que respondi.

Tio Bobby franziu as sobrancelhas fartas e assentiu devagar.

— Ah, sim. Claro. Bom, então... a gente vai vendo isso com o tempo, então. Beleza?

E, dizendo isso, ele se afastou sem esperar uma resposta, fingindo avistar uma nova vítima para puxar pelo cotovelo.

Minha mãe anunciou que era hora de abrir os presentes. Ela sempre insistia em que eu fizesse isso na frente de todos os convidados, o que era um problema, porque, como já devo ter mencionado, não sei mentir muito bem. Consequentemente, também não sei fingir que adorei os CDs de música natalina versão country ou as assinaturas de revistas de pesca, caça e natureza (tio Les passou anos na desconcertante ilusão de que eu amo a vida ao ar livre). Por questão de compostura, dei um sorriso amarelo e mostrei cada bugiganga que desembrulhava para todos admirarem, até que a pilha de presentes na mesinha de centro se reduziu a três.

Peguei o menor. Era a chave do luxuoso carro que meus pais usavam havia quatro anos. Eles iriam comprar um novo, explicou minha mãe, e estavam me dando o antigo. Meu primeiro carro! Todos reagiram com surpresa e as devidas exclamações, enquanto eu sentia o rosto esquentar. Eu não podia aceitar um presente como aquele na frente de Ricky, cujo carro valia menos que a mesada que eu ganhava aos doze anos. Eu tinha a impressão de que meus pais estavam sempre tentando me fazer dar importância ao dinheiro, mas eu não me importava nem um pouco com isso. Por outro lado, é fácil dizer que você não se importa com dinheiro quando já tem muito.

O presente seguinte era uma câmera fotográfica pela qual eu vinha implorando desde o início do verão.

— Uau... — sussurrei, sentindo o peso nas mãos. — Demais!

— Estou rascunhando um livro novo sobre pássaros — disse meu pai. — Talvez você pudesse tirar as fotos.

— Um livro novo! — exclamou minha mãe. — É uma ideia simplesmente fenomenal, Frank! Por falar nisso, o que aconteceu com o último em que você estava trabalhando?

Sem dúvida, ela já havia bebido algumas taças.

— Bem, ainda estou ajustando alguns detalhes — respondeu meu pai, muito baixinho.

— Ah, *entendi* — comentou minha mãe.

Ouvi tio Bobby dar uma risadinha sarcástica.

— Continuando! — falei, pegando o último embrulho. — Este é da tia Susie.

— Na verdade, é do seu avô — corrigiu ela quando comecei a rasgar o papel de presente.

Parei no meio do movimento. Um silêncio sepulcral tomou a sala e as pessoas olharam para tia Susie como se ela tivesse invocado um espírito maligno. Meu pai cerrou o maxilar. Minha mãe terminou o vinho num gole só.

— Abra logo e você vai ver — disse tia Susie.

Rasguei o resto do papel e encontrei um livro antigo de capa dura, com algumas páginas marcadas e sem a sobrecapa. O título era *Obras selecionadas de Ralph Waldo Emerson*. Olhei para aquilo como se tentasse ler através da capa, incapaz de compreender como havia chegado às minhas mãos trêmulas. Só o dr. Golan sabia quais tinham sido as últimas palavras do meu avô, e ele tinha me prometido várias vezes que todas as nossas conversas ali no consultório eram confidenciais — a menos que eu ameaçasse beber água sanitária ou pular da ponte.

Olhei para minha tia; uma pergunta que eu não sabia fazer estava estampada no meu rosto. Ela conseguiu esboçar um sorriso.

— Encontrei na escrivaninha do seu avô quando estávamos dando uma ajeitada na casa — explicou ela, conseguindo esboçar um sorriso. — Tinha seu nome escrito na folha de rosto. Provavelmente ele queria que ficasse para você.

Bendita seja tia Susie. Alguém ali tinha coração.

— Bacana. Não sabia que seu avô era afeito à leitura — comentou minha mãe, tentando amenizar o clima. — Foi muita consideração sua.

— Pois é — disse meu pai, cerrando os dentes. — Obrigado, Susan.

Abri o livro.

De fato, ali estava a caligrafia trêmula do meu avô na folha de rosto.

Eu me levantei para sair da sala, com medo de começar a chorar na frente de todo mundo. Foi quando uma folha de papel deslizou por entre as páginas e caiu no chão.

Uma carta.

Emerson. A carta.

Senti o sangue se esvair do meu rosto. Minha mãe se aproximou e, num sussurro tenso, perguntou se eu queria um copo d'água — o que, na língua dela, significava "Controle-se, está todo mundo olhando".

— Estou me sentindo meio... hã...

Levei a mão à barriga e saí correndo para o quarto.

* * *

RALPH WALDO

EMERSON

OBRAS SELECIONADAS

Organização e apresentação de

Clifton Durrell, Ph.d

Para
Jacob Magellan Portiman,
e os mundos que
ainda vai descobrir —

ANTHEM BOOKS • NOVA YORK

Era uma carta escrita à mão, em uma folha fina e sem pauta, com uma letra tão enfeitada que mais parecia um exercício de caligrafia. O tom de preto variava como se escrito com uma antiga caneta-tinteiro.

Como indicado, havia uma foto no envelope.

Observei a foto sob a luz do abajur, tentando identificar algum traço revelador no rosto em silhueta. A imagem era esquisita, mas não tinha nada a ver com as fotos que meu avô havia me mostrado. Não havia manipulação, era só uma mulher — uma mulher fumando um cachimbo. Parecia o cachimbo de Sherlock Holmes, pendendo dos lábios dela, atraindo meu olhar.

Era aquilo o que meu avô queria que eu encontrasse? Só podia ser. Não *as* cartas de Emerson, mas *uma* carta dentro do livro de Emerson. Quem seria aquela "diretora", a tal srta. Peregrine? Procurei no envelope o endereço do remetente, mas só encontrei um carimbo postal desbotado indicando *Cairnholm Is., Cymru, UK*.

UK — era na Grã-Bretanha. De tanto estudar atlas quando criança, eu sabia que *Cymru* se referia ao País de Gales. *Cairnholm Is* devia ser a ilha que a tal Peregrine mencionava na carta. Seria a mesma ilha em que meu avô havia morado quando garoto?

Nove meses antes, ele tinha me pedido para "encontrar a ave". Nove anos antes, ele tinha jurado que o lar onde havia morado era protegido por um... por "um falcão enorme que fumava um cachimbo". Eu tinha entendido isso ao pé da letra, mas a mulher na foto fumava um cachimbo e se chamava Peregrine, como o "falcão-peregrino". E se a ave que meu avô queria que eu encontrasse fosse, na verdade, a mulher que havia salvado sua vida, a diretora do abrigo? Mesmo depois de tanto tempo, talvez ela ainda morasse naquela mesma ilha, bem velhinha, assistida por alguns protegidos que, embora crescidos, continuassem na ilha.

Pela primeira vez as últimas palavras do meu avô começaram a fazer algum sentido, ainda que estranho. Ele queria que eu fosse à ilha encontrar aquela mulher idosa. Se alguém conhecia os segredos de juventude do vovô Portman, seria ela. Mas o carimbo postal era de quinze anos antes. Seria possível que ela ainda estivesse viva? Fiz umas contas rápidas de cabeça: se ela dirigia um lar para crianças em 1939 e tinha na época, digamos, vinte e cinco anos, então agora teria quase cem. Havia gente mais velha que isso na minha própria cidade, gente que ainda morava sozinha e dirigia. Era possível. Além do mais, mesmo que a srta. Peregrine já tivesse morrido, talvez ainda houvesse alguém em Cairnholm

Querido Abe,

Espero que esta carta o encontre em segurança e com excelente saúde. Há tanto tempo não recebemos notícias suas! Bem, escrevo não para repreendê-lo, mas para dizer que ainda pensamos sempre em você e que rezamos por seu bem-estar. Nosso bravo e belo Abe!

Quanto à vida na ilha, pouca coisa mudou. Ainda bem, pois somos afeitos à quietude e à ordem! Será que ainda o reconheceríamos depois de tantos anos? Tenho certeza de que você, por sua vez, nos reconheceria — ao menos os poucos que restam de nós. Significaria muito para nós receber um retrato recente seu, caso possa nos enviar. Neste envelope você encontrará uma fotografia minha, bastante antiga.

Sita. Bloom sente muito sua falta. Por que não escreve para ela?

Com respeito e admiração,
Diretora Alma LeFay Peregrine

capaz de me ajudar, alguém que tivesse conhecido meu avô quando criança. Alguém que conhecesse seus segredos.

Os poucos que restam de nós, eram as palavras na carta.

*   *   *

Como vocês devem imaginar, convencer meus pais a me deixar passar parte das férias de verão numa ilhota na costa do País de Gales não foi nada fácil. Os dois — principalmente minha mãe — tinham muitos argumentos convincentes para alegar que era uma péssima ideia: o custo; o fato de que eu deveria era ficar com meu tio Bobby, aprendendo a comandar um império farmacêutico; e a ausência de alguém para me acompanhar, pois nenhum dos dois tinha interesse em ir e de forma alguma eu poderia viajar sozinho. Além de eu não ter uma réplica à altura, minha justificativa para a viagem — "Acho que eu devo ir" — só me faria parecer mais maluco do que eles temiam que eu fosse. Contar sobre as últimas palavras do meu avô, ou mesmo sobre a carta ou a foto, estava fora de cogitação. Eu acabaria num hospício, sem dúvida. Os únicos argumentos em que consegui pensar e que pareciam racionais eram coisas como "Quero aprender mais sobre a história da família" e o nada convincente "Chad Kramer e Josh Bell vão para a Europa, por que eu não posso ir?". Eu os recitava sempre que podia, tentando não parecer desesperado (uma vez, apelei para o "Até parece que vocês não têm dinheiro para isso", tática da qual me arrependi na hora), mas parecia que a viagem não ia acontecer.

Então aconteceram várias coisas que me ajudaram muito. Primeiro, tio Bobby ficou com o pé atrás com a ideia de eu passar o verão com ele — quem quer um maluco dentro de casa? Com isso, de uma hora para outra minha agenda ficou completamente livre. Depois, meu pai descobriu que a ilha de Cairnholm é um habitat superimportante de pássaros e que lá vive, tipo, metade da população mundial de uma espécie de ave que o deixava cheio de tesão ornitológico. Ele começou a falar sem parar de seu hipotético livro novo sobre aves, e, sempre que o assunto vinha à tona, eu tentava encorajá-lo e parecer interessado. O fator mais importante, porém, era o dr. Golan. Para minha surpresa, depois de uma tentativa pífia de persuasão da minha parte, ele chocou a todos não só concordando com a ideia como encorajando meus pais a me deixar ir.

— Pode ser importante para Jacob — disse o dr. Golan a minha mãe certa tarde, depois de uma consulta. — É um lugar que o avô dele mitificou de tal forma que uma visita só serviria para desmitificá-lo. Quando constatar a banalidade do lugar, as fantasias alimentadas durante a infância vão perder força. Talvez isso se mostre uma forma muito eficaz de usar a realidade para combater a fantasia.

— Mas achei que ele já não acreditasse mais nessas coisas — retrucou minha mãe. E, voltando-se para mim, perguntou: — Você acredita, Jacob?

— Não.

— Não conscientemente — interveio o dr. Golan. — Mas é o inconsciente dele que está causando problemas agora. Os sonhos, a ansiedade.

— E o senhor acredita mesmo que a visita pode ajudar? — insistiu minha mãe, estreitando os olhos, como se estivesse se preparando para ouvir a verdade sem enfeites.

Quando o assunto era o que eu deveria ou não fazer, a palavra do dr. Golan tinha peso de lei.

— Acredito — respondeu ele.

E foi assim.

* * *

Depois disso, as coisas começaram a se encaixar a uma velocidade espantosa. Passagens de avião foram compradas, horários foram marcados, planos foram feitos. Meu pai e eu passaríamos três semanas na ilha, em junho. Achei que fosse tempo demais, mas ele disse que era o mínimo necessário para ele fazer um estudo cuidadoso das colônias de aves locais. Achei que minha mãe fosse reclamar — três semanas! —, mas, à medida que se aproximava a data da viagem, mais animada ela parecia.

— Meus dois meninos vão partir em uma grande aventura! — exclamava minha mãe, escancarando um sorriso.

Eu estava achando bem tocante o entusiasmo dela, na verdade. Até o dia em que a ouvi, sem querer, revelando a uma amiga por telefone que era um grande alívio "ter um pouco de vida" por três semanas e não precisar "se preocupar com duas crianças carentes de atenção".

Também te amo, pensei em dizer, com o máximo de sarcasmo que eu conseguisse exprimir. Mas ela não tinha me visto, então fiquei quieto. Eu realmente a amava, é claro, mas em grande parte só porque é obrigatório amar a mãe, e não por achar que gostaria muito dela se por acaso a encontrasse andando pela rua — o que seria difícil, já que ela só saía de casa de carro.

Durante aquelas três semanas que separavam o fim do ano letivo e nossa partida para a ilha, tentei descobrir se a srta. Alma LeFay Peregrine ainda pertencia ao mundo dos vivos, mas minhas pesquisas na internet não deram em nada. Presumindo que ela ainda estivesse viva, decidi ligar, mas logo descobri que quase ninguém em Cairnholm tinha telefone. Só encontrei um número em toda a ilha.

A ligação demorou quase um minuto para completar. A linha chiava e estalava, depois ficava muda, voltava a chiar. Senti cada quilômetro da longa distância que meu telefonema estava percorrendo, até finalmente surgir aquele estranho toque de chamada europeu: *uaaaap-uaaaaap... uaaaaap-uaaaaap*. Atendeu um homem que só podia estar completamente bêbado.

— Umbigo do padre! — berrou ele.

O ruído na linha era uma espécie de rugido abafado que se esperaria ouvir no ápice de uma festa cheia de jovens universitários. Tentei me identificar, mas acho que o sujeito não escutou.

— Umbigo do padre! — berrou ele outra vez. — Quem é? — Mas, antes que eu conseguisse dizer alguma coisa, ele gritou para alguém: — Já mandei vocês calarem a maldita boca, seu bando de desgraçados, estou no...

A linha ficou muda. Perplexo, continuei sentado com o fone no ouvido por um bom tempo, até enfim devolvê-lo ao gancho. Não me dei ao trabalho de ligar de novo. Se o único telefone de Cairnholm tocava em algum antro de maldade chamado "Umbigo do padre", o que deduzir sobre o restante da ilha? Será que eu passaria minha primeira viagem à Europa fugindo de lunáticos embriagados e observando aves defecarem em praias rochosas? Talvez. Mas, se isso significava que eu finalmente colocaria um ponto final no mistério do meu avô e poderia continuar com minha vida nada extraordinária, valeria a pena.

CAPÍTULO TRÊS

A neblina se fechava ao nosso redor como uma venda cobrindo nossos olhos. Quando o comandante anunciou que estávamos quase chegando, a princípio achei que fosse brincadeira. Afinal, do convés instável eu só via uma cortina cinzenta se estendendo ao infinito. Me apoiei na amurada e olhei fixamente para as ondas esverdeadas, contemplando os peixes que em breve poderiam saborear meu café da manhã. Ao meu lado, meu pai continuava tremendo em uma camisa de manga curta sem nada por cima. Estava mais frio e mais úmido do que jamais pensei que fosse possível no mês de junho. Depois de três aviões, duas escalas, cochilos alternados em estações de trem imundas e, por fim, aquele interminável e enjoativo percurso de balsa, eu só podia torcer, tanto por ele quanto por mim, para que aquelas trinta e seis horas sofridas valessem a pena.

— Olhe lá! — exclamou meu pai.

Ergui a cabeça e vi uma enorme montanha rochosa emergir no cenário todo esbranquiçado à nossa frente.

A ilha do meu avô. Assomando aos poucos, envolta em neblina, guardada por um número incontável de aves que grasnavam sem parar, o lugar parecia uma fortaleza medieval construída por gigantes. Naquele momento, ao olhar para aqueles penhascos íngremes que se erguiam até desaparecer em um recife de nuvens fantasmagóricas, a ideia de que o lugar era mágico não me pareceu tão ridícula.

O enjoo sumiu. Meu pai começou a correr de um lado para outro feito uma criança ansiosa para abrir os presentes de Natal, os olhos vidrados nas aves que voavam em círculos acima da nossa cabeça.

— Jacob, olhe só isso! — gritou ele, apontando para um bando de pontinhos voadores. — Petréis!

Quando nos aproximamos dos penhascos, comecei a notar formas estranhas semiocultas debaixo da água.

— Aposto que o garoto nunca tinha visto um navio naufragado — comentou um homem que passava pelo convés, ao me ver debruçado na amurada.

Eu me virei para ele.

— É sério?

— Esta área toda é um cemitério de navios. É como diziam os velhos comandantes: "De Hartland Point a Cairnholm e sua baía, cemitério de marujos, seja noite ou seja dia!"

Justo naquele instante, passamos por um naufrágio tão próximo da superfície, o contorno da carcaça esverdeada tão nítido, que parecia prestes a emergir da água feito um zumbi saindo de uma cova rasa.

— Está vendo aquele ali? — perguntou o homem, apontando. — Afundado por um submarino alemão na época da guerra, pode ter certeza.

— Tinha submarinos por aqui?

— Um monte. O Mar da Irlanda estava abarrotado deles. Aposto que, se tirassem do mar todos os navios que eles afundaram, daria meia esquadra. — Ele arqueou as sobrancelhas em uma expressão dramática e depois se afastou, rindo.

Fui correndo da proa à popa com os olhos grudados no navio naufragado que desaparecia sob o rastro de espuma da nossa balsa. Então, quando eu já estava me perguntando se precisaríamos de equipamento de escalada para entrar na ilha, vi que em certo ponto os penhascos desciam ao nosso encontro. Contornamos um cabo e entramos em uma baía rochosa em formato de meia-lua. Avistei um pequeno porto ao longe, repleto de barcos de pesca coloridos, e, mais além, um vilarejo encravado em uma área verde. Uma colcha de retalhos de campos pontilhados de ovelhas se estendia pelas colinas que se elevavam até uma crista de montanhas, onde um paredão de nuvens formava um parapeito de algodão. Era um cenário impactante e lindo, diferente de qualquer outro lugar que eu já visitara. Comecei a ficar empolgado à medida que avançávamos pela baía, como se encontrássemos terra em pontos em que os mapas só registrassem uma área azul.

A balsa atracou, e descemos rumo ao vilarejo arrastando nossa bagagem. Assim como tantas coisas que encontramos, não era tão bonito de perto quanto parecera de longe. As ruas de cascalho enlameadas formavam um quadriculado cheio de exóticos chalés caiados que de normal só tinham a antena parabólica. Como Cairnholm era distante e irrelevante demais para justificar o custo de trazer cabos de alta tensão do continente, fedorentos geradores a diesel zumbiam por todos os cantos como vespas irritadas, um som que harmonizava com o ronco dos tratores — os únicos veículos da ilha. Nos limites do vilarejo víamos chalés abandonados, sem teto. Era um indício de que a população da ilha estava diminuindo, de que, ao crescerem, as crianças dali se afastavam das tradições seculares da pesca e da agricultura para buscar oportunidades mais glamorosas em outros lugares.

Arrastamos nossas malas pelo vilarejo à procura de um lugar chamado Umbigo do Padre, onde meu pai tinha reservado um quarto. Imaginei uma igreja antiga transformada em pensão — nada chique, só um quarto para descansarmos quando não estivéssemos observando pássaros ou seguindo pistas. Pedimos informações a alguns moradores, mas eles nos olhavam confusos e nada diziam em resposta.

— Eles não falam inglês? — questionou meu pai, em voz alta.

Quando minha mão já estava começando a doer por causa do peso da mala, avistamos uma igreja. Pensamos que fosse nossa hospedaria e entramos. De fato, o lugar tinha sido convertido para outra função, mas não era uma pensão, e sim um museuzinho mal-iluminado.

Encontramos o curador em uma sala cheia de redes de pesca e tesouras de tosquia penduradas nas paredes. O rosto do homem se iluminou quando ele nos viu, mas ele logo desanimou ao perceber que só estávamos perdidos.

— Acho que vocês estão procurando o *Abrigo do Padre* — disse o homem. — É a única pensão da ilha.

Ele nos explicou como chegar lá, em um sotaque cantado que era extremamente divertido. Sempre adorei ouvir os galeses falarem, mesmo não compreendendo metade do que diziam. Meu pai agradeceu e se virou para ir embora, mas o homem tinha sido tão prestativo que decidi aproveitar para fazer uma pergunta.

— Onde fica o lar para crianças?

— Onde fica o quê? — questionou o sujeito, como se não conhecesse nada do tipo.

Por um terrível instante, temi que tivéssemos ido parar na ilha errada, ou pior: que o tal lar fosse apenas mais uma invenção do meu avô.

— Era tipo um orfanato para crianças refugiadas, sabe? Na época da guerra... Uma casa enorme...

O homem me olhava ressabiado, como se estivesse decidindo se deveria me ajudar ou simplesmente ignorar. Ele teve compaixão de mim.

— Não sei nada de refugiados, mas acho que sei do que você está falando. Fica do outro lado da ilha, para além do pântano e da floresta. Se eu fosse você, não ficaria andando à toa por lá, não. Quando alguém se afasta muito da trilha, acaba que nunca mais ninguém ouve falar da pessoa. Aquilo lá é só grama molhada e cocô de ovelha separando você do penhasco.

— Bom saber — comentou meu pai, me dirigindo um olhar incisivo. — Prometa que não vai até lá sozinho.

— Tudo bem, pode deixar.

— Mas por que o interesse nesse lugar, hein? — perguntou o homem. — Não é exatamente um ponto turístico.

— É só um projeto pessoal de genealogia — respondeu meu pai, já à porta. — O avô dele passou uns anos lá quando era criança.

Percebi que meu pai não queria de jeito nenhum mencionar psiquiatras e avôs mortos. Ele agradeceu outra vez ao homem e rapidamente me conduziu porta afora.

Seguindo as instruções do homem, refizemos nossos passos até chegarmos a uma estátua assustadora esculpida em pedra negra — um monumento chamado Mulher à Espera, erguido em homenagem aos habitantes da ilha perdidos no mar. A mulher tinha uma expressão digna de pena e os braços estendidos na direção da baía, que ficava a muitos quarteirões de distância, mas também na direção do Abrigo do Padre, logo do outro lado da rua. Bom, não sou um especialista em hotéis, mas bastou uma olhada no letreiro envelhecido para perceber que nossa estadia não seria como se hospedar em um hotel quatro estrelas. No alto do letreiro estava escrito, em letras garrafais, VINHOS, CERVEJAS E DESTILADOS, e na parte de baixo, em letras menores, *Boa comida*. E, embaixo de tudo isso, escrito à mão como se só tivessem lembrado depois do letreiro pronto, *Quartos para alugar*, embora o "s" estivesse raspado, deixando apenas *Quarto*. Lá fomos nós com as bagagens até a porta, meu pai reclamando de golpistas e propagandas enganosas, enquanto eu dava mais uma olhada na Mulher à Espera e me perguntava se ela não estava esperando apenas que alguém lhe servisse uma bebida.

Tivemos que espremer as malas para fazê-las passar pela porta. Então paramos, nossos olhos se adaptando à escuridão repentina de um bar com teto baixo. Quando consegui enxergar alguma coisa, percebi que *buraco* descreveria perfeitamente aquele lugar: janelas minúsculas e chumbadas permitiam a entrada de luz suficiente apenas para se encontrar a torneira de chope sem tropeçar em mesas e cadeiras pelo caminho, e as mesas velhas e bambas davam a impressão de que teriam mais utilidade como lenha para fogueira. Era manhã, apesar de eu não fazer ideia da hora, e mesmo assim o bar estava razoavelmente cheio. Os clientes eram todos homens em níveis variados de embriaguez silenciosa diante de canecas com um líquido âmbar, cabisbaixos como se estivessem rezando.

— Vocês devem estar procurando um quarto para ficar — disse um homem, saindo de trás do balcão para nos cumprimentar. — Meu nome é Kev, e esse aqui é o pessoal. Diga oi, pessoal.

— Opa — murmuraram alguns homens, com um gesto de cabeça para suas respectivas bebidas.

Seguimos Kev por uma escada estreita até uma área com cômodos (no plural!) que, com muita boa vontade, podiam ser considerados básicos. Eram dois quartos (meu pai reivindicou o maior) e um terceiro cômodo que servia ao mesmo tempo de cozinha, sala de jantar e sala de estar, com uma mesa, um sofá carcomido por traças e um fogãozinho elétrico. O banheiro funcionava "na maior parte do tempo", segundo Kev, "mas, se a coisa apertar, vocês sempre podem recorrer ao Velho Confiável". Ao dizer isso, ele chamou nossa atenção para um banheiro externo nos fundos, que, para minha conveniência, dava para ver da janela do meu quarto.

— Ah, e vocês vão precisar disto aqui — disse ele, pegando de um armário dois lampiões a querosene. — É caro à beça trazer diesel para a ilha, por isso os geradores param de funcionar às dez, então ou vocês dormem cedo ou tomam gosto por velas e querosene. — Ele sorriu. — Espero que não seja medieval demais para vocês!

Garantimos a Kev que não tínhamos problema com banheiros externos e querosene, que na verdade tudo aquilo parecia divertido: um pouquinho de aventura, sim, senhor. Em seguida, ele nos levou de volta ao térreo, onde terminou o tour.

— Fiquem à vontade para fazer as refeições aqui — disse ele —, e acredito que é isso que vão fazer, porque na ilha não existe nenhum outro lugar onde comer. Se precisarem fazer uma ligação, temos uma cabine telefônica ali no canto. Às vezes tem fila, já que o sinal de celular é horrível, e vocês estão olhando para a única linha fixa da ilha. É isso mesmo, temos tudo: a única comida, a única cama, o único telefone!

Ele jogou a cabeça para trás e deu uma gargalhada sonora.

O único telefone da ilha. Olhei para o aparelho, que era daquele tipo muito comum em filmes antigos, com uma cabine para dar privacidade às conversas, e fiquei horrorizado ao me dar conta de que *aquela* era a animada festa de universitários para onde eu tinha ligado semanas antes. Aquele era o "Umbigo do Padre".

Kev entregou ao meu pai as chaves dos nossos quartos.

— Se tiverem qualquer pergunta, vocês sabem onde me achar — disse ele.

— Eu tenho uma pergunta. Por que esse lugar se chama Umbigo... quer dizer, Abrigo do Padre?

Os fregueses caíram na gargalhada. Um deles respondeu:

— Porque é um abrigo para padres, ora essa!

E eles riram ainda mais.

Kev foi até uma parte desnivelada do piso perto da lareira, onde um cachorro sarnento dormia.

— Bem aqui — disse ele, batendo com o pé no que parecia ser um alçapão. — Há muito, muito tempo, quando qualquer um podia acabar enforcado numa árvore só por ser católico, o pessoal da Igreja vinha pra essas bandas em busca de refúgio. Quando os capangas da rainha Elizabeth apareciam atrás deles, a gente colocava os sujeitos em lugares apertados tipo esse aqui.

Notei que ele falava como se tivesse conhecido aquelas pessoas, que tinham morrido havia tanto tempo.

— E põe apertado nisso! — comentou um freguês. — Aposto que aí embaixo era quente feito uma torradeira e espremido feito um guarda-roupa.

— Melhor passar calor num buraco do que ser enforcado pelos matadores de padres — comentou outro.

— Isso, isso! — disse o primeiro freguês. — Um brinde a Cairnholm! Que seja sempre nosso refúgio!

— A Cairnholm! — repetiram os outros, em coro, e ergueram as canecas ao mesmo tempo.

*   *   *

Esgotados e sofrendo com o jet lag por causa do voo, fomos dormir cedo — ou melhor, deitamos na cama e cobrimos a cabeça com o travesseiro para tentar bloquear a cacofonia impressionante que atravessava o piso. O barulho foi ficando tão alto que achei que tivessem invadido meu quarto. Então deve ter dado dez da noite, porque de repente todos os geradores lá fora engasgaram e morreram, assim como a música que vinha lá de baixo e a luz da rua que entrava pela janela. De uma hora para outra fui envolvido pela escuridão e o silêncio, só com o rumor das ondas ao longe para me lembrar onde eu estava.

Pela primeira vez em meses, caí em um sono profundo e sem pesadelos. Na verdade, sonhei com meu avô em sua primeira noite na ilha, ainda garoto, um estranho em uma terra estranha sob um teto estranho, devendo a vida a pessoas que falavam uma língua estranha. Quando acordei, o sol entrava pela janela, e me dei conta de que a srta. Peregrine não tinha salvado apenas a vida do meu avô, mas também a minha e a do meu pai. Se tivesse sorte, naquele dia eu finalmente poderia agradecer a ela por isso.

Desci a escada e encontrei meu pai à mesa, tomando café e limpando seu binóculo caro. Assim que me sentei, Kev apareceu com dois pratos cheios de uma carne misteriosa e de torradas fritas.

— Eu não sabia que dava para fritar torradas — comentei.

Kev disse que não conhecia uma comida sequer que não ficasse mais gostosa quando frita.

Enquanto tomávamos o café da manhã, meu pai e eu fizemos os planos para o dia. Nossa ideia era explorar a área, nos familiarizar com a ilha. Primeiro iríamos avaliar os pontos de observação de pássaros, depois encontraríamos o lar para crianças. Devorei meu prato às pressas, ansioso para começar.

Bem fortificados com tanta gordura, saímos do bar e atravessamos o vilarejo, desviando de tratores e nos comunicando aos gritos por causa da barulheira dos geradores, até as ruas darem lugar aos campos e o zumbido sumir. Fazia um dia fresco, com vento forte. O sol se escondia atrás de gigantescas massas de nuvens para ressurgir segundos depois, pintando as colinas com raios de luz espetaculares. Eu me sentia energizado e cheio de esperança. Estávamos indo para uma praia rochosa onde meu pai tinha avistado, ainda na balsa, uma porção de aves, mas eu não sabia ao certo como chegar lá. A ilha tinha um formato de cuia, com colinas nas áreas mais próximas às extremidades e que terminavam em perigosos penhascos, mas naquele ponto específico a "borda" tinha sido amassada e uma trilha levava a uma estreita faixa de areia.

Chegamos à praia. O que parecia ser uma civilização inteira de pássaros batia asas, grasnava e pescava nas piscinas formadas pela maré. Meu pai arregalou os olhos.

— Fascinante — murmurou ele, arranhando um pouco de guano petrificado com a tampa da caneta. — Vou precisar ficar um tempo aqui, tudo bem por você?

Eu já tinha visto aquela expressão antes e sabia muito bem quanto demorava o "um tempo" do meu pai: horas e horas.

— Então eu vou lá sozinho encontrar o orfanato.

— Sozinho, não. Você prometeu.

— Então vou procurar alguém que me leve até lá.

— Quem?

— Kev deve conhecer alguém.

Meu pai olhou para o mar, onde um enorme farol coberto de ferrugem se erguia no alto de um aglomerado de rochas.

— Você sabe o que sua mãe diria se estivesse aqui — comentou ele.

Meus pais tinham opiniões diferentes sobre o nível de atenção que consideravam necessário dispensar a mim. Ela prezava pela disciplina, estava sempre por perto, mas ele era mais tranquilo e me dava mais espaço, pois achava importante que eu cometesse meus próprios erros vez ou outra. Além do mais, se me deixasse ir sozinho, ele teria o dia todo para brincar com o guano.

— Ok, mas deixe no bar o telefone de quem for com você — pediu ele.

— Pai, ninguém aqui tem telefone.

Ele suspirou.

— Ah, é. Bom, tudo bem, desde que seja uma pessoa de confiança.

*   *   *

Kev tinha dado uma saída. Como achei que não seria boa ideia pedir a companhia de um dos fregueses bêbados, fui à loja mais próxima para chamar alguém que pelo menos tivesse um emprego remunerado. Na porta estava escrito PEIXEIRO. Quando a abri, me encolhi de medo diante de um gigante barbudo usando um avental ensopado de sangue. Ele parou de decapitar peixes e me encarou com um cutelo ensanguentado na mão. Jurei nunca mais ser preconceituoso com alcoólatras.

— Fazer o quê lá? — resmungou o peixeiro quando expliquei aonde precisava ir. — Tudo pântano, aquilo lá. E um tempo maluco.

Expliquei a história do meu avô e do lar para crianças. Ele fez uma careta, depois se debruçou no balcão e olhou desconfiado para meus tênis.

— Dylan. Ele pode levar você — disse o homem, apontando o cutelo para um garoto mais ou menos da minha idade que arrumava os peixes em um freezer. — Mas é melhor você arranjar coisa melhor que esses seus tênis. A lama vai engolir isso aí.

— Sério? Tem certeza?

— Dylan, arranje umas galochas para o rapaz aqui!

O garoto resmungou e fez uma cena, fechou o freezer bem devagar, limpou as mãos no avental e foi arrastando os pés até uma parede cheia de prateleiras com produtos variados.

— Mas veja só que coincidência! Temos botas boas e resistentes em oferta — disse o peixeiro. — Compre uma, e a outra sai de graça!

Ele caiu na gargalhada e desceu o cutelo em um salmão. A cabeça do peixe foi deslizando pelo balcão ensanguentado e caiu direitinho em um pequeno balde.

Pesquei o dinheiro que meu pai tinha me dado para emergências, concluindo que uma leve extorsão era um preço baixo a se pagar para encontrar a mulher que eu tinha cruzado o Atlântico para conhecer.

Saí da loja calçando botas impermeáveis tão grandes que meus tênis cabiam dentro e tão pesadas que era difícil acompanhar o ritmo de meu guia mal-humorado.

— E então... Você vai à escola aqui na ilha? — perguntei, correndo para alcançá-lo. Eu realmente queria saber como era a vida ali para uma pessoa da minha idade.

Ele murmurou o nome de uma cidade no continente.

— E quanto tempo leva? — perguntei. — Uma hora para ir e outra para voltar de balsa?

— Aham.

E foi só. Ele respondeu a outras tentativas de conversa com ainda menos sílabas, ou seja, nenhuma. Por fim, simplesmente desisti e me limitei a segui-lo. Quando estávamos quase saindo do vilarejo, encontramos por acaso um amigo dele, um garoto mais velho que usava um casaco esportivo amarelo fluorescente e correntes de ouro falsificadas. Nem vestido de astronauta ele pareceria mais deslocado em Cairnholm. O garoto cumprimentou Dylan e se apresentou como Verme.

— Verme?

— Nome artístico — explicou Dylan.

— Aqui: a gente é a dupla de rap mais bolada de Gales — gabou-se Verme. — Eu sou o MC Verme, e esse aqui é o Esturjão Cirurgião, MC Dirty Dylan, ou MC Dirty Bizniss, número um no beat-box de Cairnholm. Mostra aí pro gringo como a gente arrebenta.

Dylan pareceu sem jeito.

— Agora?

— Manda uma batida, cara!

Dylan revirou os olhos, mas atendeu ao pedido. No começo tive a impressão de que ele estava engasgando com a própria língua, mas depois fui identificando um ritmo em seus pigarros chiados — *puhh, puh-TCHA, pu-puhhh, puh-TCHA*. Verme usou aqueles sons esquisitos como base para começar a cantar um rap.

— Eu vou pro Abrigo do Padre e fico chapado/ Seu pai tá sempre lá porque ele é desempregado/ Minha rima é forte, mas pra mim isso é moleza/ A batida do Dylan é quente igual pimenta-calabresa.

Dylan parou.

— Não faz sentido. Quem está desempregado é o *seu* pai.

— Ah, merda, Dirty D parou com o ritmo! — Verme começou a fazer o beat-box enquanto fazia uma imitação de robô que até dava para o gasto, deixando marcas no cascalho. — Pega o microfone, D!

Dylan parecia meio sem jeito, mas mesmo assim mandou ver na rima.

— Eu conheci a Sharon, que era a maior gatinha/ A garota se amarrou na roupa que eu vestia/ Que nem o Doctor Who, no tempo eu viajava/ Então fiz essa rima enquanto eu cagava.

— Enquanto *cagava*? — disse Verme.

— Foi de improviso!

Os dois se viraram para mim e pediram minha opinião. Uma vez que nem eles próprios tinham gostado das rimas um do outro, fiquei sem saber o que dizer.

— Acho que eu gosto mais de música com, tipo, vocalista, guitarra e tal.

Verme fez um gesto de desdém.

— Esse aí não ia saber se a rima é boa nem se você esfregasse na cara dele — murmurou.

Dylan deu uma risada, e eles trocaram um cumprimento complexo formado por uma sequência de diferentes apertos de mão.

— Podemos ir? — perguntei.

Eles resmungaram e enrolaram por mais um tempo, até finalmente voltarmos a andar, só que agora acompanhados por Verme.

Eu seguia atrás dos dois, pensando o que diria à srta. Peregrine quando a encontrasse. Eu a imaginava como uma dama galesa, que me convidaria a tomar chá em sua sala de visitas, e conversaríamos amenidades polidamente até surgir o momento adequado para eu lhe dar a má notícia. *Sou neto de Abraham Portman*, eu diria. *Lamento dizer isto, mas ele não se encontra mais entre nós.* Assim que ela acabasse de enxugar as lágrimas em silêncio, eu a encheria de perguntas.

Segui Dylan e Verme por uma trilha que serpenteava por pastos de ovelhas até uma subida íngreme que levava ao alto de uma colina. Ali, pairava uma névoa ondulante tão densa que dava a sensação de estarmos entrando em outro mundo. Era um cenário bíblico; eu imaginava Deus, em um pequeno acesso de raiva, amaldiçoando os egípcios com aquela névoa cegante. E na descida parecia ficar ainda mais densa. O sol desbotou, tornando-se um pálido ponto esbranquiçado. A umidade se agarrava a todas as superfícies, formando gotas na minha pele e molhando minha roupa. A temperatura caiu. Por um instante eu me perdi de Dylan e Verme, mas a trilha logo se nivelou e os encontrei parados adiante, me esperando.

— Ei, gringo! — gritou Dylan. — Por aqui!

Segui, obediente. Saímos da trilha e avançamos por um matagal pantanoso. As ovelhas nos encaravam com seus grandes olhos úmidos, a lã encharcada e o rabo caído. Um casebre surgiu do meio da neblina, todas as portas e janelas com tábuas pregadas.

— Têm certeza de que é aqui? — perguntei. — A casa parece vazia.

— Vazia? Que nada, tem umas merdas sinistras ali dentro, pode crer — respondeu Verme.

— Vai lá — sugeriu Dylan. — Dá uma olhada.

Tive o pressentimento de que aquilo era uma armação, mas mesmo assim fui lá e bati à porta. Estava destrancada. Quando a toquei, uma fresta se abriu. Estava bem escuro lá dentro, eu não enxergava nada, então dei um passo para a frente (e, para minha surpresa, para *baixo*) no que parecia ser um piso de terra, mas logo percebi que na verdade era um oceano de bosta que batia na minha canela. Aquela cabana desabitada, tão inocente por fora, era um estábulo de ovelhas improvisado.

— Meu Deus! — gritei, morrendo de nojo.

As gargalhadas explodiram lá fora. Saí de costas, todo sem jeito, antes que o fedor intenso me fizesse desmaiar. Dylan e Verme mal se aguentavam de tanto rir.

— Babacas — xinguei, batendo os pés no chão para limpar as galochas.

— Ué, a gente *disse* que era cheio de merda!

Encarei Dylan.

— Você vai me levar até a casa ou não?

— Ele está falando sério — disse Verme, secando as lágrimas.

— Claro que é sério! — falei.

O sorriso de Dylan sumiu.

— Achei que fosse zoeira, cara.

— Hã... não.

Os dois trocaram um olhar apreensivo. Dylan cochichou alguma coisa para Verme. Verme cochichou alguma coisa de volta para Dylan. Por fim, Dylan se virou e apontou o caminho.

— Já que você quer mesmo ir lá, é só seguir em frente e atravessar o pântano e a floresta. É um lugar enorme e bem velho. Não tem como não ver.

— Como assim? A gente combinou de você me levar lá!

— Daqui a gente não passa — comentou Verme, desviando o olhar.

— Por quê?

— Porque sim.

Eles se afastaram a passos pesados, até sumirem na neblina.

Analisei minhas opções. Eu poderia enfiar o rabo entre as pernas e ir atrás dos dois garotos que tinham me atormentado ou seguir em frente sozinho e mentir para meu pai.

Depois de pensar bem por exatos quatro segundos, fui em frente.

* * *

Um vasto pântano lunar se estendia neblina adentro, margeando a trilha de ambos os lados; apenas capim enlameado e água turva até onde a vista alcançava, sem nada exceto por um aglomerado de pedras aqui e ali. O pântano terminava de repente, ao encontrar uma floresta de árvores finas como esqueletos, os galhos compridos parecendo cerdas de pincéis molhados. Por um trecho, a trilha sumiu sob os troncos caídos e o tapete de hera, de tal forma que precisei ter fé para acreditar que estava no caminho certo. Como uma pessoa idosa como a srta. Peregrine conseguia atravessar um percurso tão cheio de obstáculos? *Ela deve mandar entregar em casa todas as compras*, pensei, apesar de a trilha ter todo o jeito de não ser atravessada havia meses, se não anos.

Depois de um tronco enorme e escorregadio de musgo, que foi difícil passar por cima, a trilha fazia uma curva fechada. Então as árvores se abriram como uma cortina, e de repente lá estava ela, envolta em neblina, em uma elevação do terreno coberto de hera. A casa. Na mesma hora eu entendi por que os garotos tinham se recusado a me acompanhar.

Meu avô havia descrito o lugar centenas de vezes, mas as histórias sempre se passavam em um cenário iluminado e alegre — grande e confuso, sim, mas cheio de luz e de risadas. No entanto, mais que um refúgio de monstros, o que se erguia diante de mim era um monstro em si, olhando para baixo com uma fome inexpressiva. Árvores irrompiam de janelas quebradas e trepadeiras rebuscadas engoliam as paredes feito anticorpos atacando um vírus — como se a própria natureza tivesse declarado guerra ao lugar —, mas a casa parecia indestrutível, resolutamente ereta apesar dos ângulos estranhos e dos trechos de céu que invadiam como dentes afiados os buracos deixados pelas partes do teto que haviam desmoronado.

Tentei me convencer de que era possível alguém ainda morar naquele lugar em ruínas. Nas áreas mais distantes da minha cidade natal, não era raro ver alguma casa caindo aos pedaços, com as cortinas sempre fechadas — moradia de algum idoso recluso que sobrevive à base de macarrão instantâneo e pedaços de unhas dos pés desde tempos imemoriais, mas ninguém nota isso até aparecer um corretor de imóveis ou um recenseador pra lá de ambicioso e encontrar a pobre alma voltando ao pó no sofá. Em determinado ponto da vida, as pessoas estão velhas demais para continuar cuidando do ambiente em que vivem, e a família as esquece por algum motivo... É triste, mas acontece. Ou seja: gostando ou não, eu teria que bater à porta.

Reuni o que me restava de coragem e, passando por um matagal que batia na minha cintura, alcancei a varanda, onde só encontrei lajotas quebradas e madeira apodrecida. Espiei por uma janela rachada. Pelo vidro sujo, só consegui enxergar os contornos dos móveis. Bati à porta e me afastei, esperando em meio a um silêncio misterioso enquanto, com a mão no bolso, tocava a carta da srta. Peregrine, que tinha levado para o caso de precisar provar quem eu era. Um minuto se passou, depois dois, e foi parecendo cada vez menos provável que eu precisaria sacar aquele envelope.

Desci da varanda e contornei a casa à procura de outra entrada. Tentei imaginar o tamanho do lugar, mas a tarefa me pareceu impossível, como se a cada curva surgissem novas sacadas, torreões e chaminés. Quando cheguei aos fundos, avistei minha oportunidade: uma entrada sem porta, contornada por trepadeiras, escancarada e negra — uma boca aberta apenas esperando para me engolir. Só de olhar fiquei arrepiado, mas eu não tinha atravessado meio mundo para sair correndo ao dar de cara com uma casa assustadora. Pensei em todos os horrores que vovô Portman enfrentara na vida e me senti mais determinado. Se havia alguém ali dentro, eu o encontraria. Subi os degraus frágeis e cruzei a soleira.

*　　*　　*

Assim que entrei, me vi em um corredor escuro feito uma tumba e fiquei petrificado ao avistar o que pareciam peles penduradas em ganchos. Depois de um momento de náusea no qual imaginei um canibal maluco saltando das sombras com uma faca na mão, percebi que eram apenas casacos esfarrapados e mofados pelo tempo. Estremeci e respirei fundo. Eu mal tinha explorado três metros da casa e já estava prestes a me borrar todo. *Fique calmo*, pensei, e segui em frente devagar, o coração batendo forte.

Cada cômodo era um desastre pior que o outro. Jornais empilhados de qualquer jeito; brinquedos espalhados e cobertos de poeira (indícios de crianças que havia muito não habitavam a casa); em torno das janelas, paredes pretas e felpudas de tantos fungos; lareiras tomadas por trepadeiras que haviam descido do telhado e começado a se espalhar pelo piso feito tentáculos de seres alienígenas. A cozinha era um experimento científico fracassado: prateleiras inteiras de enlatados haviam explodido após sessenta anos sofrendo congelamentos e descongelamentos conforme as mudanças do clima, deixando manchas horrendas nas paredes. Na sala de jantar, o gesso caído do teto dava a impressão de que tinha nevado ali dentro. No fim de um corredor mal-iluminado, testei meu peso em uma escada podre e deixei marcas na camada de poeira; os degraus rangiam como se tivessem despertado de um sono prolongado. Se havia alguém no andar de cima, sem dúvida fazia tempo que não descia.

Desistindo da escada, cheguei a dois cômodos em que paredes inteiras tinham desabado, permitindo nascer nos escombros uma pequena floresta de arbustos baixos e árvores definhadas.

De repente, senti uma brisa. O que poderia ter causado um estrago daqueles? Comecei a ter a sensação de que alguma coisa terrível havia acontecido ali. As histórias idílicas do meu avô pareciam não encaixar naquela casa, que era simplesmente o cenário de um pesadelo. A ideia de que ele havia se refugiado ali parecia paradoxal ante a sensação de desastre que permeava o lugar. Ainda restavam cômodos por explorar, mas me pareceu perda de tempo: não havia a menor chance de alguém morar ali, nem o mais recluso ermitão. Saí da casa com a sensação de que a verdade estava mais longe do que nunca.

CAPÍTULO QUATRO

Voltei tropeçando e tateando feito um cego, até atravessar a floresta e a neblina e emergir novamente em um mundo de sol e luz. Fiquei surpreso ao ver que era fim de tarde, o céu já avermelhado. O dia tinha desaparecido. Meu pai me aguardava no bar, tomando uma cerveja preta como a noite e com o laptop aberto em cima da mesa. Sentei ao seu lado e tomei um gole da cerveja antes que ele sequer tivesse a chance de erguer o olhar do que estava digitando.

— Argh! Minha nossa — resmunguei, engasgando. — O que é isso? Óleo de motor fermentado?

— Quase — respondeu meu pai, rindo, e pegou a caneca de volta. — É diferente da cerveja americana. Se bem que você não sabe o gosto da americana, não é mesmo?

— Óbvio que não — respondi, com uma piscadela, embora não soubesse mesmo.

Meu pai gostava de acreditar que eu era tão popular e aventureiro quanto ele fora na minha idade, e sempre achei mais fácil simplesmente perpetuar esse mito.

Ele fez um breve interrogatório sobre a casa e quem tinha me levado lá, mas, como omitir fatos é mais fácil que inventá-los, passei no teste com louvor. Convenientemente, esqueci de mencionar que Verme e Dylan tinham me passado a perna, me fazendo andar em bosta de ovelha e dando o fora a quase um quilômetro do nosso destino. Meu pai pareceu satisfeito em saber que eu já tinha conhecido dois garotos da minha idade. Esqueci de contar também que os dois tinham me odiado.

— E como está a casa hoje em dia?

— Em ruínas.

Ele franziu o cenho.

— Faz muito tempo que seu avô morou lá, não?

— É. Ele e todos os outros.

Ele fechou o laptop, um sinal claro de que passaria a me dar toda a sua atenção.

— Estou vendo que você ficou decepcionado.

— Bom, eu não viajei milhares de quilômetros para procurar uma casa assustadora e cheia de lixo.

— E o que vai fazer agora?

— Procurar pessoas que me contem o que aconteceu. Alguém vai saber o que aconteceu com as crianças que moravam lá. Imagino que algumas delas ainda estejam vivas, seja no continente ou aqui mesmo. Em um asilo, sei lá.

— Claro. É uma ideia. — Ele não me pareceu muito convencido. Fez uma pausa estranha, depois continuou: — E você acha que, por estar aqui, começou a entender melhor quem era seu avô?

Pensei sobre aquilo.

— Não sei. Talvez. É só uma ilha, sabe?

Ele assentiu.

— Exato.

— E você? — perguntei.

— Eu? — Ele deu de ombros. — Desisti de tentar entender meu pai há muito tempo.

— Que triste. Não tinha vontade?

— Claro que tinha. Mas, depois de um tempo, passou.

Senti que a conversa estava tomando um rumo que me causava certo desconforto, mas mesmo assim insisti:

— Por quê?

— Quando você nunca recebe permissão para entrar na casa, acaba parando de bater à porta. Entende?

Meu pai nunca falava daquele jeito. Talvez fosse por causa da cerveja, ou por estarmos longe de casa, ou vai ver ele havia concluído que eu já tinha idade para conversar sobre aquele tipo de coisa. Fosse qual fosse o motivo, eu não queria que ele parasse.

— Mas era seu pai. Como você conseguiu simplesmente desistir?

— Não fui eu que desisti! — exclamou ele, um pouco alto demais. Em seguida, baixou a cabeça, envergonhado, e girou a cerveja na caneca. — É só que... Na verdade, acho que seu avô não sabia ser pai, mas achava que precisava ser, porque nenhum dos irmãos dele sobreviveu à guerra. A maneira que ele encontrou de lidar com isso foi se ausentar o tempo todo. Eram viagens de caça, de negócios, de qualquer coisa. E, mesmo quando estava por perto, era como se não estivesse.

— Está falando isso por causa daquele Halloween?

— Como assim?

— Você sabe... aquela foto.

Era uma velha história, e foi assim: dia de Halloween; meu pai tinha quatro ou cinco anos e nunca havia saído para pedir doces pela vizinhança. Vovô Portman tinha prometido ir com ele quando chegasse do trabalho. Minha avó havia comprado uma fantasia ridícula de coelho para meu pai, que se aprontou todo e ficou sentado na entrada da garagem esperando vovô das cinco da tarde até a noite. Vovô não apareceu. Minha avó ficou tão furiosa que tirou uma foto do meu pai chorando na rua só para mostrar ao marido e fazê-lo ver que era um grande babaca. Nem preciso dizer que essa foto se tornou um objeto lendário na família e um grande constrangimento para meu pai.

— Foi muito mais do que aquele Halloween — resmungou meu pai. — É sério, Jacob, você era mais próximo dele do que eu jamais fui. Sei lá, parecia que vocês se entendiam sem precisar dizer nada.

Fiquei sem resposta. Ele estava com ciúme de mim?

— E por que você está me contando isso? — perguntei.

— Porque você é meu filho e não quero que se magoe.

— Que eu me magoe como?

Ele fez uma pausa. Lá fora, as nuvens corriam no céu e os últimos raios de sol projetavam nossas sombras na parede do bar. Senti um nó no estômago, daquele tipo que surge quando seus pais estão para lhe contar que vão se separar, mas você já sabe antes mesmo de eles abrirem a boca.

— Eu nunca procurei saber muita coisa sobre seu avô porque tinha medo do que poderia descobrir — respondeu meu pai, por fim.

— Está falando da guerra?

— Não. Seu avô guardava esses segredos porque eram dolorosos. Isso eu entendia. Estou falando das viagens, de ele nunca estar presente. Do que ele fazia de verdade. Acho que ele tinha outra família, e nisso sua tia e eu concordamos. Talvez mais de uma, até.

Deixei a informação pairar entre nós por um momento. Senti um formigamento esquisito no rosto.

— Que maluquice, pai.

JUN • 56

— Uma vez encontramos uma carta. Não reconhecemos o nome da remetente, e estava endereçada para seu avô. *Amo você, estou com saudade, quando você volta*, por aí. Coisa sórdida, tipo marca de batom na camisa. Nunca vou esquecer.

Senti uma pontada de vergonha, como se ele estivesse descrevendo um crime cometido por mim. Mas eu não conseguia acreditar.

— Rasgamos a carta, jogamos na privada e demos descarga. E nunca mais encontramos outra. Acho que, depois dessa, ele passou a tomar mais cuidado.

Eu não sabia o que dizer. Não conseguia nem olhar para meu pai.

— Sinto muito, Jacob. Deve ser difícil ouvir uma história dessas. Sei que você idolatrava seu avô.

Ele esticou o braço para apertar meu ombro, mas eu desviei. Arrastei a cadeira para trás e me levantei.

— Eu não "idolatro" ninguém.

— Tudo bem. É que... eu queria que você estivesse preparado, só isso.

Peguei meu casaco e o joguei por cima do ombro.

— Aonde você vai? O jantar já vai chegar.

— Você está enganado sobre o meu avô. E eu vou provar.

Ele suspirou. Um suspiro do tipo "Ok, eu desisto".

— Está bem. Vou torcer para você estar certo.

Saí batendo a porta do Abrigo do Padre e comecei a caminhar sem rumo. Às vezes a gente só precisa atravessar uma porta.

É claro que era verdade o que meu pai tinha dito: eu idolatrava meu avô. Para mim, era necessário que certas coisas sobre vovô Portman fossem verdadeiras, mas ser adúltero não era uma delas. Ouvir as histórias dele quando eu era pequeno me fazia acreditar que uma vida mágica era possível. Mesmo quando já não acreditava mais nelas, meu avô ainda despertava fascínio em mim. Ele resistiu a todos os horrores da guerra, testemunhou o pior da humanidade, teve a vida destruída mas superou tudo aquilo e se tornou a pessoa honrada, boa e corajosa que eu conhecia... *Isso* era mágico. Por todos esses motivos, eu não podia acreditar que ele fosse um mentiroso, um traidor, um pai ruim. Porque, se meu avô não fora um homem honrado e bom, ninguém mais poderia ser.

* * *

O museu estava com as portas abertas e as luzes acesas, mas parecia vazio. Fui até lá para falar com o curador, na esperança de ele saber alguma coisa sobre a história e as pessoas da ilha e lançar alguma luz sobre a casa abandonada e o paradeiro de seus antigos moradores. Supondo que ele só tivesse dado uma saída (já que não tinha exatamente uma multidão desesperada para entrar), fui até o santuário e comecei a ver a exposição para passar o tempo enquanto o esperava.

Os objetos estavam organizados em estantes grandes, sem vidro na frente, tanto ao longo das paredes quanto no lugar dos antigos bancos de igreja. A maioria dos itens era indescritivelmente chata, retratando a vida em uma vila de pescadores comum e os antigos mistérios da pecuária. Mas uma peça se destacava. Ficava no lugar de honra, lá na frente, em um mostruário extravagante sobre o que um dia fora o altar. Estava isolada por uma corda (que pulei) e uma plaquinha de advertência (que não me dei ao trabalho de ler). Como todas as laterais eram de madeira envernizada e a tampa era de acrílico, impedindo a visão de longe, eu teria que olhar por cima.

Quando vi o que era, acho que engasguei — e, por um segundo de pânico, pensei: *monstro!* —, porque de repente me vi cara a cara com um cadáver enegrecido. O corpo encolhido tinha uma estranha semelhança com as criaturas que haviam assombrado meus pesadelos, assim como a cor da carne, que parecia ter sido assada em um espeto até virar carvão. Mas, quando vi que aquele corpo não iria ganhar vida, quebrar o vidro e atacar minha jugular, o pânico inicial passou. Apesar de muito mórbido, não passava de uma peça de museu.

— Ah, estou vendo que você já conheceu o velho! — exclamou alguém atrás de mim. Quando me virei, vi o curador se aproximando a passos largos. — E até que você reagiu bem. Já vi muitos marmanjos desmaiarem na hora! — Ele sorriu e estendeu a mão. — Sou Martin Pagett. Acho que você não me disse seu nome ontem.

— Jacob Portman. E quem é este aqui? A vítima de assassinato mais famosa do País de Gales?

— Ah! Bem que poderia ser, embora eu nunca tenha pensado nele dessa maneira. É o habitante mais velho da ilha. Conhecido nos círculos de arqueólogos como o Homem de Cairnholm, mas para nós é apenas o Velho. Para ser exato, ele tem mais de dois mil e setecentos anos, apesar de ter morrido aos dezesseis. Então, na verdade é um velho bem jovem.

— Dois *mil* e setecentos? — repeti, olhando para o rosto do garoto morto, que, não sei como, preservava intactos seus traços delicados. — Mas ele parece tão...

— É isso o que acontece quando você passa seus anos dourados num lugar sem oxigênio nem bactérias, como o fundo do nosso pântano. Aquilo é uma fonte da juventude permanente... quer dizer, isso se você já estiver morto.

— Foi lá que o senhor encontrou o corpo dele? No pântano?

O homem deu uma risada.

— Eu, não! Foram os cortadores de grama que o encontraram, perto do *cairn*, na década de 1970. O corpo parecia tão conservado que eles acharam que houvesse um assassino à solta em Cairnholm, mas depois os policiais viram que o cadáver segurava um arco da Idade da Pedra e que tinha uma corda feita de cabelo humano em volta do pescoço. Não é mais assim que se fazem essas coisas.

Fiquei arrepiado.

— Sacrifício humano? — chutei.

— Exato. Ele foi morto por uma combinação de estrangulamento, afogamento, estripação e uma pancada na cabeça. Não parece meio exagerado?

— Acho que sim.

Martin deu uma gargalhada.

— Você *acha*?!

— Tudo bem, foi exagerado mesmo.

— Claro que foi. Só que o mais fascinante, pelo menos para nós, homens modernos, é que muito provavelmente ele encarou a morte por vontade própria. Eu diria até que ele devia estar ávido por isso. O povo desse rapaz acreditava que os pântanos, em especial o nosso, serviam como entradas para o mundo dos deuses e que por isso eram o lugar perfeito para oferecer de presente o que tinham de mais precioso: sua vida.

— Que doideira.

— Concordo, mas acho que hoje em dia nos matamos de uma porção de maneiras que também vão parecer doideira no futuro. E até que o pântano não é uma escolha ruim no que diz respeito a portais para o outro mundo. Não é bem água nem terra... é um lugar intermediário. — Martin se debruçou no mostruário e olhou atentamente para o corpo ali dentro. — Ele não é lindo?

Olhei mais uma vez para o corpo esganado, esfolado, afogado e, de algum modo, imortalizado.

— Não acho, não.

Martin se endireitou e começou a falar com ar pomposo.

— Contemple o homem-piche! Enegrecido ele descansa, o rosto macio cor de fuligem, os membros ressequidos como veios de carvão. Os pés são troncos à deriva adornados com uvas-passas. — Ele abriu os braços como se fosse um ator de teatro canastrão e começou a rodear o mostruário com um andar afetado. — Testemunhe a cruel arte das feridas deste homem! As linhas sinuosas entalhadas por facas, o cérebro e os ossos expostos por pedras, a corda se cravando em seu pescoço. O primeiro fruto, dilacerado e descartado... ávido para alcançar o paraíso... um velho preso na juventude... Quase amo você!

Ele fez um agradecimento teatral enquanto eu aplaudia.

— Uau! Foi o senhor que escreveu isso?

— Sim, admito que fui eu! — respondeu ele, com um sorriso sem jeito. — De vez em quando brinco com versos, mas não passa de um hobby. Bem, obrigado pela atenção.

Fiquei me perguntando o que aquele estranho homem eloquente fazia em Cairnholm, com sua calça de pregas e seus poemas medíocres, mais parecendo um gerente de banco do que o morador de uma ilha assolada pelo vento, com apenas um telefone e sem ruas asfaltadas.

— Bom, eu adoraria lhe mostrar o restante da minha coleção — continuou Martin, me conduzindo até a porta —, mas, infelizmente, já está na hora de fechar. Se quiser voltar amanhã...

— Na verdade, eu queria saber se você pode me ajudar com uma coisa — interrompi, impedindo-o de me enxotar. — É sobre a casa que eu mencionei hoje de manhã. Eu fui lá.

— Mas veja só! Pensei que tivesse assustado você e o feito desistir dessa ideia. Como tem passado nossa mansão mal-assombrada? Ainda de pé?

Fiz que sim e decidi ir direto ao ponto.

— As pessoas que moravam lá... O senhor faz alguma ideia do que aconteceu com elas?

— Morreram todas. Já faz tempo.

Fui pego de surpresa, embora não devesse. Afinal, a srta. Peregrine era idosa, e idosos morrem. Mas aquilo não significava que minha busca havia chegado ao fim.

— Estou procurando qualquer outra pessoa que possa ter morado lá, não só a diretora.

— Morreram todas — repetiu Martin. — Ninguém mora lá desde a guerra.

Levei um momento para processar a informação.

— Como assim? Que guerra?

— Quando falamos em "guerra" por aqui, meu garoto, só pode ser uma: a Segunda Grande Guerra. Se não me engano, os moradores foram mortos durante um ataque aéreo alemão.

— Não. Não pode ser.

Ele fez que sim.

— Na época, havia uma unidade de defesa antiaérea na ponta mais distante da ilha, depois da floresta onde fica a casa. Por isso, Cairnholm era um alvo militar legítimo. Não que "legítimo" importasse muito para os alemães, sabe? Enfim... uma das bombas errou o alvo e, bem... — Ele balançou a cabeça em pesar. — Foi um tremendo azar.

— Não pode ser — repeti, embora estivesse começando a acreditar.

— Por que não se senta aí enquanto eu faço um chá? Você está me parecendo um pouco fora do ar.

— Só estou um pouco zonzo...

Ele me conduziu até uma cadeira em seu escritório e foi fazer o chá. Tentei organizar os pensamentos. *Um bombardeio durante a guerra...* Aquilo certamente explicaria os quartos com as paredes destruídas. Mas e quanto à carta da srta. Peregrine, enviada apenas quinze anos antes e com o carimbo postal de Cairnholm?

Martin voltou e me ofereceu uma caneca.

— Botei um pouquinho de uísque galês. É uma receita secreta. Você vai melhorar rapidinho.

Agradeci, tomei um gole e descobri, tarde demais, que o ingrediente secreto era um uísque fortíssimo. Parecia napalm descendo pela garganta.

— É forte mesmo — admiti, corando.

Ele franziu a testa.

— Talvez seja melhor eu chamar seu pai.

— Não, não, eu vou ficar bem. Mas, se você souber mais alguma coisa sobre o ataque, eu agradeço.

Martin se sentou em uma cadeira de frente para mim.

— Sobre esse assunto... eu fiquei com a pulga atrás da orelha. Você disse que seu avô morou aqui. Ele nunca falou nada sobre o ataque?

— Também fiquei curioso. Vai ver aconteceu quando ele já tinha ido embora. Foi mais no fim ou no começo da guerra?

— Admito que não sei. Mas, se tiver muito interesse, posso apresentá-lo a alguém que sabe: meu tio Oggie. Ele tem oitenta e três anos e morou aqui a vida toda. Ainda está completamente lúcido. — Martin deu uma olhada rápida no relógio. — Se chegarmos antes de começar a série preferida dele, tenho certeza de que não vai se importar de lhe contar tudo que você quiser saber.

*   *   *

Dez minutos depois, Martin e eu já estávamos acomodados no sofá da sala de Oggie, um lugar abarrotado de livros, caixas de sapatos velhas e uma quantidade de luminárias suficiente para clarear uma caverna, embora apenas uma estivesse acesa. Comecei a me dar conta de que morar em uma ilha isolada transformava as pessoas em acumuladores. Oggie se sentou de frente para nós; usava um blazer puído e calça de pijama, como se estivesse esperando visita (uma visita que não valesse o trabalho de vestir uma calça decente), e, enquanto falava, fazia um movimento ritmado em uma cadeira de balanço com cobertura de plástico. Parecia feliz pelo simples fato de ter plateia. Ele tagarelou sem parar sobre o tempo, a política do país e o estado deplorável da juventude, até que Martin finalmente conseguiu encaminhar a conversa para o ataque e as crianças que haviam morado no lar.

— Claro que me lembro delas. Um grupo bem esquisito. De vez em quando as víamos na cidade. As crianças, eu digo. Mas às vezes a mulher que cuidava delas também aparecia. Compravam leite, remédios e outras coisas. Você dava bom-dia, e elas desviavam o olhar. Eram acanhadas, claro, morando naquele casarão... As pessoas viviam comentando o que acontecia por lá, mas ninguém sabia ao certo.

— O que elas comentavam?

— Nada que prestasse. Como eu disse, ninguém sabia o que se passava por lá. Só posso dizer que aquelas crianças não eram órfãs típicas, como as de um orfanato, que você vê na cidade e sempre têm tempo para bater um papo. Aquelas lá eram diferentes. Algumas nem falavam nossa língua direito. Às vezes não falavam língua nenhuma, na verdade.

— Porque elas não eram órfãs de verdade — expliquei. — Eram refugiadas de outros países. Polônia, Áustria, Tchecoslováquia...

— Ah, era isso? — perguntou Oggie, erguendo as sobrancelhas para mim. — Que engraçado, eu não sabia.

Ele parecia ofendido, como se eu me julgasse um conhecedor maior sobre a ilha, e começou a balançar a cadeira mais rápido, com mais agressividade. Se aquela era a recepção que meu avô e as outras crianças tinham em Cairnholm, não era de admirar que fossem acanhados.

Martin pigarreou.

— E então, tio? E o bombardeio?

— Ah, calma, sem pressa. Sim, sim, os desgraçados dos chucrutes. Quem poderia esquecê-los?

Ele começou uma longa descrição da vida na ilha, contando como era viver sob a ameaça de ataques aéreos alemães: as sirenes ecoando, as pessoas correndo em pânico à procura de abrigo, o voluntário que ficava de sentinela e passava de casa em casa durante a noite conferindo as venezianas fechadas e as luzes apagadas, evitando que se tornassem alvos fáceis para os pilotos inimigos. Os habitantes se prepararam o melhor que podiam, mas nunca levaram a sério a possibilidade de serem atacados, tendo em vista os portos e as fábricas no continente, todos alvos muito mais importantes do que o pequeno espaldão de artilharia de Cairnholm. Até que, certa noite, as bombas começaram a cair.

— Um barulho terrível — comentou Oggie. — Era como gigantes pisoteando a ilha, e parecia que ia durar para sempre. Foi um baita bombardeio, mas graças aos céus ninguém na cidade morreu. Não posso dizer o mesmo dos rapazes da nossa artilharia, apesar de terem lutado com todas as forças, nem das pobres almas que moravam no orfanato. Bastou uma bomba. Eles deram a vida pela Grã-Bretanha, sim, senhor. Então, de onde quer que fossem, que Deus os abençoe por isso.

— O senhor lembra quando foi isso? — perguntei. — No começo da guerra ou mais para o fim?

— Posso lhe dizer o dia exato: 3 de setembro de 1940.

Foi como se todo o ar escapasse da sala. O rosto pálido do meu avô me veio à mente, seus lábios mal se mexendo ao pronunciar exatamente aquelas palavras: *3 de setembro de 1940.*

— O senhor... o senhor tem certeza disso? Que foi *nesse dia*?

— Eu não cheguei a lutar, tinha um ano a menos do que a idade mínima exigida. Aquela noite foi tudo que eu vi da guerra. Então, sim, tenho certeza.

Eu me senti entorpecido, desconectado. Foi estranho demais. Será que alguém estava pregando uma peça em mim? Alguma piada de mau gosto?

— E ninguém sobreviveu? — perguntou Martin.

O velho pensou por um momento, o olhar subindo na direção do teto.

— Agora que você falou, lembro que sim. Só uma pessoa. Um rapaz, não muito mais velho que esse seu amigo aí. — Enquanto relembrava, ele parou de balançar a cadeira. — Apareceu no vilarejo na manhã seguinte ao ataque, sem nem um arranhão. Parecia quase impassível, considerando que tinha acabado de ver todos os amigos baterem as botas. Foi muito esquisito.

— O garoto devia estar em choque — comentou Martin.

— Não duvido nada — continuou Oggie. — Ele só abriu a boca uma vez, para perguntar ao meu pai quando partia a primeira balsa para o continente. Disse que queria pegar em armas e acabar com os monstros desgraçados que tinham matado seus amigos.

A história de Oggie era quase tão absurda quanto as que vovô Portman contava, mas eu não tinha motivo algum para duvidar dele.

— Eu o conheci — falei. — Ele era meu avô.

Os dois me encararam atônitos.

— Eita, caramba! — exclamou Oggie.

Pedi licença e me levantei. Percebendo que eu parecia meio abalado, Martin se ofereceu para me levar de volta ao bar-pensão, mas recusei a companhia. Precisava ficar sozinho com meus pensamentos.

— Então me procure assim que puder — disse ele, e prometi que o faria.

Tomei o caminho mais longo de volta, passando pelas luzes tremeluzentes do porto, o ar carregado de maresia e da fumaça cuspida pelas chaminés de dezenas de lareiras. Fui até a ponta de uma doca. Enquanto observava a lua se erguer da água, imaginei meu avô ali, naquela manhã terrível, paralisado pelo choque, esperando uma balsa que o afastasse de todas as mortes que ele tinha presenciado e o levasse para a guerra e mais mortes. Não havia como escapar dos monstros, nem naquela ilha que não passava de um grão de areia no mapa — protegida por montanhas imersas em neblina, rochas escarpadas e marés — nem em lugar nenhum. Essa era a terrível verdade da qual ele havia tentado me proteger.

Ao longe, geradores engasgaram e perderam força, e em seguida todas as luzes próximas do porto e nas janelas das casas atrás de mim brilharam mais forte por um momento antes de se apagarem por completo. Imaginei como seria ver uma cena daquela do alto, dentro de um avião: a ilha inteira simplesmente se apagando de súbito, como se nunca tivesse existido. Uma supernova em miniatura.

* * *

Voltei caminhando sob o luar, me sentindo pequeno. Encontrei meu pai na mesma mesa do bar, diante de um prato de carne assada, o molho já frio e virando uma gordura viscosa.

— Veja só quem voltou — disse ele enquanto eu me sentava. — Guardei seu jantar.

— Estou sem fome.

Contei o que havia descoberto sobre vovô Portman. Ele me pareceu mais irritado do que surpreso.

— Não acredito que ele nunca tenha me contado isso — reclamou. — Nem uma única vez.

Eu entendia a raiva dele. Uma coisa era seu avô não lhe contar algo assim, outra era seu pai esconder isso de você, e por tanto tempo.

Tentei levar a conversa por um caminho mais positivo.

— Inacreditável, não acha? Tudo isso que ele viveu.

Meu pai assentiu.

— Acho que nunca vamos descobrir toda a verdade.

— O vovô sabia mesmo guardar segredos, hein?

— E como. Parecia que ele guardava as emoções num cofre.

— Mas fico imaginando se isso não explica por que ele agia de um jeito tão distante quando você era pequeno. — Meu pai me lançou um olhar penetrante, e percebi que teria que explicar minha teoria depressa, sob o risco de ele achar que eu estava passando dos limites. — Ele já tinha perdido a família duas vezes. A primeira na Polônia e a outra aqui, sua família adotiva. Então, quando você e tia Susie nasceram...

— Gato bombardeado tem medo de água fria?

— É sério. Você não acha que talvez isso signifique que, no fim das contas, ele não estava traindo a vovó?

— Não sei, Jacob. Acho que as coisas nunca são simples assim. — Ele soprou o ar, embaçando o interior da caneca de cerveja. — Mas acho que, na verdade, o que tudo isso explica é por que você e seu avô eram tão próximos.

— Hum...

— Ele levou cinquenta anos para superar o medo de ter uma família. Você chegou bem na hora certa.

Eu não sabia o que responder. Como dizer ao próprio pai *Lamento que seu pai não tenha amado você o suficiente*? Eu não seria capaz, então me limitei a dar boa-noite e subi para dormir.

Passei quase a noite toda rolando na cama. Não conseguia parar de pensar nas cartas — a que meu pai e tia Susie haviam achado quando crianças, da tal "outra mulher", e a que eu tinha encontrado um mês antes, da srta. Peregrine. Mas o que realmente não me deixava dormir era a seguinte questão: *E se as duas mulheres fossem a mesma?*

A carta da srta. Peregrine tinha o carimbo postal de quinze anos antes, mas tudo indicava que ela havia sido aniquilada por uma bomba na década de 1940. Minha cabeça elaborou duas explicações possíveis: ou meu avô se correspondia com uma pessoa morta — pouquíssimo provável — ou alguém assinara como srta. Peregrine para ocultar a verdadeira identidade.

E por que alguém faria isso? Porque tinha algo a esconder. Porque era a amante.

E se aquela viagem só servisse para me fazer descobrir que meu avô era um mentiroso e adúltero? Será que, entre seus últimos suspiros, ele estava tentando me contar sobre a morte de sua família adotiva ou admitir um bizarro caso extraconjugal de décadas? Talvez as duas coisas. A verdade era que, quando jovem, meu avô teve a família esfacelada tantas vezes que não sabia mais como formar uma nova ou como lhe ser fiel.

Mas tudo isso não passava de palpite. Eu não sabia ao certo, nem tinha a quem perguntar. Qualquer um capaz de responder já estava morto havia muito. Em menos de vinte e quatro horas, toda aquela viagem tinha perdido o sentido.

Caí em um sono inquieto. Ao amanhecer, acordei com um barulho no quarto. Quando me virei para ver o que era, me sentei na cama imediatamente. Uma ave enorme estava empoleirada na cômoda, olhando fixo para mim. Tinha uma cabeça lustrosa com penas cinzentas e garras que arranhavam a superfície de madeira enquanto ela andava perto da beirada, como se quisesse me ver de um ângulo melhor. Eu a encarei de volta; será que era um sonho?

Chamei meu pai, mas, ao ouvir minha voz, a ave levantou voo. Protegi o rosto com os braços e virei o corpo. Quando espiei o quarto, vi que a ave tinha ido embora pela janela.

Meu pai entrou meio trôpego de sono, os olhos de quem tinha acabado de acordar.

— O que foi?

Mostrei as marcas de garras na cômoda e uma pena que caíra no chão.

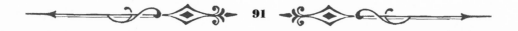

— Caramba, que esquisito — disse ele, observando a pena de perto. — É raro os peregrinos chegarem tão perto de humanos.

Por um instante achei que tivesse ouvido errado.

— Você disse *peregrinos*?

Ele ergueu a pena.

— Um falcão-peregrino — explicou. — São criaturas fascinantes, as aves mais velozes do planeta. Elas alteram o formato do corpo durante o voo, para ganhar em aerodinâmica.

O nome não passava de uma coincidência estranha, mas me deixou com uma sensação esquisita que não consegui afastar.

Enquanto tomava o café da manhã, comecei a pensar que talvez tivesse desistido fácil demais. Mesmo não havendo mais ninguém vivo com quem eu pudesse conversar sobre meu avô, havia a casa, boa parte dela ainda por explorar. Se em algum momento o lugar guardara respostas sobre meu avô — na forma de cartas, talvez, ou de fotos, ou um diário —, era provável que tivessem apodrecido ou sido queimadas décadas antes, mas eu sabia que me arrependeria se fosse embora da ilha sem ter certeza.

E é assim que uma pessoa altamente suscetível a pesadelos, terrores noturnos, arrepios e calafrios — e a ver coisas que não existem — se convence a ir uma última vez à casa abandonada e quase certamente mal-assombrada onde mais de dez crianças encontraram a morte prematura.

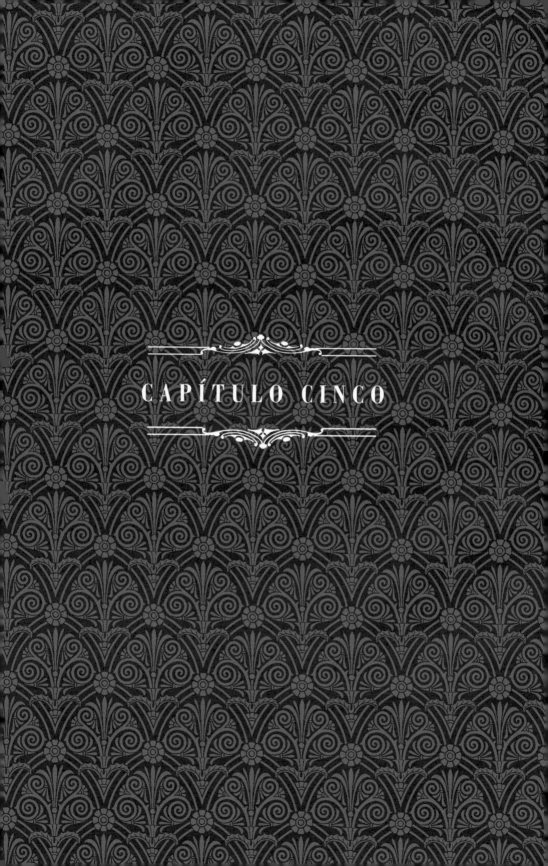

CAPÍTULO CINCO

A manhã estava quase perfeita demais para ser verdade. Quando saí do bar, tive a sensação de entrar em uma daquelas fotos carregadas de retoques que vêm como papel de parede nos computadores: ruas com chalés artisticamente decrépitos se estendiam até darem lugar a campos verdejantes costurados por muros de pedra sinuosos, todo o cenário coroado por nuvens brancas que se movimentavam rapidamente. Mais ao longe, no entanto, línguas densas de neblina pairavam sobre as casas, os campos e as ovelhas que andavam de um lado para outro como algodões-doces na colina — onde terminava este mundo e começava o seguinte, frio, úmido e sem sol.

Atravessei a colina e fui parar no meio de uma garoa. Óbvio que eu tinha esquecido de calçar as galochas, e a trilha estava rapidamente se tornando um rio de lama. Mas pegar um pouco de chuva me pareceu melhor do que atravessar a colina duas vezes na mesma manhã, então abaixei a cabeça e segui em frente. Passei pelo barracão, onde ovelhas se aglomeravam para se proteger do frio, e depois pelo pântano coberto de neblina, silencioso e fantasmagórico. Pensei no morador de dois mil e setecentos anos do museu de Cairnholm e me perguntei quantos outros aquele campo escondia, pessoas presas na morte, a serem descobertas; quantos outros jovens tinham dado a vida na busca pelo paraíso.

Quando cheguei à casa abandonada, o chuvisco tinha virado um temporal. Eu não podia perder tempo observando a aparência maligna daquele quintal que mais lembrava uma selva — a entrada sem porta que parecera me engolir, a madeira úmida do corredor cedendo sob meus pés. Parei, torci a camisa e sacudi o cabelo e, quando estava o mais seco possível (o que não era muito), comecei minha busca. Pelo quê, eu não sabia ao certo. Uma caixa cheia de cartas? O nome do meu avô rabiscado numa parede? Tudo me parecia muito improvável.

Andei pela casa levantando folhas de jornais velhos, olhando embaixo de cadeiras e mesas, imaginando que me depararia com coisas terríveis, como um emaranhado de esqueletos em trapos enegrecidos pelo fogo, mas só o que encontrei foram cômodos com aspecto selvagem, suas características ocultas pela umidade, pelo vento e por camadas de poeira. O térreo era um caso perdido. Parei diante da escada, sabendo que daquela vez teria que encará-la. A única pergunta era: subir ou descer? Se eu subisse, teria poucas rotas de fuga para o caso de esbarrar com invasores, criaturas sobrenaturais ou sabe-se lá o que mais minha mente era capaz de inventar em meio ao nervosismo. Só me restaria me jogar por uma janela. O subsolo apresentava o mesmo problema, além de um agravante: era muito escuro, e eu não tinha uma lanterna. Decidi subir.

Os degraus protestaram com uma sinfonia de gemidos e rangidos, mas aguentaram firme. O andar de cima era como uma cápsula do tempo, ao menos se comparado com a destruição que predominava no térreo. Dispostos ao longo de um corredor com papel de parede descolando, os quartos apresentavam um estado de conservação surpreendentemente bom. Apesar do mofo em um ou dois, por conta de alguma janela quebrada que deixara entrar chuva, os outros estavam repletos de objetos que pareciam a apenas duas camadas de poeira de serem considerados novos: uma blusa embolorada deixada casualmente nas costas de uma cadeira, algumas moedas em uma mesinha de cabeceira. Não foi difícil acreditar que tudo permanecia do jeitinho que as crianças haviam deixado, como se o tempo tivesse parado na noite em que morreram.

Fui de quarto em quarto examinando tudo, como um arqueólogo. Encontrei brinquedinhos de madeira mofando em uma caixa; lápis de cera em um parapeito, as cores desbotadas pelo sol de dez mil tardes; uma casinha com bonecas dentro, cumprindo prisão perpétua em sua cadeia decorada. O avançar sorrateiro da umidade havia entortado as prateleiras de uma pequena biblioteca, transformando-as em sorrisos. Passei o dedo nas lombadas gastas, como se estivesse pensando em pegar um livro para ler. Havia clássicos como *Peter Pan* e *O jardim secreto*, histórias escritas por autores esquecidos pela história, além de livros didáticos de grego e latim. Algumas carteiras estavam aglomeradas em um canto. Aquele cômodo só podia ser a sala de aula, e a srta. Peregrine era a professora.

De volta ao corredor, tentei girar a maçaneta de pesadas portas duplas, mas, de tão inchadas pela umidade, estavam emperradas. Tomei distância, saí correndo e as golpeei com o ombro. As portas se escancararam com um rangido agudo, e caí de cara no chão do cômodo. Quando me levantei e olhei ao redor, concluí que aquele só podia ter sido o quarto da srta. Peregrine. Parecia saído do castelo da Bela Adormecida, com velas cobertas de teias de aranha nos candelabros de parede, uma penteadeira com espelho e coberta de pequenos frascos de cristal, uma enorme cama de carvalho. Imaginei a última vez que ela estivera ali, saindo de sob as cobertas no meio da noite ao ouvir a sirene aguda que anunciava o ataque aéreo, depois reunindo as crianças ainda atordoadas e mandando-as pegar os casacos enquanto desciam a escada.

Você teve medo?, me imaginei perguntando a ela. *Ouviu quando os aviões chegaram?*

Comecei a me sentir esquisito. Tinha a sensação de estar sendo observado; como se as crianças continuassem ali, dentro das paredes, preservadas como o garoto do pântano, me espiando através de rachaduras na madeira.

Fui até o quarto ao lado, onde uma luz tênue entrava pela janela. Pedaços de papel de parede azul-bebê pendiam perto de duas camas pequenas ainda arrumadas, os lençóis cobertos de poeira. Não sei como, mas eu soube que aquele tinha sido o quarto do meu avô.

Por que você me mandou vir até aqui? O que queria que eu visse?

Foi quando notei um objeto debaixo de uma das camas. Eu me ajoelhei para olhar: era uma mala velha.

Isso era seu? Era a bagagem que você levava quando subiu no trem, na última vez que viu seus pais, enquanto sua primeira vida lhe escapava?

Puxei a mala e mexi nas correias de couro gastas, abrindo-a facilmente. A não ser por uma família de besouros mortos, estava vazia.

Eu também me senti vazio, mas, ao mesmo tempo, estranhamente pesado, como se o planeta estivesse girando rápido demais, a gravidade aumentando e me puxando para o chão. De repente me senti exausto, então me sentei na cama — *a cama do meu avô?* — e, por motivos que não saberia dizer, me estiquei naqueles lençóis imundos e fiquei olhando para o teto.

O que você pensava quando estava deitado aqui à noite? Também tinha pesadelos?

Comecei a chorar.

Quando seus pais morreram, você soube? Sentiu que eles tinham partido?

Comecei a soluçar. Eu queria segurar o choro, mas não conseguia.

Não conseguia. Então me concentrei em tudo de ruim e fui alimentando esses pensamentos até estar chorando tanto que arfava entre os soluços. Pensei em meus bisavós, que haviam morrido de fome. Pensei no cadáver dos dois sendo jogados em um incinerador porque eram odiados por pessoas que nem os conheciam. Pensei nas crianças daquela casa, que tinham morrido queimadas ou desintegradas porque um piloto apertou um botão sem nem se importar. Pensei na família que tinha sido tirada do meu avô, e por isso meu pai crescera com a sensação de não ter pai, e agora eu tinha reação aguda ao estresse e pesadelos e estava ali sozinho em uma casa em ruínas, encharcando a camisa com lágrimas idiotas. Tudo por causa de uma ferida de setenta anos que eu havia recebido como uma herança tóxica, por causa de monstros que eu não podia enfrentar porque estavam mortos e eu já não podia mais matar nem punir — já não podia mais acertar as contas com eles. Pelo menos meu avô tinha conseguido entrar para o Exército e combatê-los. E eu? O que eu podia fazer?

Quando parei de chorar, minha cabeça latejava. Fechei os olhos e pressionei as têmporas com os dedos para aliviar a dor por um momento. Então abri os olhos. Uma mudança milagrosa havia acontecido no quarto: um raio de luz atravessava a janela. Eu me levantei da cama, fui até o vidro rachado e vi que chovia e fazia sol ao mesmo tempo — uma pequena bizarrice meteorológica que aparentemente ninguém chega a um consenso sobre a melhor forma de chamar. É sério; minha mãe se refere a esse clima como "lágrimas de órfãos". Então lembrei que, segundo Ricky, quando o tempo fica assim é porque "o diabo está batendo na mulher!", e dei uma risada, me sentindo um pouco melhor.

A pequena faixa de sol que sumia rapidamente iluminou uma coisa que eu não tinha notado do outro lado do quarto. Um baú, ou pelo menos parte dele, despontando sob a colcha. Eu me aproximei e levantei o tecido que o ocultava.

Era um antigo baú de viagem, trancado com um cadeado gigante e enferrujado. Não havia a menor chance de aquilo estar vazio. Ninguém tranca um baú vazio. *Me abra!*, parecia gritar. *Estou repleto de segredos!*

Segurei o baú pelos lados e tentei puxar. Nada. Puxei de novo, dessa vez com mais força, mas nada. Fiquei na dúvida se era só pesado demais ou se as décadas de umidade e poeira acumuladas o haviam grudado no chão. Dei uns chutes no baú, que pareceu se soltar, e consegui puxá-lo arrastando um lado de cada vez, do jeito que se tira do lugar um fogão ou uma geladeira. Quando terminei, ficara no chão um rastro em forma de parênteses. Dei um puxão no cadeado, mas, apesar da camada espessa de ferrugem, parecia firme feito uma rocha. Pensei em procurar a chave — tinha que estar ali em algum lugar —, mas eu poderia perder horas nisso. Além do mais, o cadeado parecia tão deteriorado que talvez a chave nem funcionasse mais. Só me restava quebrá-lo.

Procurei alguma coisa que desse conta do recado. Encontrei, em outro cômodo, uma cadeira quebrada e arranquei uma perna. Voltei para o quarto do baú e caprichei: ergui o pedaço de madeira bem alto, como um carrasco, e bati várias vezes, o mais forte que pude. A madeira acabou quebrando, deixando na minha mão apenas o toco cheio de farpas. Procurei algo mais duro pelo quarto e logo notei que uma barra da grade da cama estava meio solta. Depois de uns chutes fortes, ela caiu. Enfiei uma das pontas no gancho do cadeado e puxei a outra, como uma alavanca. Não funcionou.

Apoiei todo o peso do corpo na barra. Consegui provocar um leve rangido, mas só. Comecei a me irritar. Chutei o baú e usei toda a minha força na barra, as veias do pescoço saltando, e eu gritava: *Abre, desgraçado! Abre, porcaria de baú idiota!* Enfim minha frustração e minha raiva tinham encontrado um objeto: se eu não havia conseguido arrancar os segredos do meu avô, ia arrancar os daquele baú velho à força. Então a barra escorregou e eu caí no chão, sem ar.

Fiquei ali deitado olhando para o teto enquanto recuperava o fôlego. Lá fora, as lágrimas dos órfãos tinham voltado a ser a boa velha chuva, que caía mais forte do que nunca. Pensei em voltar à cidade para buscar uma marreta ou uma serra, mas isso só levantaria perguntas que eu não estava disposto a responder.

Então tive uma ideia genial. Se eu desse um jeito de quebrar *o baú*, não teria que me preocupar com o cadeado. E qual força seria maior que a dos músculos reconhecidamente pouco desenvolvidos dos meus braços dando golpes com ferramentas aleatórias? *A gravidade.* Afinal, eu estava no segundo andar da casa, e, embora não tivesse a menor condição de levantar o baú para jogá-lo pela janela, a escada não tinha mais o guarda-corpo. Era só eu arrastar o baú pelo corredor e jogá-lo do alto da escada. Se o que havia dentro sobreviveria ou não, aí já era outra história — mas pelo menos eu descobriria o que era.

Eu me agachei atrás do baú e comecei a empurrá-lo. Depois de avançar alguns centímetros, os pés de metal se cravaram no chão macio e o fizeram empacar de repente, mas não desanimei: me posicionei na frente, segurei o cadeado com as duas mãos e comecei a puxá-lo com força. Para minha enorme surpresa, consegui arrastá-lo por quase um metro de uma só vez. Não era uma posição lá muito respeitável — todo curvado, com o bumbum empinado e repetindo o movimento várias vezes, cada puxão acompanhado por um rangido ensurdecedor de metal contra madeira —, mas consegui tirá-lo do quarto e cruzar o corredor em pouco tempo, centímetro por centímetro, porta após porta. Envolvido no ritmo repetitivo daquilo, acabei coberto por uma máscula camada de suor.

Finalmente cheguei à escada. Com um derradeiro gemido nada delicado, puxei o baú na minha direção. Ele agora deslizava com facilidade. Voltei a me posicionar atrás e, com alguns empurrões, consegui deixá-lo na beiradinha; só mais um peteleco e ele cairia. Mas eu queria vê-lo se despedaçar, como recompensa por todo aquele esforço, então me levantei e me coloquei na beirada com todo o cuidado, de onde podia ver o piso do sombrio hall no térreo. Prendi a respiração e, com o pé, dei um empurrãozinho no baú.

Ele hesitou por um instante, oscilando à beira do aniquilamento, depois se inclinou resoluto para a frente e caiu, dando cambalhotas em um lindo movimento de balé em câmera lenta. Em seguida, veio um estrondo. A casa inteira pareceu estremecer, e uma nuvem de poeira eclodiu até o segundo andar, me obrigando a cobrir o rosto e recuar até a poeira baixar. Esperei um minuto e voltei. Olhei para baixo. O que vi não foi a pilha de madeira destruída que tanto queria, mas um buraco no formato de baú aberto no assoalho de madeira. O maldito tinha atravessado o chão direto para o porão.

Desci correndo, me deitei de bruços e me arrastei com cuidado até a beira da cratera. Lá estava o baú, uns cinco metros abaixo, na escuridão, destroçado no meio da poeira. Tinha se partido como um ovo gigante. Os pedaços eram uma confusão de madeira quebrada e escombros, e folhas de papel estavam espalhadas por toda parte. Eu finalmente tinha encontrado as cartas! Mas, olhando melhor, vi silhuetas nos papéis — rostos, corpos. Eram fotos, não cartas. Dezenas de fotos. Fiquei empolgado, mas logo em seguida meu ânimo murchou quando me dei conta:

Vou ter que descer até lá.

* * *

O porão era um complexo tortuoso de cômodos tão escuros que daria na mesma se eu estivesse de olhos vendados. Depois de descer o último dos degraus rangentes, fiquei um instante parado, esperando meus olhos se adaptarem à escuridão, mas era o tipo de escuridão ao qual não dava para se adaptar. Esperei também me acostumar ao cheiro — um fedor acre meio esquisito, como se fosse o almoxarifado de um laboratório de escola, cheio de produtos químicos para experimentos —, mas também não tive muita sorte nisso. Então avancei, devagar, cobrindo o nariz com a gola da camisa, esticando os braços para a frente e torcendo para tudo dar certo.

Com um tropeção, quase caí, chutando sem querer algum objeto de vidro. O fedor só parecia piorar. Comecei a imaginar coisas perigosas na escuridão à minha frente, mas nada de monstros e fantasmas — e se tivesse buracos no chão? Ninguém nunca encontraria meu corpo.

Só então me ocorreu a ideia genial de usar a fraca lanterna do celular que eu levava no bolso (mesmo estando a mais de quinze quilômetros da torrezinha de recepção de sinal mais próxima). Peguei o aparelho e apontei para a frente. A luzinha mal penetrou a escuridão, então apontei para o chão. Um piso rachado, cocô de rato. Tentei para o lado; dessa vez, um reflexo fraco alcançou meus olhos.

Dei um passo na direção do brilho e balancei o telefone no ar, tentando enxergar em volta. No meio da escuridão surgiu uma parede de prateleiras cheias de potes de vidro em formas e tamanhos variados, todos cobertos de poeira e cheios de substâncias gelatinosas suspensas em fluidos turvos. Pensei nas latas de frutas e legumes em conserva explodidos que havia encontrado na cozinha. Talvez ali embaixo a temperatura fosse mais estável e por isso aqueles potes tivessem sobrevivido.

Cheguei um pouco mais perto, observei melhor e percebi que não eram frutas nem vegetais, mas órgãos. Cérebros. Corações. Pulmões. Olhos. Tudo conservado em uma espécie de formol caseiro, o que explicava o mau cheiro terrível. Enojado e confuso ao mesmo tempo, senti ânsia de vômito e me afastei. Que tipo de lugar era aquele? Eu esperaria aquele tipo de coisa no porão de uma faculdade de medicina clandestina, não em uma casa cheia de crianças. Se não fossem todas as histórias maravilhosas que vovô Portman havia me contado sobre o lugar, eu teria achado que a srta. Peregrine resgatava as crianças só para tirar os órgãos delas.

Depois de me recuperar um pouco do choque, vi outro brilho adiante — não um reflexo do celular, mas uma centelha de luz do dia. Só podia vir do buraco que o baú tinha aberto no piso do térreo. Fui naquela direção, ainda respirando através do tecido da camisa e mantendo distância das paredes e quaisquer outras surpresas pavorosas que pudessem guardar.

O brilho me levou a um quartinho em que parte do teto tinha desabado. O feixe de luz entrava pelo buraco e iluminava uma pilha de tábuas de madeira quebrada e cacos de vidro de onde se erguiam montinhos de pó e areia. Havia também pedaços de carpete rasgado pelo chão, como pedaços de carne-seca desfiada. Ouvi patinhas andando sob o entulho — algum rato que morava naquela escuridão tinha sobrevivido à implosão de seu mundo. No meio da bagunça estava o baú detonado, com fotografias espalhadas em volta como confete.

Avancei em meio ao entulho, erguendo bem a perna para passar pelas lascas de madeira e as tábuas com pregos enferrujados. Então me ajoelhei e comecei a catar as fotos que conseguia. Eu me sentia trabalhando em um resgate, salvando rostos do meio dos destroços, limpando cacos de vidro e madeira apodrecida. E, embora parte de mim quisesse fazer tudo às pressas — pois não dava para saber se o resto do piso cairia na minha cabeça ou quando isso aconteceria —, eu não conseguia parar de examinar os retratos.

À primeira vista, as fotos pareciam típicas de um velho álbum de família. Retratos de pessoas se divertindo em praias e sorrindo em quintais, paisagens da ilha e muitas crianças, posando sozinhas ou em duplas, fotos descontraídas e outras formais, de crianças segurando bonecas inexpressivas diante de painéis que serviam de cenário de fundo, como se tivessem resolvido posar para um book em um shopping center assustador da virada do século passado. O mais horripilante, porém, não foram as bonecas zumbi nem os cortes de cabelo esquisitos das crianças, nem mesmo a ausência total e absoluto de algum sorriso, mas o fato de que, quanto mais eu observava, mais familiares as imagens se tornavam aos meus olhos. Elas tinham o mesmo ar de pesadelo que as fotos antigas do meu avô, principalmente as que eu encontrara escondidas na caixa de charutos, como se, por algum milagre, fizessem parte do mesmo conjunto.

Uma delas, por exemplo, mostrava duas meninas diante de um painel com uma pintura pouco convincente representando o mar. A imagem por si só não era tão estranha; o que me inquietou foi a *pose* das meninas. Ambas estavam de costas para a câmera. Por que alguém se daria ao trabalho de tirar uma fotografia, pagaria por ela — algo caro na época — e, na hora, viraria de costas para a câmera? Eu quase esperava encontrar outra foto das garotas, dessa vez de frente, revelando uma caveira sorridente no lugar do rosto.

Outros retratos pareciam manipulados do mesmo jeito que alguns do meu avô. Um deles mostrava uma menina em um cemitério olhando para um lago — mas o reflexo na água era de *duas* meninas. Na mesma hora me lembrei da menina "presa" em uma garrafa, só que a foto do lago, fosse qual fosse a técnica de manipulação, parecia muito menos falsificada. Em outro retrato, um rapaz transmitia uma placidez desconcertante enquanto a parte superior do corpo parecia coberta por abelhas. Essa seria bem fácil forjar. Assim como a do garoto levantando um pedregulho de gesso. Pedra falsa, abelhas falsas.

Os pelos da minha nuca se arrepiaram quando me lembrei de algo que vovô Portman me dissera certa vez, sobre um menino que ele conhecera no lar — que tinha abelhas vivas dentro do corpo. *Quando ele abria a boca, sempre escapavam algumas, mas elas só picavam quando Hugh queria.*

Só havia uma explicação: as fotos que meu avô guardava haviam saído do baú destruído que eu tinha agora diante de mim. Tive certeza disso quando encontrei os gêmeos bizarros: dois meninos mascarados com uma roupa de babados no colarinho. Um deles parecia alimentar o outro com uma fita. O que seriam, além de combustível para pesadelos? Bailarinos sadomasoquistas? Bom, não me restou dúvida de que meu avô tinha uma foto daquelas mesmas duas crianças. Eu a encontrara na caixa de charutos, poucos meses antes.

Não podia ser coincidência. Portanto, as fotos do meu avô — que ele jurava serem de crianças que conhecera na casa — *tinham realmente saído dali.* Mas seria possível que, contrariando minhas desconfianças, que eu começara a nutrir aos sete anos, aquilo significasse que as fotos eram autênticas? E o que dizer das histórias fantásticas que ele contava? Parecia impensável que sequer uma delas fosse verdadeira — *totalmente* verdadeira, não apenas versões fantasiosas da realidade. No entanto, ali, na penumbra daquela casa morta e no entanto tão cheia de vida com seus fantasmas, pensei que *talvez...*

De repente, um estrondo soou em algum lugar acima. Levei um susto tão grande que deixei todas as fotos caírem.

É só a casa rangendo, pensei. *Ou... desmoronando de vez!*

Eu me abaixei para catar as fotos e ouvi o estrondo outra vez. Em um piscar de olhos, a pouca luz que brilhava pelo buraco sumiu e me vi agachado na escuridão total.

Ouvi passos; depois, vozes. Tentei entender o que diziam, mas não consegui. Não ousei me mexer, com medo de que o menor movimento causasse uma barulhenta avalanche de escombros ao meu redor. Eu sabia que meu medo era descabido — provavelmente eram só aqueles dois rappers bestas pregando outra peça em mim —, mas meu coração batia a cem quilômetros por hora, e o instinto me mandou permanecer em silêncio.

Minhas pernas começaram a ficar dormentes. Evitando fazer barulho, mudei o peso de um pé para o outro, tentando fazer o sangue voltar a circular. Uma coisinha qualquer caiu do alto da pilha e rolou fazendo um barulho que, naquele silêncio, pareceu outro estrondo. As vozes se calaram. Então, uma tábua do assoalho rangeu bem acima da minha cabeça, lançando uma garoa de

gesso sobre mim. Quem quer que estivesse no andar de cima sabia exatamente onde eu me encontrava.

Prendi a respiração.

Então veio uma voz de menina, perguntando baixinho:

— Abe? É você?

Pensei que estivesse sonhando. Esperei a garota falar outra vez, mas por um minuto só ouvi a chuva no telhado, como se mil dedos tamborilassem em um lugar qualquer ao longe. Por fim, uma lanterna se acendeu acima, e, quando ergui a cabeça, vi seis crianças ajoelhadas ao redor das mandíbulas dentadas do piso quebrado, olhando para baixo.

Eu as conhecia, mas não sabia de onde. Pareciam rostos projetados em um sonho do qual não me lembrava. Onde eu as tinha visto? E como elas sabiam o nome do meu avô?

Então tive um estalo. As roupas, estranhas mesmo para o País de Gales. Os rostos pálidos e sérios. As fotos espalhadas ao meu redor, olhando para cima do mesmo jeito que as crianças olhavam para baixo. De repente, eu entendi.

Eram elas nos retratos.

A menina que havia perguntado pelo meu avô se levantou para me enxergar melhor. Ela segurava uma luz tremulante nas mãos unidas. Não era uma lanterna nem uma vela; parecia mais uma bola de fogo, que ela protegia apenas com a pele das mãos. Eu tinha visto o retrato dela menos de cinco minutos antes, e era praticamente a mesma imagem, até a mesma luz estranha.

Oi, meu nome é Jacob, tive vontade de dizer. *Estava procurando vocês.*

Mas só fiquei boquiaberto, sem conseguir fazer nada além de olhar para ela.

A menina fez uma careta. Eu estava um caco: ensopado de chuva, coberto de poeira e agachado em uma pilha de entulho. Não sei o que a menina e as outras crianças esperavam encontrar, mas certamente não era eu.

Elas cochicharam entre si, depois se levantaram e se dispersaram rapidamente. O movimento repentino acionou alguma coisa dentro de mim. Recuperei a voz e gritei para as crianças, pedindo que me esperassem, mas eu já ouvia a barulheira delas correndo para a porta. Tropeçando nos destroços, corri às cegas pelo porão fedorento até a escada, mas quando cheguei ao térreo e voltei a ver a luz do dia, antes bloqueada pelas crianças, elas haviam sumido.

Saí correndo da casa e desci os degraus de tijolos destruídos.

— Esperem aí! Parem! — eu gritava.

Mas todos tinham sumido de vista. Ofegando e xingando sem parar, olhei em volta, procurando alguém no quintal, no meio da floresta.

De repente, um estalo entre as árvores. Eu me virei. Por entre um emaranhado de galhos, enxerguei de relance um movimento indistinto — a barra de um vestido branco. Era a garota. Disparei floresta adentro e comecei a persegui-la. Ela saiu correndo pela trilha.

Eu pulava troncos caídos e me abaixava para passar sob os galhos, perseguindo-a até meus pulmões começarem a arder. A garota continuava tentando me despistar, se embrenhando na floresta e voltando à trilha. A floresta acabou, e saímos para o pântano. Foi ali que vi minha grande chance, pois ela não tinha mais onde se esconder. Para pegá-la, eu só precisaria acelerar mais. Como eu estava de tênis e calça jeans, e ela, de vestido, seria moleza. Mas, assim que comecei a me aproximar, a garota fez uma curva abrupta e se enfiou no pântano. Só me restou continuar a perseguição.

Ficou impossível correr. Não dava para confiar no solo, que toda hora cedia. Eu afundava na lama até os joelhos, que encharcava minha calça e sugava minhas pernas, enquanto a garota parecia saber exatamente onde pisar. Ela foi se afastando cada vez mais, até sumir em meio à neblina, deixando apenas suas pegadas para eu seguir.

Quando ela me despistou, segui seu rastro esperando que me levasse de volta à trilha, mas as pegadas adentravam cada vez mais o pântano. A neblina se fechou atrás de mim. Não enxergava mais a trilha e comecei a ter medo de não encontrar a saída. Tentei chamá-la — *Meu nome é Jacob Portman! Sou neto do Abe! Não vou machucar você!* —, mas a neblina e a lama pareciam engolir minha voz.

As pegadas me levaram a uma pilha de pedras. Parecia um grande iglu cinza, mas era um *cairn* — uma das tumbas neolíticas que davam nome a Cairnholm.

Em uma área gramada no meio do lamaçal ficava o *cairn*, comprido, estreito e pouco mais alto que eu, com uma abertura retangular em uma lateral, como se fosse uma porta. Saí do atoleiro para o solo relativamente firme que rodeava a estrutura, então notei que a abertura era a entrada para um túnel profundo. Vi linhas e espirais complexas gravadas dos dois lados, hieróglifos antigos cujo significado se perdera ao longo do tempo. *Aqui jaz o garoto do pântano*, pensei. Ou, mais provavelmente: *Perdei a esperança, vós que aqui entrais.*

Mas lá fui eu, porque era para onde as pegadas conduziam. Por dentro, o túnel era úmido, estreito e completamente escuro, tão baixo que eu só conseguia seguir em frente andando como um caranguejo, todo curvado, quase de quatro. Por sorte, lugares apertados não estão na lista de coisas que me matam de medo.

Imaginando que a garota estivesse assustada e tremendo em algum lugar mais à frente, eu me dirigia a ela enquanto avançava, tentando deixar claro que não lhe faria mal algum. Minhas palavras voltavam para mim em um eco desorientador. Quando minhas coxas começaram a doer por causa da postura bizarra que eu tinha sido forçado a adotar, o túnel se alargou e virou uma câmara completamente escura, mas pelo menos ali eu não esbarrava nas paredes ao ficar de pé e esticar os braços.

Peguei o celular e mais uma vez o usei como lanterna. Com isso, logo consegui avaliar o local. Era uma câmara simples, com paredes de pedra, mais ou menos do tamanho do meu quarto — e completamente vazia. Nenhuma garota.

Fiquei ali tentando entender como ela havia conseguido escapar, até me dar conta de algo tão óbvio que me senti um idiota por ter demorado tanto a perceber. Não havia garota *alguma*. Ela era fruto da minha imaginação, assim como todas as outras crianças. Minha mente as inventara enquanto eu observava as fotos. A escuridão repentina que tinha se instalado no porão logo antes de eles aparecerem pelo buraco no teto do sótão? Um blecaute consciencial.

Era impossível que fossem mesmo aquelas crianças, pois elas tinham morrido décadas antes. E, mesmo que estivessem vivas, seria ridículo esperar que continuassem idênticas às fotografias. O problema foi que tudo aconteceu tão rápido que não tive a chance de parar e considerar a possibilidade de estar perseguindo uma alucinação.

Eu já conseguia até imaginar a explicação do dr. Golan: *A casa é um lugar tão carregado de emoções que bastou você entrar nela para ter uma reação de estresse.* Sim, ele era um babaca que adorava vomitar toda aquela palhaçada psicológica, mas isso não significava que estava errado.

Dei meia-volta, humilhado. Em vez de andar feito um caranguejo, deixei para lá o que restava da minha dignidade e fui engatinhando até a luz difusa que entrava pela boca do túnel. Quando levantei a cabeça, percebi que já vira a imagem que se abriu diante de mim: no museu de Martin, em uma foto que mostrava o lugar onde o garoto do pântano tinha sido encontrado. Fiquei estupefato em pensar que as pessoas já haviam acreditado que aquele terreno baldio e fedorento era um portal para o paraíso — e com tanta convicção que um garoto da minha idade se dispunha a desistir da vida para chegar lá. Que desperdício triste e estúpido.

Naquele momento, decidi voltar para casa. Não me importava com as fotos no porão e estava de saco cheio de charadas, mistérios e últimas palavras. Sucumbir à obsessão do meu avô só tinha me deixado pior, não melhor. Era hora de esquecer tudo aquilo.

Quando saí do túnel apertado, a luz me cegou. Protegi a vista e, olhando por uma fresta entre os dedos, quase não reconheci o mundo que se abriu diante de mim. O pântano era o mesmo, o caminho era o mesmo e tudo estava igual a antes, mas, pela primeira vez desde minha chegada à ilha, me vi banhado por alegres raios de sol dourados. O céu era azul-bebê e não havia o menor vestígio da neblina que, para mim, caracterizava aquela parte da ilha. Para completar, estava quente, um calor típico do auge do verão e não dos primeiros dias da estação, quando ainda sopra uma brisa fresca. *Caramba, como o tempo muda rápido por aqui*, pensei.

Voltei à trilha com muito custo, tentando ignorar a sensação arrepiante das minhas meias empapadas com a lama do pântano, e segui de volta para o vilarejo. O estranho foi que a trilha não estava nem um pouco enlameada — parecia ter secado em questão de minutos —, mas tinha sido coberta por um tapete de bostas de animal do tamanho de laranjas, o que me impediu de andar em linha reta. Como eu não tinha notado aquilo antes? Será que tinha passado a manhã toda em um delírio psicótico? Será que *continuava* nesse delírio?

Só desgrudei os olhos do tabuleiro de damas com peças de bosta que se estendia diante de mim quando cruzei o topo da colina e já estava voltando para a cidade. Foi então que descobri de onde vinha toda aquela sujeira. Nas ruas de cascalho onde, pela manhã, uma frota de tratores ia e vinha do porto carregada de peixes e placas de turfa, vi carretas puxadas por cavalos e mulas. O barulho dos cascos havia substituído o rugido dos motores.

Também não escutei o zumbido onipresente dos geradores a diesel. Teria a ilha ficado sem combustível durante as poucas horas em que eu me ausentara? E onde os moradores vinham escondendo todos aqueles animais enormes?

Aliás, por que estava *todo mundo* me olhando? Qualquer um por quem eu passava me encarava, parava o que estivesse fazendo e me olhava com curiosidade descarada enquanto eu andava. *Estou tão louco que devo estar com cara de maluco*, pensei, então olhei para baixo e vi que estava coberto de lama da cintura para baixo e de gesso da cintura para cima, por isso mantive a cabeça baixa e andei o mais rápido que pude até o bar-pensão, onde pelo menos poderia me esconder no anonimato da penumbra até meu pai voltar para o almoço.

Decidi dizer a ele claramente que queria voltar para casa o quanto antes. Se ele ficasse com o pé atrás, eu admitiria que vinha tendo alucinações, e sem dúvida voltaríamos para o continente na primeira barca que saísse.

No Abrigo do Padre estavam os mesmos bêbados, debruçados sobre canecas cheias de espuma, as mesas maltratadas e a decoração sem graça que eu havia passado a enxergar como minha segunda casa. Mas, quando comecei a subir a escada, ouvi uma voz estranha.

— Aonde você pensa que vai? — perguntou alguém.

Com um pé já no primeiro degrau, eu me virei e vi um atendente do bar me olhando de cima a baixo. Só que não era Kev, mas um sujeito carrancudo e de cara redonda que eu não conhecia. Ele usava um avental, e, com a monocelha grossa e o bigode de tarântula, seu rosto parecia ter duas listras horizontais.

Eu poderia ter respondido: *Vou subir e fazer as malas e, se meu pai não me levar para casa, vou fingir um ataque.*

— Só estou subindo para meu quarto — respondi. Mas falei de um jeito que a frase saiu parecendo mais uma pergunta que uma afirmação.

— Ah, é? — disse ele, e pousou no balcão a caneca que estava enchendo. — E isso aqui tem cara de hotel?

A madeira dos bancos rangeu quando todos os fregueses se viraram para ver o que estava acontecendo. Olhei rapidamente para eles; nenhum me era familiar.

Estou tendo um surto psicótico, pensei. *Neste exato momento. Então é assim que acontece.* Só que eu não me sentia nem um pouco diferente. Não estava vendo relâmpagos nem suando em bicas. Parecia que o mundo é que estava enlouquecendo, não eu.

Falei com o sujeito de avental que devia estar havendo algum engano.

— Meu pai e eu alugamos os quartos do andar de cima. Veja, eu tenho a chave — completei, pegando-a do bolso.

— Dá aqui pra eu ver — pediu o sujeito, debruçando-se no balcão para arrancá-la da minha mão.

Ele a observou contra a luz fraca como um joalheiro.

— Essa chave aqui não é nossa — resmungou, e a enfiou no bolso. — Agora me diz o que é que você quer aqui de verdade. E nada de mentir!

Senti meu rosto corar. Eu nunca tinha sido chamado de mentiroso por um adulto que não fosse da família.

— Já falei que a gente alugou os quartos! Se não acredita em mim, pergunte ao Kev!

— Não conheço nenhum Kev e não gosto de conversinha fiada — retrucou ele, com toda a frieza. — Aqui não tem nenhum quarto para alugar, e só quem mora ali em cima sou eu!

Olhei ao redor, esperando alguém dar uma risada, me deixar entrar na brincadeira, mas os fregueses estavam impassíveis.

— O garoto é americano — comentou um homem de barba comprida. — Vai ver é do Exército.

— Que nada! — resmungou outro. — Dá só uma olhada. Ainda nem largou as fraldas.

— Mas olha a capa de chuva dele — disse o barbudo, beliscando a manga do meu casaco. — Onde é que a gente ia encontrar isso aqui em loja? Deve ser do Exército mesmo.

— Ei, eu não sou do Exército nem estou inventando nada, juro! Só quero encontrar meu pai, pegar minhas coisas e...

— Americano é o caramba! — berrou um homem gordo. Ele desgrudou do banco sua considerável circunferência e se colocou entre mim e a porta, para a qual eu vinha recuando lentamente. — Sotaque esquisito. Um espião chucrute, é isso que ele é!

— Não sou espião nenhum — neguei, sem forças. — Só estou perdido.

— Ah, mas está mesmo. — O sujeito riu. — Vamos arrancar a verdade dele à moda antiga. Com uma corda!

Alguns bêbados concordaram, aos gritos. Eu não sabia se estavam falando sério, mas não tinha a menor vontade de ficar para descobrir. Foi então que um leve instinto atravessou a balbúrdia ansiosa que tomava conta da minha cabeça: *Corra*. Seria muito mais fácil descobrir o que estava acontecendo sem um bar cheio de bêbados ameaçando me dar uma surra. É claro que, se eu saísse correndo, eles se convenceriam de que eu tinha culpa no cartório, mas eu pouco me importava.

Avancei para passar pelo homem gordo.

Ele tentou me segurar, mas um bêbado lerdo não é páreo para um garoto veloz e apavorado. Fingi que ia para a esquerda e dei uma finta para a direita. Ele urrou de raiva, enquanto os outros homens se descolavam dos bancos para tentar me pegar, mas escapei e cruzei a porta o mais rápido que pude, saindo para a tarde ensolarada.

* * *

Corri rua abaixo, meus pés deixando marcas no cascalho, enquanto aos poucos as vozes raivosas sumiam lá atrás. Dobrei bruscamente na primeira esquina, para sair do campo de visão deles. Dali, cortei caminho por um quintal enlameado onde galinhas cacarejantes se dispersavam rapidamente à minha passagem, depois cruzei um terreno aberto onde um monte de mulheres em fila que esperava para pegar água de um poço antigo virou a cabeça ao me ver passar a toda. Um pensamento que não tive tempo de elaborar zuniu pela minha cabeça — *Ué, cadê a Mulher à Espera?* —, mas logo me aproximei de um muro baixo e tive que me concentrar para saltá-lo. *Apoiar a mão, levantar o pé, ganhar impulso.* Aterrissei em uma ruazinha de terra movimentada onde quase fui atropelado por uma carroça que vinha a toda. O cocheiro xingou minha mãe enquanto o flanco do cavalo resvalava no meu peito, deixando marcas de cascos e rodas a centímetros dos meus pés.

Eu não fazia ideia do que estava acontecendo. Só tinha entendido duas coisas: que muito possivelmente eu estava enlouquecendo e que precisava me afastar de qualquer pessoa até confirmar esse fato.

Corri por um beco que passava atrás de duas fileiras de casebres, onde parecia haver um monte de esconderijos possíveis, e segui até os limites da cidade. Então, reduzi a velocidade para uma caminhada rápida, na esperança de que um garoto americano desgrenhado e enlameado chamasse menos atenção se não estivesse correndo.

Cada barulhinho e cada movimento me matava de susto, e isso em nada ajudou em minha tentativa de agir com naturalidade. Acenei para uma mulher que pendurava roupas no varal, mas, assim como todo mundo, ela simplesmente ficou me encarando. Apressei o passo.

Ouvi um barulho estranho atrás de mim e me agachei para entrar em um banheiro externo. Enquanto esperava ali dentro, acocorado atrás da porta entreaberta, passei os olhos pelas paredes rabiscadas.

Dooley frutinha pederasta.

Nem um beijinho?

Por fim, um cachorro passou em silêncio, seguido por filhotes que davam latidos agudos. Soltei a respiração e comecei a relaxar um pouco. Tentei me acalmar e voltei para o beco.

De repente alguma coisa me agarrou pelo cabelo. Antes mesmo que eu tivesse a chance de gritar, uma mão surgiu por trás e encostou um objeto afiado no meu pescoço.

— Se gritar, eu corto você.

Sem afastar a lâmina, a pessoa me empurrou para a parede do banheiro e apareceu ao meu lado me encarando. Para minha enorme surpresa, não era nenhum dos homens do bar. Era a garota. Ela usava um vestido branco simples e tinha cara de poucos amigos. Seu rosto era simplesmente lindo, mesmo parecendo que estava falando sério sobre me degolar.

— O que você é? — murmurou ela.

— Eu... hã... eu sou americano — gaguejei, sem entender direito o que ela queria saber. — Meu nome é Jacob.

A garota apertou mais a faca. Sua mão tremia. Estava assustada, o que significava que era perigosa.

— O que estava fazendo na casa? — perguntou ela. — Por que está me perseguindo?

— Eu só queria falar com você! Não me mate!

Ela me encarou com uma expressão carrancuda.

— Falar comigo sobre o quê?

— Sobre a casa, sobre as pessoas que moravam lá.

— Quem mandou você aqui?

— Meu avô. O nome dele era Abraham Portman.

A garota abriu a boca, surpresa.

— Mentira! — gritou ela, os olhos faiscantes. — Acha que eu não sei o que você é? Não nasci ontem! Abra os olhos! Quero ver seus olhos!

— Eu sou neto dele, sim! E já estou com os olhos abertos!

Arregalei os olhos o máximo que pude. A garota se ergueu na ponta dos pés e observou com atenção.

— Não, quero ver seus olhos *de verdade*! — gritou ela, batendo com o pé no chão. — Esses aí são falsos e me enganam tanto quanto essa sua mentira de que você é neto do Abe!

— Não é mentira! E esses são meus olhos! — Ela apertava meu pescoço com tanta força que estava difícil respirar. Ainda bem que a faca era cega, senão já teria me cortado. — Olha, eu não sou quem você está pensando — falei, minha voz saindo falhada. — Posso provar!

A mão dela relaxou um pouco.

— Então prove, senão vou regar a grama com seu sangue!

— Ok. Eu tenho uma coisa bem aqui — falei, enfiando a mão no bolso do casaco.

Ela deu um salto para trás e me mandou parar, levantando a faca e apontando-a, com a mão trêmula, para meu rosto.

— É só uma carta! Calma!

Ela voltou a pressionar a faca no meu pescoço. Lentamente, tirei do bolso a carta e a foto da srta. Peregrine e as estendi.

— A carta é uma das coisas que me trouxeram aqui. Foi meu avô quem me deu. É da Ave. É assim que vocês chamam a diretora, certo?

— Isso não prova nada! — exclamou a garota, mesmo mal tendo olhado para a carta. — E como você sabe tanto sobre a gente?

— Já falei, meu avô...

Ela arrancou a carta da minha mão.

— Não quero mais ouvir uma palavra!

Aparentemente, eu tinha tocado em um assunto delicado. Ela ficou calada por alguns segundos, o rosto contraído em frustração, como se estivesse pensando no melhor jeito de se livrar do meu corpo depois de cumprir suas ameaças. Mas, antes que chegasse a uma conclusão, gritos vieram da outra ponta do beco. Quando nos viramos, vimos os homens do bar correndo na nossa direção, armados com porretes de madeira e ferramentas agrícolas.

— O que é isso? — perguntou a garota. — O que você fez?

— Você não é a única que quer me matar!

Ela afastou a faca da minha garganta e a apertou nas minhas costelas, então me segurou pela gola.

— Agora você é meu prisioneiro. Faça exatamente o que eu mandar, senão vai se arrepender!

Não discuti. Não sabia se tinha mais chances nas mãos daquela garota desequilibrada do que contra aquela turba de bêbados com porretes que vinha espumando de raiva, mas concluí que, com ela, tinha pelo menos a chance de conseguir algumas respostas.

Ela me deu um empurrão, e saímos correndo por um beco adjacente. No meio do caminho, ela fez um desvio e me puxou. Passamos por baixo de um varal cheio de lençóis e pulamos uma cerca de galinheiro que dava para o quintal de uma casinha.

— Aqui — sussurrou ela.

Então, enquanto olhava em volta para ter certeza de que não tínhamos sido vistos, a garota me empurrou pela porta de um galpão apertado e fedendo a turfa queimada.

Ali dentro só havia um cachorro velho dormindo em um sofá. Ele abriu um olho, não deu a mínima para o que viu e voltou a dormir. Corremos para uma janela que dava para a rua, colamos as costas na parede e ali ficamos, parados, atentos aos sons, enquanto ela ainda segurava meu braço e mantinha a faca nas minhas costelas.

Um minuto se passou. O vozerio dos homens pareceu sumir, depois voltou. Não dava para saber onde estavam. Meus olhos percorreram o galpão, que me pareceu rústico demais, até para Cairnholm. Vi uma pilha de cestos artesanais apoiada em um canto e uma cadeira forrada com aniagem diante de um enorme fogão de ferro a carvão. Pendurado na parede oposta havia um calendário, e, embora estivesse escuro demais para eu conseguir ler, só o fato de ver aquilo me fez considerar uma hipótese bizarra.

— Em que ano estamos? — perguntei.

A garota me mandou calar a boca.

— É sério — sussurrei.

Ela me lançou um olhar esquisito.

— Não sei o que você está aprontando, mas pode ir ali dar uma olhada — disse, me empurrando na direção do calendário.

A parte superior era uma foto em preto e branco de um cenário tropical: uma praia com mulheres sorridentes de franjas enormes, todas de maiô. Acima da foto, lia-se: "1940 – setembro". Os dois primeiros dias tinham sido riscados.

Uma leve dormência se espalhou pelo meu corpo. Pensei em todos os elementos estranhos que tinha visto naquela manhã: a mudança climática repentina; a ilha, que eu julgava conhecer, povoada por estranhos; o estilo antigo de todos os objetos ao redor, embora não parecessem velhos. Tudo isso se explicava pelo calendário na parede.

Três de setembro de 1940. Mas *como*?

Então me lembrei do que meu avô me dissera: *Do outro lado do túmulo do velho.* Aquela parte eu nunca tinha conseguido entender. Por um tempo tinha pensado que ele estava falando de fantasmas — já que todas as crianças do lar tinham morrido, talvez eu precisasse ir para "o outro lado" do túmulo para encontrá-las —, mas isso seria poético demais. Meu avô não era uma pessoa de imaginação fértil, nem afeito a metáforas e insinuações. Ele tinha me dado instruções diretas, só não conseguira explicar. O "Velho" era como os habitantes da ilha chamavam o garoto do pântano, e seu túmulo era o *cairn*. Naquele dia, eu tinha entrado no *cairn* e saído em outro tempo: em 3 de setembro de 1940.

Era nisso que eu estava pensando no momento em que o galpão começou a rodar e meus joelhos fraquejaram. Depois, tudo desapareceu em uma pulsante escuridão aveludada.

*   *   *

Acordei deitado no chão, com as mãos amarradas. A garota andava de um lado para o outro, nervosa, e parecia entretida em uma conversa entusiasmada consigo mesma. Mantive os olhos fechados, escutando.

— Deve ser um acólito, claro — dizia ela. — Que outra explicação haveria para ele estar espiando a casa como um ladrão?

— Não faço a menor ideia, mas parece que nem ele sabe — respondeu alguém.

Então, afinal de contas, ela não estava falando sozinha. Eu só não conseguia ver o garoto que tinha falado.

— Você disse que ele nem se deu conta de que estava em uma fenda temporal? — continuou a pessoa que eu não conseguia ver.

— Veja você mesmo. Consegue imaginar algum parente de Abe assim tão desavisado?

— Eu não consigo imaginar *um acólito* assim — retrucou o garoto.

Virei a cabeça só um pouquinho e olhei em volta discretamente, mas mesmo assim não vi o garoto que falava.

— Consigo imaginar um acólito *fingindo* — respondeu a garota.

O cachorro, já acordado, se aproximou e começou a lamber meu rosto. Fechei os olhos com força e tentei ignorá-lo, mas o banho de língua foi tão babado e nojento que precisei me sentar para escapar.

— Ora, veja só quem acordou! — exclamou a garota, me aplaudindo com sarcasmo. — Que bela atuação a sua, hoje mais cedo! Gostei especialmente do desmaio. É uma pena que o teatro tenha perdido um grande ator quando você escolheu se tornar um assassino canibal.

Abri a boca para me defender, mas parei de repente ao perceber um copo flutuando à minha frente.

— Beba um pouco d'água — disse o rapaz. — Não podemos deixar você morrer antes que a diretora o veja.

A voz dele parecia surgir do ar. Quando estendi as mãos, ainda amarradas, meu mindinho esbarrou em dedos invisíveis e quase derrubei o copo.

— Ele é meio estabanado — disse o garoto.

— Você é invisível — falei, aturdido.

— Ah, sim. Millard Nullings, a seu dispor.

— Não era para dizer seu nome a ele! — reclamou a garota.

— E esta é Emma — prosseguiu o menino. — Ela é um tanto paranoica, como você já deve ter percebido.

Emma olhou com raiva para ele (quer dizer, para o espaço em que ele provavelmente estava), mas não disse nada. O copo tremia na minha mão. Comecei mais uma atrapalhada tentativa de me explicar, mas fui interrompido por vozes furiosas que vinham lá de fora.

— Quietos — sussurrou Emma.

Os passos de Millard foram até a janela. Uma fresta se abriu nas cortinas.

— O que está acontecendo? — perguntou Emma.

— Estão vasculhando as casas. Não podemos ficar aqui.

— Mas também não podemos sair!

— Talvez possamos, sim — corrigiu ele. — Mas, só para me certificar, permita-me consultar meus registros.

As cortinas se fecharam. Um caderninho com capa de couro se ergueu de uma mesa e se abriu em pleno ar. Millard passava as páginas, cantarolando. Um minuto depois, fechou o caderno de repente.

— Como eu suspeitava! — exclamou ele. — Só precisamos esperar cerca de um minuto e poderemos sair com toda a tranquilidade.

— Você enlouqueceu? — perguntou Emma. — Esses neandertais vão nos atacar sem dó nem piedade!

— Não se formos menos interessantes que o que está prestes a acontecer. Oportunidade melhor que esta, só daqui a horas, posso garantir.

Com as mãos finalmente desamarradas, fui conduzido até a porta ainda fechada. Ficamos ali esperando, agachados, até que ouvimos um barulho ainda mais alto que os gritos dos homens: motores. Dezenas, ao que parecia.

— Ah, Millard! Que genial! — exclamou Emma.

— E você ainda diz que meus estudos são perda de tempo — reclamou ele, dando uma fungada de leve ressentimento.

Emma levou a mão à maçaneta e se virou para mim.

— Me dê o braço. Não fuja. Aja com naturalidade.

Ela guardou a faca, mas me garantiu que eu a veria de novo se tentasse alguma coisa... e que me mataria no segundo seguinte.

— Quem me garante que você não vai me matar mesmo assim?

Ela pensou por um momento.

— Ninguém — respondeu ela.

E abriu a porta.

*　　*　　*

A rua estava repleta de gente. Além dos fregueses do bar, que vi de imediato no fim do quarteirão, havia comerciantes, mulheres e cocheiros com cara de poucos amigos que tinham parado o que estavam fazendo para sair à rua e olhar para o céu. Não muito acima, um esquadrão de caças nazistas rugia em uma formação perfeita. Eu já tinha visto fotos de aviões como aqueles no museu de Martin (o título da série de imagens era "Cairnholm Sitiada") e pensado como devia ser estranho estar vivendo uma tarde normal e, de repente, ver surgirem no céu máquinas inimigas capazes de fazer chover fogo a qualquer instante.

Atravessamos a rua o mais casualmente possível, Emma apertando meu braço com a força de um alicate. Estávamos quase chegando ao beco do outro lado quando finalmente nos notaram. Ouvi um grito. Quando nos viramos, vimos os homens indo na nossa direção.

Corremos. O beco era estreito e margeado de estábulos.

— Vou ficar para trás e fazer esses caras tropeçarem! — disse Millard. — Encontro vocês no bar daqui a exatos cinco minutos e meio!

Seus passos ressoaram atrás de nós, cada vez mais fracos. No fim do beco, Emma me deteve. Olhamos para trás e vimos uma corda sendo desenrolada de uma parede à outra do beco, flutuando acima do chão de cascalho na altura do tornozelo. No exato instante em que o grupo se aproximou, a corda foi esticada. Os homens tropeçaram, estatelando-se na lama em um emaranhado de braços e pernas se debatendo. Emma deu um gritinho de comemoração, e tenho quase certeza de que ouvi uma risada de Millard.

Voltamos a correr. Eu não sabia por que Emma havia concordado em se encontrar com Millard no Abrigo do Padre; afinal, o lugar ficava na direção da baía, não da casa. No entanto, como também não entendia como Millard sabia exatamente quando os aviões cruzariam o céu, nem me dei ao trabalho de perguntar. Fiquei ainda mais estupefato quando, em vez de nos escondermos atrás do bar, Emma me fez entrar, e pela porta da frente, acabando com a minha esperança de não ser notado.

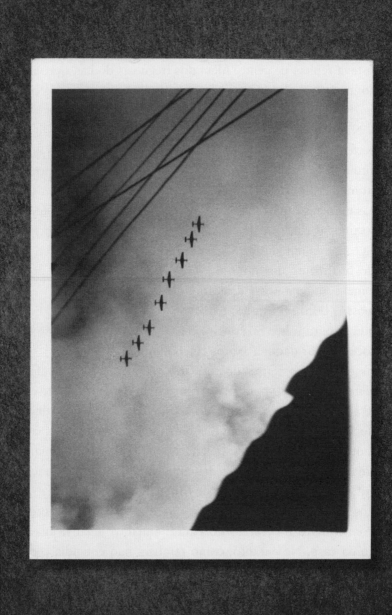

Dentro do bar só estava o atendente. Eu me virei para que ele não visse meu rosto.

— Ei! — chamou Emma. — Quando é que vocês abrem a torneira aqui? Hoje quero beber que nem marinheiro!

Ele deu uma risada.

— Isso aqui não é lugar para meninas — disse ele.

— Não tem problema! — exclamou ela, dando um tapa no balcão. — Pode me ver uma dose tripla do seu melhor uísque. E nada daquele xixi aguado medonho que você cisma em servir!

Comecei a ter a sensação de que ela só estava brincando, tentando superar o truque de Millard com a corda.

O atendente se debruçou no balcão.

— Quer dizer que você quer uma coisa forte, hein? — disse ele, abrindo um sorriso malicioso. — Só não deixe seus pais saberem, senão o padre e o guarda vão vir atrás de mim. — Ele pegou uma garrafa de uma bebida escura e começou a encher um copo. — E seu amigo? Já está torto, hein? — Fingi que prestava atenção na lareira. — Tímido, ele, hã? De onde é?

— Diz ele que é do futuro — respondeu Emma. — Mas para mim não passa de um doido de pedra.

— Como é que é?

Ele provavelmente me reconheceu, pois deu um urro, bateu o fundo da garrafa de uísque no balcão e foi na minha direção.

Eu estava prestes a sair correndo, mas, antes mesmo de ele contornar o balcão, Emma virou o copo e derramou a bebida marrom por todos os lados. Em seguida, ela fez uma coisa extraordinária: estendeu o braço com a palma da mão para baixo e fez aparecer, um segundo depois, uma parede de chamas de quase meio metro de altura.

O atendente deu um berro de susto e começou a sacudir o pano de prato, tentando apagar o fogo.

— Por aqui, prisioneiro! — ordenou Emma, me puxando pelo braço na direção da lareira. — Agora me ajude. Segure aqui e puxe com força!

Emma se ajoelhou e enfiou os dedos em uma fenda no chão. Encaixei os dedos ao lado dos dela, e juntos erguemos um pedaço do piso, revelando um buraco com mais ou menos a largura dos meus ombros: o abrigo do padre. Enquanto a fumaça começava a tomar conta do bar e o atendente ainda tentava apagar o fogo, nos enfiamos no buraco.

O espaço ali embaixo era pouco maior que um poço, com menos de um metro e meio de profundidade, e dava em um túnel onde só era possível engatinhar. Estava completamente escuro, mas o lugar logo foi tomado por uma suave luz alaranjada. Emma havia produzido uma tocha, uma pequena esfera de fogo que parecia flutuar acima da palma de sua mão. Fiquei olhando boquiaberto e esqueci todo o resto.

— Anda logo! — rosnou ela, me empurrando. — Tem uma porta lá na frente.

Continuamos engatinhando até o fim do túnel. Emma então me empurrou para o lado, colocou-se na minha frente, sentou-se e deu um chute na parede, que se abriu para a luz do dia.

— Aí estão vocês! — ouvi Millard dizer enquanto saíamos do buraco em uma ruela. — Você realmente não resiste a um espetáculo.

— Não sei do que você está falando — respondeu Emma, mas percebi que estava satisfeita consigo mesma.

Millard nos levou a uma carroça que parecia à nossa espera. Subimos na traseira e nos escondemos debaixo de uma lona. No que pareceu um piscar de olhos, um homem apareceu, montou o cavalo e bateu as rédeas. Com um solavanco, partimos em uma marcha trepidante.

Seguimos em silêncio por um tempo. Pela mudança dos sons à nossa volta, percebi que estávamos nos afastando do vilarejo.

— Como vocês sabiam da carroça? — perguntei, finalmente tomando coragem para falar. — E dos aviões? Vocês são, sei lá, videntes?

Emma deu uma risadinha de escárnio.

— Nem um pouco.

— É que aconteceu tudo isso ontem — respondeu Millard. — E anteontem. Na sua fenda temporal não funciona assim?

— Na minha o quê?

— Ele não é de fenda nenhuma — sussurrou Emma. — Já falei, esse sem-vergonha é um acólito.

— Devo discordar. Um acólito nunca permitiria que o capturassem com vida.

— Viu? — falei, tão baixo quanto eles. — Não sou esse negócio aí que você está falando. Sou Jacob.

— É o que vamos ver. Agora fique quieto.

Emma puxou um pouquinho a lona, revelando uma faixa de céu azul em movimento.

CAPÍTULO SEIS

Quando as últimas casinhas sumiram de vista, saímos da carroça de fininho e cruzamos a colina a pé, em direção à floresta. Emma caminhava em um silêncio pensativo ao meu lado, sem soltar meu braço, enquanto Millard cantarolava sozinho e chutava pedrinhas. Eu estava nervoso, confuso, zonzo e empolgado, tudo ao mesmo tempo. Por um lado, achava que algo decisivo estava para acontecer; por outro, esperava acordar a qualquer momento, sair daquele sonho febril, daquele episódio de estresse ou fosse lá o que fosse, com o rosto em uma poça de baba na mesa da copa da Smart Aid, pensando *Nossa, isso foi bem estranho*, para em seguida voltar à velha e entediante tarefa de ser eu mesmo.

Mas eu não acordei. Simplesmente continuamos em frente — eu, a garota que produzia fogo com as mãos e o menino invisível. Atravessamos a floresta, onde a trilha era tão larga e nítida quanto qualquer trilha de parque nacional, até chegarmos a um amplo gramado repleto de flores e canteiros bem-cuidados. Lá estava a casa.

Fiquei abismado com o que vi, não porque estivesse caindo aos pedaços como da última vez, mas porque estava maravilhosa. Não havia uma única telha solta ou janela quebrada. As pequenas torres e chaminés, antes perigosamente tortas, agora apontavam confiantes para o céu. A floresta, que antes devorava as paredes, agora mantinha uma distância respeitosa.

Eles me conduziram por um caminho de lajotas e subimos os degraus recém-pintados da entrada. Emma agia como se não me considerasse mais uma ameaça tão grande, mas, antes de entrarmos, ela amarrou minhas mãos de novo, dessa vez às costas — talvez só para manter as aparências, para representar o papel do caçador que voltava para casa com a presa capturada. Quando estávamos para entrar na casa, Millard a deteve.

— Os sapatos dele estão imundos. Não podemos permitir que o chão fique todo enlameado, senão a Ave vai dar um ataque.

Eles esperaram enquanto eu tirava os tênis, cambaleando e quase perdendo o equilíbrio por causa dos braços presos. Emma me segurou para que eu não caísse e depois me puxou para dentro, impaciente.

Seguimos por um corredor que em minha memória era praticamente intransitável por conta de um monte de móveis destruídos, depois passamos pela escada, agora envernizada. Durante todo o percurso, olhos curiosos me espiavam por entre as barras do corrimão. Na sala de jantar, a nevasca de gesso havia sumido e surgira uma mesa de madeira comprida, rodeada de cadeiras. Era certamente a mesma casa que eu havia explorado, mas tudo parecia em ordem e restaurado. No lugar do bolor verde, havia papel de parede, lambris de madeira e cores alegres. Vi arranjos de flores em vasos. Os montes de madeira e tecido podre tinham se reconstruído como sofás e poltronas, e o sol entrava pelas janelas altas, antes tão imundas que pareciam pintadas de preto.

Por fim, chegamos a uma salinha com uma janela que dava para os fundos.

— Vou falar com a diretora. Não o solte — disse Emma a Millard.

Senti a mão do garoto no meu cotovelo, mas assim que Emma saiu, ele me soltou.

— Não tem medo que eu coma seu cérebro? — perguntei.

— Nem um pouco.

Eu me virei para a janela e fiquei encantado ao ver a paisagem lá fora. O jardim estava repleto de crianças, que reconheci das fotos amareladas, ao menos grande parte delas. Algumas descansavam à sombra das árvores; outras jogavam bola e brincavam de pique perto de canteiros de flores multicoloridos. Era exatamente o paraíso que meu avô tinha descrito. Aquela era a ilha encantada. Aquelas eram as crianças mágicas. Se eu estava sonhando, não queria mais acordar. Não tão cedo.

No gramado, alguém chutou com força demais uma bola, que acabou presa em um enorme arbusto podado no formato de algum animal. Foi então que notei vários outros como aquele, criaturas fantásticas da altura da casa, montando guarda para protegê-la da floresta. Havia um grifo, um centauro erguido nas patas traseiras e uma sereia. Dois garotos correram atrás da bola e chegaram ao pé do centauro, seguidos por uma menina mais nova. Logo a reconheci das fotos do meu avô: era "a menina que levitava", embora ali estivesse no chão normalmente. Ela caminhava devagar, como se cada passo fosse uma tarefa árdua, dificultada por uma gravidade fora do normal que a ancorava ao chão.

Quando alcançou os garotos, ela levantou os braços, e eles amarraram uma corda na cintura da menina. Com cuidado, ela tirou os sapatinhos e saiu flutuando como um balão. Era espantoso. A menina subiu até a corda esticar e ficou pairando a uns três metros do chão, enquanto os garotos seguravam a ponta da corda.

A uma palavra da menina, os dois começaram a dar mais corda. Ela ganhou altura lentamente. Quando chegou ao peito do centauro, esticou os braços e enfiou as mãos no arbusto, mas não alcançou a bola. Então, olhou para baixo e balançou a cabeça, e os garotos a puxaram para o chão, onde ela voltou a calçar os sapatos pesados e desamarrou a corda da cintura.

— Apreciando o espetáculo? — perguntou Millard.

Fiz que sim, em silêncio.

— Existem jeitos bem mais fáceis de recuperar a bola, mas eles sabem que hoje têm plateia — explicou ele.

Uma segunda garota se aproximou do centauro. Tinha cerca de vinte anos e um aspecto selvagem, as mechas de cabelo quase virando dreadlocks. Ela se agachou, segurou a cauda longa e frondosa do arbusto com os dois braços e fechou os olhos como se estivesse se concentrando. Um instante depois, vi a mão do centauro se mexer. Fiquei observando pela janela, os olhos fixos no braço verde daquela figura, pensando que era obra do vento. Mas então ele esticou cada um dos dedos, como se aos poucos recuperasse a sensibilidade. Incrédulo, vi o braço enorme do centauro se enfiar no próprio peito, pegar a bola e jogá-la de volta para as crianças animadas. Quando a brincadeira recomeçou, a garota de cabelo desgrenhado largou a cauda do centauro, que ficou imóvel outra vez.

Ao meu lado, a respiração de Millard embaçava o vidro da janela. Eu me virei para ele.

— Sem querer ofender nem nada, mas o *que* vocês são? — perguntei, perplexo com tudo aquilo.

— Somos peculiares — respondeu ele, parecendo meio intrigado. — Você não é?

— Não sei. Acho que não.

— Que pena.

— Por que você o soltou? — perguntou uma voz atrás de nós. Quando me virei, vi Emma parada à porta. — Ah, deixa pra lá. — Ela se aproximou e me puxou pela corda ainda presa a um dos meus pulsos. — Vamos. A diretora vai receber você agora.

Atravessamos a casa, passando por mais olhares curiosos que nos espiavam de trás dos sofás e pelas frestas das portas entreabertas, e chegamos a uma salinha de estar ensolarada, onde uma senhora distinta tricotava em uma poltrona de espaldar alto posicionada em cima de um tapete persa de padronagem elaborada. A senhora usava o cabelo preso em um coque alto e perfeitamente redondo e estava vestida de preto de cima a baixo, com luvas de renda e uma blusa de gola alta bem apertada no pescoço — tão meticulosamente arrumada quanto a casa em si.

Eu teria adivinhado quem ela era mesmo que não me lembrasse do retrato que havia encontrado no baú destruído. Aquela era a srta. Peregrine.

Emma me levou até a extremidade do tapete e pigarreou. O movimento cadenciado das agulhas da srta. Peregrine parou na hora.

— Boa tarde — disse a senhora para mim, levantando a cabeça. — Você deve ser Jacob.

Emma pareceu surpresa.

— Como sabe o nome del...

— Sou a diretora Alma Peregrine — apresentou-se ela, erguendo o dedo para interromper Emma. — Ou, se preferir, como não está sob meus cuidados no momento, pode me chamar de srta. Peregrine. É um prazer finalmente conhecê-lo.

Ela estendeu a mão enluvada. Quando tentei cumprimentá-la, ela notou minhas mãos amarradas.

— Srta. Bloom! — exclamou. — O que significa isso? Que modos de tratar um convidado! Solte-o agora mesmo.

— Mas, diretora! Ele é um mentiroso, um bisbilhoteiro e sabe-se lá mais o quê!

Emma lançou um olhar de esguelha para mim e cochichou alguma coisa no ouvido da srta. Peregrine.

— Srta. Bloom! — exclamou a diretora, dando uma sonora gargalhada. — Que disparate! Se este garoto fosse um acólito, você já estaria cozinhando em uma panela fumegante. É claro que ele é neto de Abraham Portman. Olhe só para ele!

Senti uma onda de alívio. Talvez, afinal, eu não precisasse me explicar. A srta. Peregrine estava me esperando!

Emma até tentou argumentar, mas a austera diretora a calou com um olhar fulminante.

— Ah, que seja. Mas depois não diga que não avisei — disse Emma, com um suspiro.

Em seguida, ela afrouxou o nó da corda e soltou meus pulsos.

— Queira perdoar a srta. Bloom — pediu a srta. Peregrine, enquanto eu massageava a pele dolorida. — Ela tem uma veia dramática.

— Percebi.

Emma fez uma careta.

— Se ele é mesmo quem diz, então por que não sabe nada sobre as fendas temporais, nem ao menos em que ano estamos? Anda, pergunta a ele!

— Amenize o tom — repreendeu-a a srta. Peregrine. — E a única pessoa a quem vou fazer perguntas é a senhorita, amanhã à tarde, sobre o correto uso dos verbos!

Emma resmungou.

— Agora, se não se importa, preciso ter uma conversa em particular com o sr. Portman — disse a srta. Peregrine.

Emma sabia que seria inútil discutir. Ela suspirou e se dirigiu à porta, mas, antes de sair, olhou para trás, para mim, com uma expressão que eu ainda não tinha visto em seu rosto: preocupação.

— Você também, sr. Nullings! — exigiu a srta. Peregrine. — Pessoas educadas não se escondem para ouvir conversas alheias!

— Eu só estava esperando para perguntar se vocês aceitam um chá — justificou-se Millard. Tive a sensação de que ele era meio puxa-saco.

— Não é preciso, obrigada.

Ouvi os pés descalços de Millard se afastarem, e a porta se fechou.

— Eu o convidaria a se sentar — disse a srta. Peregrine, apontando para uma cadeira estofada atrás de mim —, mas você me parece imundo.

Então, eu me ajoelhei no chão, me sentindo um peregrino implorando pelos conselhos de um oráculo onisciente.

— Você está na ilha já faz alguns dias — afirmou a srta. Peregrine. — Por que demorou tanto a nos fazer uma visita?

— Eu não sabia que vocês estavam aqui. Como a senhorita sabia que *eu* estava?

— Tenho observado você. E você também já me viu, embora talvez não tenha percebido. Eu estava em minha forma alternativa. — Ela levantou o braço e puxou uma longa pena cinzenta do cabelo. — É altamente preferível assumir a forma de ave para observar humanos.

Meu queixo caiu.

— Então era *você* no meu quarto hoje de manhã? O gavião?

— Falcão — corrigiu ela. — Um falcão-peregrino, naturalmente.

— Então é verdade! Você é a Ave!

— É um codinome que tolero, mas prefiro que o evitem. Enfim, vamos à minha pergunta: o que você estava procurando naquela deprimente casa em ruínas?

— Vocês — respondi. Notei que seus olhos se arregalaram. — Eu não sabia como encontrá-los. Só ontem descobri que vocês estavam... — Hesitei, percebendo que soaria bem estranho o que eu estava prestes a dizer. — Não sabia que vocês estavam mortos.

Ela abriu um sorriso tenso.

— Pelo bom Deus... Seu avô não lhe contou *nada* sobre os velhos amigos?

— Algumas coisas. Mas achei que aquelas histórias não passassem de contos de fadas.

— Compreendo.

— Espero que não se ofenda — falei.

— Só estou um pouco surpresa, nada mais. Em geral, até preferimos que pensem isso de nós, pois assim é mais fácil evitar contato com visitantes indesejados. Nos dias atuais, cada vez menos pessoas acreditam em tais coisas: fadas, duendes, essas bobagens. Portanto, a população geral já não se empenha mais à nossa procura, o que facilita bastante nossa vida. As histórias de fantasmas e de casas mal-assombradas também têm sido de boa serventia... embora não no seu caso, ao que parece. — Ela sorriu. — Imagino que a valentia seja um traço comum em sua família.

— É, pode ser — concordei, com uma risada nervosa, mas a verdade era que eu me sentia prestes a desmaiar a qualquer momento.

— Bom, no que diz respeito a *este* lugar... — Ela fez um gesto amplo. — Quando criança, você achava que era tudo invenção do seu avô? Que ele enchia sua cabeça de mentiras? É isso mesmo?

— Não exatamente *mentiras*, é só que...

— Ficções, caraminholas, embustes... chame como preferir. E em que momento você descobriu que era tudo verdade?

— Bom... — comecei, encarando o labirinto de padrões geométricos entrelaçados do tapete. — Acho que só agora estou começando a descobrir isso.

A srta. Peregrine, antes tão empolgada, pareceu desanimar ao ouvir isso.

— Ah... Entendo.

Ela fez uma expressão amuada, como se, no breve momento de silêncio que surgiu, tivesse intuído a má notícia que estava prestes a receber. Mas eu ainda precisava dar um jeito de dizê-la.

— Acho que meu avô tinha a intenção de me explicar tudo, mas esperou tempo demais. Então ele me mandou vir aqui, para encontrar vocês. — Peguei a carta amassada do bolso. — Isto é seu. Foi o que me trouxe até aqui.

Ela alisou a carta no braço da poltrona, com cuidado, então a ergueu e começou a ler em silêncio, mexendo os lábios.

— Que deselegante... eu praticamente imploro por uma resposta — comentou ela ao terminar a leitura, e balançou a cabeça em melancolia. — Vivíamos desesperados para ter notícias de Abe. Certa vez lhe perguntei se ele queria me matar de preocupação com aquela insistência em viver lá fora, à vista de todos. Como era teimoso!

Ela dobrou a carta e a devolveu ao envelope. Então, assumiu uma expressão sombria.

— Ele faleceu, não foi?

Fiz que sim. Meio sem jeito, contei o que havia acontecido, ou seja, contei a história oficial, na qual eu começava a acreditar depois de tantas sessões de terapia. Para não chorar enquanto falava, contei apenas por alto: ele morava nos arredores da cidade, uma área quase rural que tinha acabado de passar por uma seca, deixando as matas cheias de animais famintos e desesperados; estava no lugar errado e na hora errada.

— Ele morava sozinho, embora não devesse. Como a senhorita mesma disse, meu avô era bem teimoso.

— Era o que eu temia. Eu pedi a ele que não fosse embora. — Ela apertou com forças as agulhas de tricô no colo, como se estivesse pensando em quem apunhalar com elas. — E ainda faz o pobre neto nos trazer a notícia terrível.

Eu entendia a raiva dela. Já havia passado por aquilo. Para tentar reconfortá-la, recitei todas as meias-verdades tranquilizantes que meus pais e o dr. Golan tinham construído durante meus momentos mais sombrios.

— Era a hora de meu avô partir. Ele vivia muito solitário. Já faz anos que minha avó morreu, e a cabeça dele já não estava mais tão boa. Ele vivia esquecendo as coisas, se confundindo. Aliás, foi por isso que se meteu no mato aquele dia.

A srta. Peregrine assentiu com pesar.

— Ele se deixou envelhecer.

— De certa maneira, ele teve sorte. Não foi daquelas mortes lentas, agonizantes. Ele não passou meses no hospital nem nada.

Óbvio que aquilo era ridículo. Tinha sido uma morte desnecessária, obscena, mas acho que nós dois nos sentimos um pouco melhor por pensarmos dessa forma.

A srta. Peregrine pôs de lado as agulhas de tricô, se levantou e foi mancando até a janela. Sua passada era rígida e estranha, como se ela tivesse uma perna mais curta que a outra.

Ela olhou para os meninos e as meninas brincando no quintal.

— As crianças não podem saber — comentou. — Pelo menos não por enquanto. Só as deixaria nervosas.

— Tudo bem. Como achar melhor.

Ela permaneceu calada diante da janela por um tempo. Seus ombros tremiam. Quando finalmente se virou, tinha um ar de total serenidade e eficiência.

— Bom, sr. Portman, acho que você já foi adequadamente interrogado. Agora deve ter suas próprias perguntas.

— Só umas duzentas.

Ela sacou um relógio de bolso.

— Ainda temos tempo antes do jantar. Espero que seja suficiente para responder a todas.

A srta. Peregrine parou e inclinou a cabeça. Então, de repente, foi depressa até a porta e a escancarou bruscamente, revelando Emma agachada do outro lado, o rosto corado e úmido. Ela havia escutado tudo.

— Srta. Bloom! Estava ouvindo às escondidas?

Emma se esforçou para ficar de pé e soltou um soluço.

— Pessoas educadas não escutam conversas que não... — tentou a srta. Peregrine, mas Emma já estava correndo para longe dali. A diretora não terminou a frase, apenas suspirou, frustrada. — Uma lástima. O fato é que ela é um tanto sensível quando se trata do seu avô.

— Deu para notar. Mas por quê? Eles eram...?

— Quando Abraham foi embora para lutar na guerra, levou junto o coração de todos nós, em especial o da srta. Bloom. Sim, eles eram apaixonados um pelo outro.

Aquilo explicava por que Emma tinha se mostrado tão relutante em acreditar em mim. Afinal, minha chegada provavelmente significava más notícias.

A srta. Peregrine bateu palmas uma única vez, como se estivesse quebrando um feitiço.

— Bom, não há nada a fazer.

Ela me conduziu para fora da sala, até a escada. Subiu com uma determinação severa, apoiando-se no corrimão com as duas mãos e alçando degrau por degrau com nítida dificuldade, mas recusando ajuda. No andar de cima, cruzamos o corredor até a biblioteca, que agora parecia uma sala de aula de verdade, com carteiras enfileiradas, um quadro-negro na parede e livros organizados nas estantes sem um único grão de poeira. Apontando para uma carteira, ela indicou que eu me sentasse. Obedeci. Ela assumiu seu posto na frente da sala e me encarou.

— Permita-me fazer uma breve apresentação. Acredito que contenha as respostas para a maioria das suas perguntas.

— Tudo bem.

— A composição da espécie humana é infinitamente mais diversa do que a maioria das pessoas sequer suspeita — começou ela. — A verdadeira taxonomia do *Homo sapiens* é conhecida por poucos. A partir de agora, você será um deles. Basicamente, é uma simples dicotomia: existem os *coerlfolc*, a imensa massa de pessoas normais, que compõe o grosso da humanidade, e existe o filo oculto, ou *Cripto-sapiens*, se preferir. São o que chamamos de *syndrigast*, ou "espírito peculiar", no idioma venerável de meus ancestrais. Como você sem dúvida já notou, nós aqui fazemos parte deste último tipo.

Assenti como se estivesse entendendo, mas a verdade é que já tinha me perdido. Tentando reduzir o ritmo da explicação, perguntei:

— Mas por que as pessoas não sabem da existência de vocês? Os que estão aqui são os únicos?

— Existem peculiares espalhados pelo mundo todo, embora hoje nosso contingente seja muito menor do que em tempos passados. Os que restam vivem escondidos, como nós. — Quando continuou, ela falava em um tom baixo, de lamento: — Houve um tempo em que podíamos viver abertamente com as pessoas normais. Em alguns cantos do mundo, éramos vistos como xamãs e místicos. Nos momentos difíceis, éramos consultados. Ainda mantemos uma relação harmoniosa com algumas poucas culturas, mas hoje isso só acontece em lugares onde a modernidade e as grandes religiões não conseguiram se estabelecer, como a ilha da magia negra de Ambrym, nas Novas Hébridas. Mas, no geral, há muito que o mundo se voltou contra nós. Os muçulmanos nos expulsaram, os cristãos nos queimaram em fogueiras, acusando-nos de sermos bruxos. Até os pagãos do País de Gales e da Irlanda acabaram concluindo que éramos seres sobrenaturais malignos e fantasmas metamorfos.

— Mas então por que vocês não... sei lá... por que não fundaram seu próprio país em algum lugar? Por que não foram viver afastados?

— Quem dera tudo fosse tão simples assim. Às vezes os traços peculiares pulam uma geração, ou até dez. Nem sempre crianças peculiares nascem de pais peculiares; aliás, isso nem é comum. E vice-versa: pais peculiares não costumam ter filhos peculiares. Pode imaginar como isso seria uma ameaça para todos os peculiares, em um mundo que tanto teme a diferença?

— Pais normais iriam surtar se os filhos começassem a, sei lá, lançar bolas de fogo.

— Exato, sr. Portman. Os filhos peculiares de pais normais costumam sofrer maus-tratos e as mais terríveis formas de rejeição. Poucos séculos atrás, os pais de peculiares simplesmente achavam que seus filhos "verdadeiros" tinham sido substituídos por malignas criaturas encantadas, dublês totalmente fictícios. Em épocas mais obscuras, isso valia como pretexto para abandonar as pobres crianças, quando não para matá-las de vez.

— Que coisa horrível.

— Demais. Algo precisava ser feito, então pessoas como eu criaram lugares onde jovens peculiares podiam viver longe dos normais. São enclaves espaço-temporais, como é o caso deste aqui, do qual tenho muito orgulho.

— Como assim "pessoas como eu"?

— Nós, peculiares, somos abençoados com habilidades ausentes nas pessoas normais. As combinações são tão infinitas e variáveis quanto as da pigmentação da pele ou as dos traços do rosto. Dito isso, algumas habilidades são comuns, como ler mentes, e outras são raras, entre elas a minha, de manipular o tempo.

— O tempo? Achei que a senhorita se transformasse em ave.

— Pois saiba que só as aves podem manipular o tempo, e é aí que está a chave da minha habilidade. Portanto, para manipular o tempo, é preciso ser capaz de tomar a forma de alguma ave.

Suas palavras saíram com tanta seriedade, tanta naturalidade, que demorei um instante para processar a informação.

— Os pássaros... eles viajam no tempo? — Senti um sorriso idiota se abrir em meu rosto.

A srta. Peregrine fez que sim com um ar muito sério.

— Mas a maioria vai e volta no tempo apenas de vez em quando, por acidente. As aves capazes de manipular os campos de tempo, e não só seu próprio tempo, mas também o de outras pessoas, são conhecidas como *ymbrynes*. Criamos fendas temporais, em que os peculiares podem viver indefinidamente.

— Uma fenda — repeti, lembrando-me da ordem do meu avô: *Encontre a ave, na fenda.* — Então é isso, este lugar?

— Sim. Embora você talvez o conheça como o dia 3 de setembro de 1940. Inclinei o corpo para a frente, ainda sentado.

— Como assim? É só este dia? Ele se repete?

— Sim, indefinidamente, embora seja vivenciado como uma experiência contínua. Caso contrário, não teríamos lembrança alguma dos últimos... hum... setenta anos que moramos aqui.

— Que incrível!

— É claro que estávamos aqui em Cairnholm havia mais de uma década *antes* do dia 3 de setembro de 1940, isolados espacialmente, graças à geografia única da ilha, mas só a partir desta data é que passamos a precisar também do isolamento temporal.

— Por quê?

— Porque senão teríamos sido todos mortos.

— A bomba.

— Exato.

Fiquei encarando a superfície da carteira. Tudo começava a fazer sentido, embora a duras penas.

— Existem outras fendas?

— Muitas, e quase todas as *ymbrynes* que as protegem são amigas minhas. Vejamos: temos a srta. Gannet, na Irlanda, em junho de 1770; a srta. Nightjar, em Swansea, em 3 de abril de 1901; a srta. Avocet e a srta. Bunting, que cuidam juntas de uma fenda em Derbyshire no Dia de São Swithin de 1867; a srta. Treecreeper, que não lembro exatamente onde fica; e... ah!, a querida srta. Finch.* Tenho uma ótima foto dela em algum lugar por aqui.

A diretora pegou um álbum gigantesco de uma estante e o colocou na carteira em que eu estava sentado. Então, debruçada sobre meu ombro, passou

---

* Em português, respectivamente: "ganso-patola", "bacurau", "alfaiate", "trigueirão", "trepadeira-do-bosque", "tentilhão". (N. da E.)

as páginas endurecidas à procura de uma fotografia específica, parando de vez em quando para apontar outras e falando sobre as imagens em tom nostálgico. Reconheci várias fotos que tinha encontrado no baú destruído e na caixa de charutos do meu avô. A srta. Peregrine havia reunido todas. Foi estranho pensar que ela havia mostrado aquelas fotos a meu avô tantas décadas antes, quando ele era da minha idade — talvez naquela mesma sala de aula, naquela mesma carteira —, e agora ali estava ela novamente, me mostrando as mesmas fotos, como se de alguma maneira eu tivesse penetrado no passado dele.

Finalmente, ela chegou ao retrato de uma mulher delicada com um passarinho pousado na mão.

— Esta é a srta. Finch com a tia, a srta. Finch.

Na foto, a mulher e o pássaro pareciam se comunicar.

— E como você sabe quem é quem?

— A tia preferia ficar na forma de ave na maior parte do tempo. Não fazia muita diferença, pois ela nunca foi de conversar.

A srta. Peregrine virou mais algumas páginas e parou em uma imagem com um grupo de mulheres e crianças tristonhas reunidas ao redor de uma lua de papel.

— Ah, sim! Já ia esquecendo esta. — Ela tirou a foto do plástico de proteção com todo o cuidado e a ergueu com reverência. — A mulher na frente é a srta. Avocet. É o mais próximo de realeza que temos em nosso mundo peculiar. Por cinquenta anos, tentamos elegê-la líder do Conselho de *Ymbrynes*, mas ela nunca abriu mão de dar aulas na academia que fundou com a srta. Bunting. Hoje em dia, não existe uma única *ymbryne* digna das próprias asas que em algum momento não tenha estado sob os cuidados da srta. Avocet. E eu me incluo na lista! Na verdade, se você olhar mais de perto, talvez reconheça a menininha de óculos ali.

Estreitei os olhos. O rosto para o qual ela apontava estava meio escuro e um pouco embaçado.

— É a senhorita?

— Fui uma das alunas mais novas já aceitas pela srta. Avocet — confirmou ela, orgulhosa.

— E esses dois meninos? Eles parecem ainda mais novos que a senhorita.

A expressão dela se anuviou.

— Você se refere a meus irmãos desgarrados. Em vez de nos separarem, levaram os dois junto comigo para a academia. Foram mimados como príncipes, ah, se foram. Atrevo-me a dizer que foi o que os estragou.

— Eles não eram *ymbrynes*?

— Ah, *não*... Só *mulheres* nascem *ymbrynes*, graças aos céus! Os machos não têm a seriedade que se exige de pessoas com responsabilidades tão sérias. Nós, *ymbrynes*, devemos percorrer o interior atrás de jovens peculiares em necessidade, ficar longe de quem pode nos fazer mal e manter nossos protegidos bem-alimentados, vestidos, escondidos e entendidos dos conhecimentos populares de nossa gente. Como se tudo isso não bastasse, também precisamos garantir que nossas fendas temporais sejam reiniciadas todos os dias, como um relógio.

— E o que acontece se não fizerem isso?

Ela levou a mão trêmula à testa e cambaleou para trás, fingindo uma expressão horrorizada.

— Catástrofe! Cataclismo! Desastre! Nem ouso pensar nessa possibilidade. Felizmente, o mecanismo que reinicia as fendas é muito simples: um de nós precisa atravessar o portal. É isso que o mantém flexível, sob controle, entende? Podemos comparar o ponto de entrada a massa de pão: se você abre o buraco mas não enfia o dedo de vez em quando, pode acabar se fechando. E, sem um ponto de entrada ou saída, uma válvula de escape para as diversas pressões que surgem naturalmente em um sistema temporal fechado... — Ela fez um breve gesto de *puf!* com as mãos, imitando a explosão de uma bombinha. — Bom, a estrutura toda fica instável.

Ela voltou a se debruçar sobre o álbum e passou mais páginas.

— Falando nisso, talvez eu tenha aqui uma foto de... Ah, aqui está. Isto, sim, é um ponto de entrada! — Ela tirou a foto da capinha de proteção. — Estes são a srta. Finch e um de seus protegidos no magnífico ponto de entrada para sua fenda, um túnel do metrô de Londres que raramente é usado. Quando a fenda se reinicia, o túnel é tomado de um brilho extraordinário. Sempre achei o nosso bem mais modesto, em comparação — concluiu, com um leve tom de inveja.

— Deixe eu ver se entendi. Se hoje é dia 3 de setembro de 1940, amanhã é... 3 de setembro *também*?

— Hum... por algumas das vinte e quatro horas da fenda ainda é 2 de setembro, mas, sim, amanhã é dia 3.

— Então o amanhã nunca chega.

— De certa forma.

Lá fora ressoou um estalo distante que lembrava um trovão, e a janela tremeu enquanto mostrava uma paisagem cada vez mais escura. A srta. Peregrine ergueu a cabeça e sacou seu relógio de bolso outra vez.

— Infelizmente, não tenho mais tempo agora. Espero que você fique para o jantar.

Concordei em ficar. Nem me passou pela cabeça que meu pai poderia estar à minha procura, preocupado. Segui a srta. Peregrine até a porta, mas então me ocorreu outra pergunta, uma questão que me incomodava havia muito tempo.

— É verdade que meu avô chegou aqui fugindo dos nazistas?

— Sim. Muitas crianças chegaram naqueles anos horríveis que antecederam a guerra. Era uma época de muita agitação social. — Ela pareceu aflita, como se a lembrança ainda estivesse fresca. — Encontrei Abraham em um campo de refugiados no continente. Não passava de um pobre garoto torturado, mas era tão forte! Soube no mesmo instante que ele era um de nós.

Senti um alívio. Pelo menos parte da vida do meu avô tinha sido como eu acreditava. Havia mais uma coisa que eu queria perguntar, embora não soubesse bem como fazê-lo.

— Ele... o meu avô... ele era como...

— Como nós? — completou a srta. Peregrine.

Fiz que sim.

Ela deu um sorriso estranho.

— Ele era como você, Jacob — respondeu.

Em seguida, ela se virou e seguiu mancando para a escada.

* * *

A srta. Peregrine insistiu em que eu me limpasse da lama do pântano antes de me sentar para jantar, por isso pediu que Emma preparasse um banho para mim. Acho que a diretora esperava que Emma começasse a se sentir melhor depois de conversar um pouco comigo, mas ela nem olhava na minha cara. Fiquei observando-a encher a banheira de água fria e depois aquecê-la com as próprias mãos, mexendo-as até começar a subir vapor.

— Que incrível! — falei, mas ela saiu do banheiro sem dar uma palavra.

Depois de deixar a água toda marrom, eu me sequei com uma toalha e encontrei um muda de roupa pendurada atrás da porta: uma calça larga de lã, uma camisa de botão e um par de suspensórios curtos demais, que não consegui ajustar direito. Só me restou escolher entre vestir a calça na altura do tornozelo ou do umbigo. Concluí que usá-la no umbigo seria o menor dos males, então desci a escada vestido como um palhaço sem maquiagem para o que muito possivelmente seria a refeição mais estranha da minha vida.

O jantar foi uma confusão vertiginosa de nomes e rostos. Eu tinha uma leve recordação de muitos deles, tanto pelos retratos quanto pelas descrições que ouvia de meu avô quando criança. Quando cheguei à sala de jantar, as crianças pararam de disputar aos gritos as cadeiras da mesa e me encararam, petrificadas. Fiquei com a nítida impressão de que não costumavam receber muitos convidados. Já sentada à cabeceira da mesa, a srta. Peregrine se levantou e aproveitou o silêncio repentino para me apresentar.

— Para aqueles que ainda não tiveram o prazer de conhecê-lo, este é Jacob, neto de Abraham. Ele será nosso convidado de honra esta noite, pois veio de muito longe para nos conhecer. Espero que o tratem muito bem.

Ela apontou para cada um deles e citou seus nomes, mas no segundo seguinte eu já tinha esquecido a maioria, como sempre acontece quando fico nervoso. Depois das apresentações, as crianças começaram a bombardear a srta. Peregrine de perguntas, às quais ela respondia com eficiência e rapidez.

— O Jacob vai ficar aqui com a gente?

— Não que eu saiba.

— Cadê o Abe?

— Ocupado nos Estados Unidos.

— Por que o Jacob está com a calça do Victor?

— Victor já não precisa mais dessa calça, e a do sr. Portman está sendo lavada.

— O que o Abe está fazendo nos Estados Unidos?

Assim que ouvi essa pergunta, vi que Emma, até então sentada emburrada na ponta da mesa, se levantou e saiu da sala de jantar. Os outros não deram a mínima, aparentemente acostumados às mudanças bruscas de temperamento da menina.

— Não importa o que Abe está fazendo — respondeu a srta. Peregrine, um tanto ríspida.

— Quando ele volta?

— Também não importa. Agora vamos comer!

Todos correram para ocupar as cadeiras. Vi uma delas vaga, mas quando fui me sentar senti um garfo espetar minha coxa.

— Ei! — exclamou Millard.

A srta. Peregrine o fez ceder o lugar mesmo assim e o mandou se vestir.

— Quantas vezes terei que repetir? Pessoas educadas não jantam peladas!

Os adolescentes encarregados da cozinha apareceram com várias travessas de comida. Tampas de prata reluzentes impediam a visão do que havia dentro, o que fez surgirem suposições bizarras sobre o menu do jantar.

— Lontras à Wellington! — gritou um menino.

— Gato na salmoura e fígado de musaranho! — arriscou outro, fazendo os mais novos caírem na gargalhada.

No entanto, quando foram levantadas, as tampas revelaram um banquete de proporções nababescas: ganso assado, com a carne perfeitamente dourada; um salmão e um bacalhau inteiros, enfeitados com rodelas de limão e temperos frescos e cobertos com manteiga derretida; uma tigela de mexilhões ao vapor; travessas de legumes assados; pães recém-saídos do forno, ainda quentinhos; e todo tipo de molhos e geleias que não reconheci, mas que pareciam uma delícia. Tudo resplandecia de um jeito tentador sob a luz trêmula das lâmpadas a gás, a um mundo de distância dos cozidos gordurosos de origem duvidosa que eu vinha enfiando goela abaixo no Abrigo do Padre. Eu não comia nada desde o café da manhã, então comecei a me empanturrar.

Eu não deveria ter me surpreendido ao notar que crianças peculiares tinham hábitos peculiares à mesa, mas, entre uma garfada e outra, me peguei olhando de relance ao redor. Olive, a menina que levitava, precisava ser afivelada a uma cadeira aparafusada no chão para não sair flutuando até o teto. Hugh, o garoto com abelhas na barriga, comia debaixo de um enorme mosquiteiro em uma mesa individual no canto da sala. Claire, uma menina que mais parecia uma boneca, com seus perfeitos cachos louros, estava sentada ao lado da srta. Peregrine, mas nem tinha tocado na comida.

— Sem fome? — perguntei a ela.

— Claire não come com a gente — respondeu Hugh no lugar dela, deixando escapar uma abelha. — Ela tem vergonha.

— Não tenho, não! — retrucou ela, fuzilando-o com o olhar.

— Ah, é? Então come alguma coisa!

— Ninguém aqui tem *vergonha* de seu dom — interveio a srta. Peregrine. — A srta. Densmore apenas prefere fazer as refeições sozinha. Não é isso, srta. Densmore?

A menina tinha o olhar cravado no prato, claramente desejando que parássemos de prestar atenção nela.

Claire
Tem cachinhos
dourados

— Ela tem uma retroboca — explicou Millard, que voltara à mesa e se sentara ao meu lado com um paletó de smoking (e mais nada).

— Uma o quê?

— Mostra para ele, vai! — disse alguém.

Todos à mesa começaram a pressionar a menina. Por fim, ela cedeu, só para fazê-los parar.

Uma coxa de ganso foi colocada no prato de Claire. Ela se sentou ao contrário, segurou os braços da cadeira, inclinou-se para trás e aproximou a nuca do prato. Ouviu-se um nítido estalo. Quando ela voltou a levantar a cabeça, vi que um pedaço enorme da coxa havia desaparecido. Por baixo do cabelo dourado, ela tinha mandíbulas com dentes afiados. Naquele momento, entendi o estranho retrato de Claire que eu vira no álbum da srta. Peregrine. O fotógrafo havia dedicado dois painéis à menina: um para seu belo e delicado rosto e outro para os cachos que cobriam toda a parte de trás da cabeça.

Claire voltou a se sentar de frente e cruzou os braços, chateada por ter se deixado convencer a fazer demonstração tão humilhante. Ela permaneceu em silêncio enquanto os outros me enchiam de perguntas. Depois de algumas perguntas sobre meu avô, das quais a srta. Peregrine desviou com maestria, outros temas foram levantados. As crianças pareciam especialmente interessadas em saber como era a vida no século XXI.

— Que tipo de carros voadores tem? — perguntou um adolescente chamado Horace, em um terno escuro que o fazia parecer um assistente de agente funerário.

— Nenhum — respondi. — Pelo menos por enquanto.

— Já construíram cidades na Lua? — perguntou outro, esperançoso.

— Fomos lá na década de sessenta, mas só para fincar uma bandeira e deixar lixo no chão.

— A Grã-Bretanha ainda domina o mundo?

— Hã... não exatamente.

Eles ficaram desapontados em ouvir isso.

— Viram, crianças? — disse a srta. Peregrine, aproveitando a oportunidade. — No fim das contas, o futuro não é tão magnífico quanto vocês imaginam. Não há nada de errado com o bom e velho aqui e agora!

Tive a impressão de que era algo que ela precisava sempre relembrar a eles. E me fez pensar: quanto tempo fazia que eles estavam no tal "bom e velho aqui e agora"?

— Vocês se importam de me dizer quantos anos têm? — perguntei.

— Eu tenho oitenta e três — respondeu Horace.

Olive ergueu a mão, muito animada.

— Vou fazer exatamente setenta e cinco anos e meio daqui a uma semana! Como eles conseguiam manter a conta se todo dia era sempre o mesmo dia?

— Tenho cento e dezessete, talvez cento e dezoito — respondeu um garoto de pálpebras caídas chamado Enoch, mas que não parecia ter mais de treze. — Morei em outra fenda temporal antes desta.

— E eu tenho quase oitenta e sete — disse Millard, com a boca cheia de gordura de carne.

Enquanto ele falava, um bolo alimentar era triturado em sua mandíbula invisível, à vista de todos. Os outros à mesa soltaram gemidos de nojo enquanto tapavam os olhos e viravam a cabeça para o outro lado.

Por fim, chegou minha vez. *Tenho dezesseis*, contei. Algumas crianças arregalaram os olhos. Olive deu uma risada de surpresa. Para eles, era estranho eu ser tão jovem, mas o que eu achava estranho mesmo era eles *parecerem* tão jovens. Eu conhecia muitos idosos de mais de oitenta anos na Flórida, e aquelas crianças e adolescentes não agiam de forma nada parecida com eles. Minha impressão era de que a constância da vida que levavam ali, dos dias sempre iguais — aquele verão perpétuo e imortal —, tivesse aprisionado não só o corpo deles, mas também suas emoções, fechando-os hermeticamente em sua juventude, como Peter Pan e seus Garotos Perdidos.

De repente, um estrondo soou lá fora. Era a segunda vez que eu o ouvia naquela noite, mas esse foi mais forte e mais próximo que o primeiro, fazendo os talheres e a louça tremerem.

— Terminem logo o jantar! — ordenou a srta. Peregrine, em seu jeito cantado de falar.

Assim que ela acabou de falar isso, outro abalo fez a casa vibrar e derrubou um quadro da parede atrás de mim.

— O que é isso? — perguntei.

— São os malditos chucrutes de novo! — vociferou Olive, socando a mesa com sua mãozinha, em uma perfeita imitação de um adulto irritado.

Em seguida, um zumbido veio de longe, e compreendi o que estava acontecendo. Aquela era a noite de 3 de setembro de 1940. Em pouco tempo uma bomba cairia do céu e faria um estrago tremendo na casa. O zumbido era uma sirene de alerta de ataque aéreo que soava no alto da colina.

— Temos que sair daqui! — falei, o pânico subindo pela minha garganta.
— Antes que a bomba caia em cima da gente!

— Ele não sabe... — disse Olive, dando uma risadinha. — Ele acha que a gente vai morrer!

— É só a reversão — explicou Millard, seu paletó dando de ombros. — Não precisa desse fricote todo.

— Isso acontece toda noite?

— Sem exceção — confirmou a srta. Peregrine.

Não sei por quê, mas aquilo não me tranquilizou nem um pouco.

— Podemos ir lá fora mostrar ao Jacob? — pediu Hugh.

— É! Podemos? — reforçou Claire, que, após vinte minutos de silêncio emburrado, finalmente voltava a se mostrar entusiasmada. — O portal é sempre tão lindo!

A srta. Peregrine estava resistente, argumentando que ainda não tínhamos acabado de jantar, mas as crianças imploraram tanto que ela acabou por ceder.

— Está bem, contanto que coloquem as máscaras.

Todos se levantaram às pressas e saíram correndo da sala de jantar, deixando para trás a pobre Olive, até que alguém ficou com pena e voltou para soltá-la da cadeira. Corri atrás dos outros até um salão com paredes revestidas de madeira, onde cada um pegou um objeto do armário antes de sair saltitando pela porta. Quando a srta. Peregrine me deu um dos itens, fiquei parado, virando-o de um lado para o outro nas mãos. Parecia um rosto flácido de borracha preta, com duas amplas viseiras de vidro que lembravam olhos petrificados em choque e um focinho projetado que terminava em uma lata perfurada.

— Ponha no rosto — disse ela.

Então entendi o que era: uma máscara de gás.

Eu a coloquei e fui com a diretora até o gramado, onde encontrei as crianças espalhadas como peças de xadrez em um tabuleiro sem casas, anônimas atrás de suas máscaras voltadas para cima, observando colunas de fumaça negra subirem ao céu. Copas de árvores ardiam ao longe, em uma visão nebulosa. Não víamos os aviões, mas o zumbido parecia vir de todos os lados.

De vez em quando soavam estrondos abafados, que eu sentia no peito como a batida de um segundo coração. Os sons eram seguidos por fortes ondas de calor, como se alguém abrisse e fechasse um forno bem na nossa frente. A cada abalo eu me abaixava, mas as crianças nem se encolhiam. Na verdade, elas cantavam, perfeitamente sincronizadas com o ritmo das bombas.

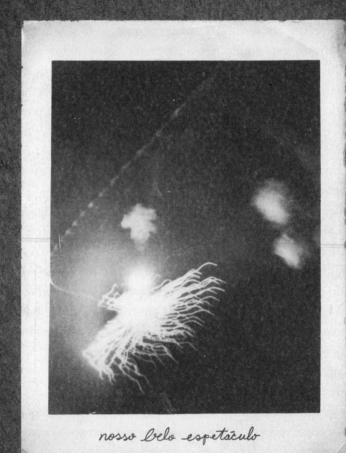

nosso belo espetáculo

Corre, coelho, corre, coelho, corre, corre, CORRE!
Pou, pou, POU, o fazendeiro atirou
Mesmo sem a carne, de fome ele não morre
Então corre, coelho, corre, coelho, corre, corre, CORRE!

Balas traçantes riscaram o céu assim que as crianças pararam de cantar. Elas aplaudiram como se assistissem a um espetáculo de pirotecnia, as explosões coloridas se refletindo no visor das máscaras. O ataque que acontecia todas as noites tinha se tornado uma parte tão normal da vida daquelas crianças que elas já não o viam como algo aterrorizante — na verdade, na foto que eu vira no álbum da srta. Peregrine estava escrito *Nosso belo espetáculo*. E, embora um tanto mórbido, acho que era belo mesmo.

Começou a chuviscar, como se todo aquele metal nos ares tivesse aberto buracos nas nuvens. Os estrondos ficaram menos frequentes. O ataque parecia perto do fim.

As crianças começaram a ir embora do gramado. Pensei que voltariam para dentro da casa, mas passaram direto pela porta e foram para o outro lado do quintal.

— Aonde estamos indo? — perguntei a dois garotos mascarados.

Eles não responderam, mas, percebendo meu nervosismo, pegaram minhas mãos com delicadeza e me conduziram com os outros. Contornamos a casa e fomos para os fundos, onde todos se reuniram em volta de um dos enormes arbustos ornamentais. Aquele, porém, não era o de uma criatura mitológica, mas de um homem descansando no gramado, apoiado em um braço e apontando o outro para o céu. Levei um tempinho para notar que era uma réplica do Adão de Michelangelo na Capela Sistina. Levando-se em conta que era feito de plantas, o resultado era bem impressionante. Quase dava para perceber a placidez em seu rosto, que tinha duas gardênias no lugar dos olhos.

Vi a garota de cabelo desgrenhado perto de mim. Ela usava um vestido floral tão remendado que mais parecia uma colcha de retalhos.

— Foi você que fez? — perguntei, apontando para o Adão.

Ela assentiu.

— Como?

A garota se agachou e estendeu a mão pouco acima da grama. Em questão de segundos, uma área no mesmo formato começou a se mexer e se esticar até roçar sua pele.

— Isso é... bem louco.

Eu não estava no meu momento de maior eloquência.

Alguém me pediu silêncio. Todas as crianças estavam caladas e de cabeça erguida, olhando para a mesma área do céu. Eu só via nuvens de fumaça, tingidas pelo alaranjado trêmulo das chamas.

Então, o motor de um avião se destacou acima dos outros sons. Estava perto e se aproximando cada vez mais. Fui tomado pelo pânico. *Esta é a noite em que eles morreram. E mais: este é o momento exato.* Será que eles morriam toda noite e eram ressuscitados pela fenda, como um culto suicida a Sísifo, condenados a ser aniquilados e remendados por toda a eternidade?

Foi quando uma coisinha cinza abriu caminho entre as nuvens e começou a cair depressa na nossa direção. *Uma pedra*, pensei, mas pedras não zunem na queda.

Corre, coelho, corre, coelho, corre. E eu teria corrido, mas não havia mais tempo. Só consegui gritar e me jogar no chão, e, como não havia nada que pudesse servir de proteção, apenas cobri a cabeça com os braços, como se de alguma forma aquilo fosse capaz de mantê-la presa ao corpo.

Cerrei os dentes, fechei os olhos e prendi a respiração, mas, em vez da explosão ensurdecedora que eu esperava, tudo ficou no mais completo e absoluto silêncio. De repente já não se ouvia mais o ronco de motores das aeronaves, o silvo das bombas, o estalo dos tiros ao longe. A impressão era de que haviam acionado o botão de mudo no universo.

Eu tinha morrido?

Baixei os braços e olhei para trás bem devagar. Os galhos das árvores estavam paralisados, arqueados pelo vento. O céu era uma fotografia: chamas estáticas, capturadas no momento em que lambiam as nuvens; gotas de chuva suspensas em pleno ar bem diante dos meus olhos. E, no meio do círculo de crianças, como o objeto de adoração de algum ritual arcano, uma bomba pairava imóvel, com a ponta para baixo, em perfeito equilíbrio no dedo de Adão.

Então, como um filme que pega fogo no projetor durante a exibição, uma luz abrasadora e da mais completa brancura se abriu à minha frente e engoliu tudo.

*   *   *

A primeira coisa que ouvi quando recuperei os sentidos foram as risadas. Logo em seguida a luz branca sumiu, e vi que estávamos todos em volta do Adão, nas mesmas posições de antes, mas a bomba tinha desaparecido, o silêncio dominava a noite e a única luz no céu limpo vinha da lua cheia. A srta. Peregrine apareceu à minha frente e estendeu a mão. Aceitei sua ajuda e me levantei, cambaleante e aturdido.

— Queira me perdoar — disse ela. — Eu deveria tê-lo prevenido.

No entanto, nem ela nem as crianças conseguiam esconder o sorriso enquanto tiravam a máscara. Tive certeza de que eles haviam feito aquilo de propósito.

Eu me sentia enjoado e indisposto.

— Preciso voltar para casa — falei para a srta. Peregrine. — Meu pai vai ficar preocupado. — Depois de uma pausa, acrescentei: — Eu *posso* ir para casa, certo?

— Claro que pode — respondeu ela, depois pediu em voz alta que alguém se prontificasse a me levar de volta ao *cairn*.

Para minha surpresa, Emma se ofereceu. A srta. Peregrine pareceu satisfeita.

— Tem certeza de que posso confiar nela? — perguntei à diretora, num sussurro. — Algumas horas atrás ela queria me degolar.

— A srta. Bloom pode ser geniosa, mas é uma das minhas protegidas em que mais confio. E acho que vocês dois podem ter alguns assuntos para conversar longe de ouvidos curiosos.

Cinco minutos depois, nos pusemos a caminho, só que dessa vez sem as mãos amarradas e sem uma faca encostada nas costelas. Algumas crianças mais novas nos acompanharam até o limite do jardim da frente. Queriam saber se eu voltaria no dia seguinte. Muito reticente, garanti que voltaria, mas a verdade é que eu mal conseguia compreender o que estava se passando naquele momento, quanto mais pensar no futuro.

Entramos sozinhos na floresta escura. Quando deixamos a casa para trás, Emma virou a palma da mão para cima e criou uma pequena bola de fogo que pairava pouco acima dos dedos. Ela seguiu o restante da trilha com o braço esticado como um garçom carregando uma bandeja, iluminando o caminho e projetando nossa sombra nas árvores.

— Já falei que isso é muito maneiro? — comentei, tentando quebrar o silêncio cada vez mais constrangedor.

— Não precisa ofender — retrucou ela, aproximando tanto a chama de mim que pensei que quisesse me queimar. Eu me esquivei e fiquei alguns passos atrás.

— Não, eu só quis dizer que é irado!

— Bom, se você falasse direito talvez eu entendesse — retrucou ela, então parou de andar.

Ficamos frente a frente, mantendo uma distância cautelosa.

— Não precisa ter medo de mim — disse ela.

— Ah, é? E como eu vou saber que você não me considera uma criatura maligna e que não planejou tudo isso para ficar sozinha comigo e poder finalmente me matar?

— Não seja idiota. Você era um estranho que chegou sabe-se lá de onde e começou a me perseguir como um maluco. O que queria que eu pensasse?

— Tudo bem. Eu entendo. — Mas ainda não aceitava aquilo.

Ela baixou o olhar e começou a cavar com a bota um pequeno buraco na terra. A chama em sua mão passou do alaranjado para um azul-escuro.

— Não é verdade, o que eu disse. Eu reconheci você, sim. — Ela levantou a cabeça. — Você é muito parecido com ele.

— Já me disseram isso.

— Me desculpe por eu ter falado todas aquelas coisas horríveis mais cedo. Eu não queria acreditar em você, não queria acreditar que era quem dizia ser. Já imaginava por que tinha vindo até aqui.

— Tudo bem. Quando eu era pequeno, tudo o que eu mais queria era conhecer todos vocês. E agora que isso está acontecendo... Acho triste que tenha sido por isso.

De repente ela se atirou em mim e jogou os braços em volta do meu pescoço; a chama se apagou pouco antes de ela me tocar, mas sua mão continuava quente. Ficamos ali na escuridão por um tempo, unidos, eu e aquela adolescente idosa, aquela menina linda que amara meu avô quando ele tinha a mesma idade que eu tinha agora. Só me restava retribuir o abraço, então foi o que fiz, e acho que foi logo depois disso que começamos a chorar.

Ouvi Emma respirar fundo, e em seguida ela se afastou de mim. A chama voltou a tremular em sua mão.

— Desculpe — disse ela. — Geralmente eu não sou tão...

— Não tem problema.

— É melhor a gente ir.

— Tudo bem.

Voltamos a avançar pela floresta. Retomamos o silêncio até chegarmos ao pântano.

— Pise exatamente onde eu pisar.

Obedeci, seguindo as marcas de suas pegadas. Ao longe, os gases do pântano formavam piras verdes, como se a chama de Emma os despertasse.

Chegamos ao *cairn* e nos abaixamos para entrar, então avançamos lentamente, um atrás do outro, até os fundos da câmara, e logo depois saímos em um mundo envolto em névoa. Ela me conduziu de volta à trilha e, lá, entrelaçou seus dedos nos meus e os apertou. Ficamos em silêncio por um instante. Por fim, Emma deu meia-volta e foi embora, sumindo tão depressa em meio à névoa que me perguntei se ela de fato havia estado ali.

* * *

Quando voltei para o vilarejo, eu quase esperava ver carroças pelas ruas. Em vez disso, fui recebido pelo ronco dos geradores e pelo brilho das telas de TV por trás das janelas. Eu estava em casa, se é que podia pensar assim.

Kev estava de volta. Ele me cumprimentou erguendo uma caneca logo que entrei no bar. Nenhum dos clientes quis me linchar. A normalidade parecia restaurada.

No quarto, encontrei meu pai dormindo na mesa diante do laptop. Ele acordou sobressaltado ao ouvir a porta se fechar.

— Oi! Ei! Você chegou tarde! Ou não? Que horas são?

— Não sei. Acho que ainda não deu nove, porque os geradores ainda estão ligados.

Ele se espreguiçou e esfregou os olhos.

— O que você fez hoje? Achei que viesse jantar comigo.

— Fui explorar mais a casa.

— E encontrou alguma coisa legal?

— Hã... para falar a verdade, não — respondi, percebendo que deveria ter inventado uma história mais elaborada.

Ele me lançou um olhar estranho.

— De onde tirou isso aí?

— O quê?

— Essas roupas.

Olhei para baixo. Havia esquecido completamente que estava usando a calça de lã e os suspensórios.

— Encontrei na casa — falei, sem tempo para pensar em uma resposta menos estranha. — Não são legais?

Ele fez cara de nojo.

— Você vestiu roupas *achadas*? Jacob, isso não é higiênico. E cadê sua calça jeans e seu casaco?

Eu precisava mudar de assunto.

— Ficaram imundos, então eu... hum... — Não terminei a frase. Resolvi fazer um comentário sobre o documento aberto na tela do laptop: — Opa. É o seu livro? Como está indo?

Ele fechou o laptop rapidamente.

— Meu livro não importa agora. O que importa é que você tire proveito terapêutico desse período aqui, e não sei se passar os dias sozinho naquela casa velha é o que o dr. Golan tinha em mente quando deu o sinal verde para essa viagem.

— Uau, acho que você bateu o recorde.

— Hein?

— O recorde de tempo sem falar do meu psiquiatra. — Olhei para um relógio de pulso inexistente. — Quatro dias, cinco horas e vinte e seis minutos. — Suspirei. — Foi bom enquanto durou.

— Ele tem ajudado muito. Só Deus sabe como você estaria agora se a gente não tivesse encontrado o dr. Golan.

— Tem razão, pai. O dr. Golan me ajudou de verdade. Mas isso não significa que ele precise controlar cada detalhe da minha vida. Caramba, por que você e minha mãe não mandam fazer logo um button escrito: *O que Golan faria?* Assim eu poderia me perguntar isso antes de fazer qualquer coisa. Antes de fazer cocô, por exemplo. Como será que o dr. Golan quer que eu cague desta vez? De ladinho, para ir escorregando pela privada? Ou mando direto para a água? Que tipo de cocô seria mais benéfico considerando minhas condições psicológicas?

Meu pai ficou mudo por alguns segundos. Quando falou, porém, foi com uma voz baixa e grave. Disse que, querendo ou não, no dia seguinte eu iria observar pássaros com ele. Respondi que ele estava redondamente enganado se achava que eu ia fazer isso, então ele se levantou e desceu para o bar. Achei que tivesse ido beber alguma coisa, então tirei minha roupa de palhaço, mas poucos minutos depois ele bateu à porta do quarto para avisar que tinha alguém ao telefone querendo falar comigo.

Imaginei que fosse minha mãe, então rangi os dentes e o segui escada abaixo até a cabine telefônica, no canto mais afastado do bar. Ele me entregou o fone e se sentou a uma mesa. Fechei a porta da cabine.

— Alô?

— Acabei de falar com seu pai — disse um homem. — Ele parecia meio preocupado.

Dr. Golan.

Fiquei com vontade de mandá-lo para aquele lugar, ele e meu pai. Mas eu sabia que a situação exigia de mim certo tato. Se eu irritasse o dr. Golan naquele momento, seria o fim da minha viagem. E eu ainda não podia ir embora, não sem antes aprender mais sobre os peculiares. Então, fingi cooperar, entrei no jogo, contei tudo o que vinha fazendo — menos a parte das crianças que viviam em uma fenda temporal — e tentei dar a impressão de que estava começando a concluir que nem a ilha nem meu avô tinham nada de especial. Foi como uma breve sessão por telefone.

— Espero que não esteja apenas me dizendo o que acha que eu quero ouvir. — Aquilo estava virando um bordão. — E se eu fosse aí lhe fazer uma visita? Até que umas férias agora me cairiam bem. O que acha?

Por favor, que ele não esteja falando sério, pensei.

— Eu estou bem — respondi. — É sério.

— Relaxa, Jacob. É brincadeira. Embora só Deus saiba como eu *realmente* estou precisando de umas férias do consultório. E eu acredito no que você me disse. Você me passa a impressão de estar bem. Na verdade, acabei de dizer ao seu pai que o melhor a fazer no momento é lhe dar um pouco de espaço e deixar que resolva suas questões por conta própria.

— É mesmo?

— Seus pais e eu já estamos em cima de você há muito tempo. Chega uma hora em que isso passa a ser contraproducente.

— Bom, eu agradeço de verdade.

Ele continuou falando, mas não entendi direito, porque fazia muito baru-lho do outro lado da linha.

— Não estou ouvindo o senhor direito. Está em um shopping ou coisa assim?

— No aeroporto. Vim buscar minha irmã. Bom, eu só disse para você apro-veitar. Explore bastante e não se preocupe muito. A gente se vê em breve, certo?

— Obrigado mais uma vez.

Assim que desliguei o telefone, me senti mal por ter reclamado dele. Já era a segunda vez que o dr. Golan me apoiava em momentos em que meus pais ficavam contra mim.

No bar, meu pai bebia uma cerveja lentamente. Parei diante dele no caminho para a escada.

— Sobre amanhã... — comecei.

— Ah, pode fazer o que quiser.

— Tem certeza?

Ele deu de ombros, resignado.

— Ordens médicas.

— Volto antes do jantar. Prometo.

Ele apenas assentiu. Deixei-o ali no bar e fui me deitar.

Quando eu estava quase pegando no sono, meus pensamentos vagaram para as crianças peculiares e para a primeira pergunta que fizeram depois que a srta. Peregrine me apresentou a elas: *O Jacob vai ficar aqui com a gente?* Na hora eu tinha pensado: *Claro que não!* Mas por que não? Se eu nunca mais voltasse para casa, o que estaria perdendo? Pensei na casa fria e cavernosa onde morava, na cidade onde tinha uma porção de más recordações e nenhum amigo, na vida completamente sem graça que havia sido traçada para mim. E foi então que percebi: nunca havia me passado pela cabeça a hipótese de rejeitar aquilo tudo.

CAPÍTULO SETE

A nova manhã trouxe chuva, vento e neblina, um tempo ruim que tornou difícil acreditar que o dia anterior não tinha sido apenas um sonho estranho e maravilhoso. Devorei o café da manhã e avisei a meu pai que ia sair. Ele me encarou como se eu estivesse maluco.

— Com *esse* tempo? Fazer o quê?

— Para encontrar as... — comecei, sem pensar.

Então forcei um pigarro, fingindo que estava com comida presa na garganta. Mas já era tarde demais: ele tinha ouvido.

— Encontrar quem? Espero que não esteja pensando em andar com aqueles rappers delinquentes.

A única forma de escapar daquele buraco era cavar mais fundo.

— Não. Acho que você nunca viu o pessoal de quem eu estou falando. Eles moram do outro lado da... hã... do outro lado da ilha, e...

— Ah, é? Achei que ninguém morasse por lá.

— Pois é. Ah, são poucas pessoas. Tipo pastores, coisa assim. Enfim, eles são legais... ficam de vigia enquanto estou na casa.

Amigos e segurança: duas coisas a que meu pai nunca se oporia.

— Quero conhecer esse pessoal — disse meu pai, tentando parecer sério. Ele fazia essa cara quando queria posar como o pai sensato e prático que tanto sonhava ser.

— Sem problema. Mas hoje a gente vai se encontrar por lá, então fica para a próxima.

Ele fez que sim e voltou a se concentrar no café da manhã.

— Volte para o jantar.

— Pode deixar.

Fui praticamente correndo até o pântano. Enquanto avançava com cuidado pela lama movediça, tentando lembrar a rota de ilhas de grama quase invisíveis que Emma havia usado, tive medo de encontrar apenas mais chuva e uma casa em ruínas do outro lado. Por isso, foi um grande alívio quando saí do *cairn* e revi o dia 3 de setembro de 1940 do mesmo jeito que o havia deixado na véspera: o clima quente, ensolarado e limpo, o céu azul e aberto, com nuvens de formatos reconfortantemente familiares. E o melhor: Emma estava esperando por mim, sentada na beira da elevação do terreno, jogando pedrinhas no pântano.

— Finalmente! — exclamou ela, levantando-se de um salto. — Venha logo! Estão todos esperando você.

— Ah, é?

— *Aham* — respondeu Emma, revirando os olhos em impaciência.

Ela pegou minha mão e me puxou. Fiquei empolgado, não só por sentir o toque dela, mas também por pensar que teria um dia inteiro cheio de possibilidades pela frente. Embora incontáveis eventos superficiais fossem se desenrolar de maneira idêntica ao anterior — a mesma brisa sopraria, os mesmos galhos cairiam —, minha forma de vivenciá-lo seria nova. Assim como a das crianças peculiares. Elas eram os deuses daquele pequeno e estranho paraíso, e eu era o convidado.

Atravessamos o pântano e a floresta correndo, como se estivéssemos atrasados para um compromisso. Quando chegamos à casa, Emma deu a volta comigo até o quintal dos fundos, onde um palquinho de madeira tinha sido montado. As crianças entravam e saíam às pressas da casa, carregando objetos de suporte para o palco, abotoando paletós, fechando o zíper de seus vestidos cobertos de lantejoulas. Uma pequena orquestra se aquecia, formada apenas por um acordeão, um trombone surrado e um serrote musical, que Horace tocava com um arco.

— O que é isso tudo? — perguntei a Emma. — Estão montando uma peça?

— Você vai ver.

— Quem vai participar?

— Você vai ver.

— Sobre o que é?

Ela me deu um beliscão.

Ao som de um apito, todos correram para garantir um lugar na fileira de cadeiras dobráveis montadas de frente para o palco. Emma e eu nos sentamos assim que a cortina se abriu, revelando um chapéu de palha que flutuava acima de um espalhafatoso paletó listrado de vermelho e branco. Mas só quando ouvi uma voz percebi que, óbvio, era Millard no palco.

— Senhooooooras e senhores! — começou. — É com enorme prazer que apresento a vocês um espetáculo inigualável na história! Um show de audácia tão incomparável, de magia tão poderosa que vocês simplesmente não vão acreditar no que estão prestes a ver! Estimados cidadãos, eu lhes apresento a Srta. Peregrine e suas Crianças Peculiares!

A plateia irrompeu em uma clamorosa salva de palmas. Millard tirou o chapéu para cumprimentar os espectadores.

— Para nosso primeiro número, vou fazer aparecer ninguém menos que a própria srta. Peregrine!

Ele se agachou atrás da cortina e voltou um segundo depois com um lençol dobrado em um dos braços e um falcão-peregrino empoleirado no outro. Em seguida, acenou com a cabeça para a orquestra, que começou a tocar uma espécie de música de parque de diversões meio sibilante.

Emma me cutucou com o cotovelo.

— Olhe só isso — sussurrou ela.

Millard pousou o falcão no chão e pôs o lençol à frente da ave, tapando a visão da plateia. Então, começou uma contagem regressiva:

— Três... dois... um!

No "um", ouvi o inconfundível bater de asas. Em seguida, vi a cabeça da srta. Peregrine (a cabeça *humana* dela) surgir atrás do lençol, o que gerou uma salva de palmas ainda mais clamorosa. Ela estava com o cabelo despenteado, e só dava para vê-la dos ombros para cima; devia estar nua por trás do pano. Aparentemente, quando alguém se transforma em ave, as roupas não se transformavam junto. Por isso, a srta. Peregrine pegou as pontas do lençol e o enrolou no corpo.

— Sr. Portman! — exclamou ela, olhando para mim do palco. — Fico muito feliz por vê-lo aqui de volta. Esta é uma pequena apresentação que fazíamos em turnê pelo continente em épocas mais tranquilas. Imaginei que você poderia considerá-la instrutiva. — Em seguida, ela fez um floreio e desceu do palco rapidamente para se vestir.

Uma a uma, as crianças peculiares saíram da plateia e subiram no palco, cada uma fazendo seu próprio número. Millard tirou o paletó e ficou totalmente invisível para fazer malabarismo com garrafas de vidro. Olive tirou os sapatos de chumbo e realizou um número de ginástica em barras paralelas que desafiava a gravidade. Emma criou fogo, engoliu-o e o soprou sem se queimar. Aplaudi tanto que minhas mãos ficaram doloridas.

Quando ela se sentou de volta na cadeira ao meu lado, perguntei:

— Não entendi. Vocês apresentavam esses números na frente das pessoas?

— Claro.

— De pessoas *normais*?

— Claro, pessoas normais. Por que peculiares pagariam para ver coisas que eles mesmos podem fazer?

— Mas, sei lá, isso não acabaria com o disfarce de vocês?

Ela deu uma risada.

— Ninguém suspeitava de nada. As pessoas vão a esses espetáculos bobos para ver proezas, truques e coisas do tipo, e até onde sabiam era exatamente isso o que a gente mostrava.

— Então vocês se escondiam bem à vista de todos.

— Era assim que a maioria dos peculiares ganhava a vida.

— E ninguém nunca descobriu?

— De vez em quando uns bisbilhoteiros apareciam nos bastidores e começavam a fazer perguntas indiscretas, por isso a gente sempre teve o apoio de alguém forte para enxotá-los. Falando nisso, ali está ela!

Virei-me para o palco e vi uma garota levemente masculinizada arrastando de trás da cortina um pedregulho do tamanho de uma geladeira.

— Talvez ela não seja muito incrível na sala de aula — cochichou Emma —, mas tem um coração enorme e daria a vida pelos amigos. Bronwyn e eu somos unha e carne.

Alguém havia feito circular uma pilha de cartões promocionais que a srta. Peregrine usava para divulgar o espetáculo. Quando chegaram a mim, o que estava no topo era o cartão de Bronwyn. Na fotografia, ela aparecia descalça e encarava a câmera com um olhar desafiador. Do outro lado do cartão, a legenda dizia: A INCRÍVEL GAROTA FORTE DE SWANSEA!

— Por que ela não aparece levantando um pedregulho na foto, se é o que ela faz no palco? — perguntei.

— No dia da foto, Bronwyn estava irritada porque a Ave a fez "se vestir de menina", então resolveu não levantar nem uma caixa de chapéu.

— Parece que ela se irritou também com os sapatos.

— Ela nunca usa.

A menina arrastou o pedregulho até o centro do palco e por um instante constrangedor simplesmente ficou olhando para a plateia, como se alguém lhe tivesse mandado fazer uma pausa dramática. Então ela se agachou, posicionou

as mãos enormes na pedra e, aos poucos, levantou-a acima da cabeça. Todos aplaudiram e gritaram, e o entusiasmo das crianças parecia genuíno, embora provavelmente já tivessem visto aquilo milhares de vezes. Fiquei com a sensação de ter entrado de penetra na apresentação de final de ano de uma escola em que eu não estudava.

Bronwyn bocejou e saiu do palco levando o pedregulho debaixo do braço. Em seguida, foi a vez da garota descabelada. Segundo Emma, a menina se chamava Fiona. Ela se colocou atrás de um vaso de planta, de frente para a plateia, e posicionou as mãos acima do vaso, como se fosse uma regente. A orquestra começou a tocar "O voo do besouro" (tão bem quanto conseguia), e Fiona começou a mexer as mãos, o rosto retorcido em uma expressão de esforço e concentração. Conforme a música acelerava, uma fileira de margaridas brotou da terra e se abriu na direção das mãos dela. Era como um daqueles vídeos com a velocidade acelerada em que flores desabrocham em questão de segundos — com a diferença de que Fiona parecia usar fios invisíveis para fazer as plantas se erguerem da terra. As crianças adoraram; aplaudiram de pé.

Emma passou os cartões da pilha até chegar ao de Fiona.

— Olhe. É o meu preferido — disse. — Passamos dias empenhados nesse figurino.

No cartão, Fiona parecia uma mendiga, posando com uma galinha.

— Esse figurino é de quê? — perguntei. — De agricultora sem-teto?

Emma me deu outro beliscão.

— A ideia era dar um ar *natural*, um visual meio selvagem. Demos a ela o nome artístico de Tarzina, a Rainha da Selva.

— E ela veio da selva mesmo?

— Da Irlanda.

— E na selva tem muitas galinhas?

Ela me beliscou de novo. Enquanto conversávamos, cochichando, Hugh se juntou a Fiona no palco. Ele abriu a boca para suas abelhas saírem e polinizarem as flores que ela fizera brotar, como se fosse um estranho ritual de acasalamento.

— O que mais Fiona faz crescer, além de arbustos e flores?

— Todos esses vegetais — respondeu Emma, indicando os canteiros. — E árvores, às vezes.

— Jura? Árvores inteiras?

Ela voltou a passar os cartões.

— Às vezes a gente brinca de "Fiona e o pé de feijão". Alguém se agarra em uma muda de árvore na beira da floresta, e aí a gente vê até que altura Fiona consegue fazê-la crescer com a pessoa pendurada. — Emma encontrou a foto que estava procurando e bateu nela com o dedo. — Este aqui foi o recorde — disse, orgulhosa. — Vinte metros.

— Vocês ficam bem entediados por aqui, hein?

Ela tentou me beliscar outra vez, mas a impedi. Não sou nenhum especialista em garotas, mas, quando elas insistem em dar tantos beliscões, tenho quase certeza de que estão a fim de você.

Depois de Fiona e Hugh houve mais alguns números, mas a essa altura as crianças já estavam ficando agitadas, e logo nos dispersamos para aproveitar o restante daquele dia precioso de verão: tomamos limonada deitados ao sol; jogamos croqué; cuidamos dos jardins, embora, graças a Fiona, quase não precisassem de cuidados; planejamos o almoço. Eu queria fazer mais perguntas à srta. Peregrine a respeito do meu avô — evitava tocar no assunto com Emma, que ficava para baixo sempre que ouvia o nome dele —, mas ela passou grande parte do dia na biblioteca com as crianças mais novas, dando aula. O fato é que eu tinha a impressão de que tinha bastante tempo pela frente, e aquela languidez, somada ao calor do meio-dia, acabou com minha vontade de fazer qualquer coisa mais cansativa do que perambular maravilhado pelo terreno, com a sensação de estar vivendo um sonho.

Após um almoço farto, composto por sanduíches de peito de ganso e pudim de chocolate, Emma começou a fazer campanha com os mais velhos para irmos nadar.

— Sem chance — resmungou Millard, com o botão da calça a ponto de arrebentar. — Estou mais estufado que um peru de Natal.

Estávamos empanturrados, jogados em cadeiras com estofado de veludo espalhadas pela sala de estar. Já Bronwyn estava deitada, toda encolhida com a cabeça entre duas almofadas.

— Se eu fosse nadar, afundaria na hora — comentou ela, a voz abafada.

Mas Emma não desistiu. Após dez minutos de insistência, ela arrancou Hugh, Fiona e Horace do momento da soneca e desafiou Bronwyn, que aparentemente não resistia a uma competição, para uma corrida no lago. Para completar, Millard nos viu saindo de casa juntos e reclamou de tentarmos deixá-lo para trás.

O melhor lugar para nadar era perto da baía, mas para chegar lá precisávamos atravessar o vilarejo.

— E aqueles bêbados malucos? — falei. — Eles acham que eu sou um espião alemão. Não estou muito a fim de fugir de porretes hoje.

— Seu bobão — disse Emma. — Isso foi *ontem*. Eles não vão se lembrar de nada.

— É só você andar por aí enrolado numa toalha, para eles não verem suas roupas... hã... do futuro — sugeriu Horace.

Eu estava de jeans e camiseta, minha roupa de sempre, e Horace em seu terno preto habitual. Parecia saído da mesma escola de etiqueta da srta. Peregrine: morbidamente ultraformal, não importava a ocasião. Eu tinha visto o retrato dele no baú destruído. Numa tentativa de "se arrumar" para a foto, ele havia exagerado: cartola, bengala e monóculo. Muito chique.

— Tem razão — falei, erguendo uma sobrancelha ao me dirigir a Horace. — Eu não ia querer ninguém pensando que me visto de um jeito estranho.

— Se está se referindo ao meu colete — retrucou ele, em tom arrogante —, sim, admito que sou refém da moda. — Os outros riram. — Podem rir às custas do velho Horace aqui! Podem me chamar de dândi se quiserem, mas só porque os moradores do vilarejo não vão se lembrar de suas roupas isso não dá permissão para se vestirem como maltrapilhos!

Ele ajeitou as lapelas, o que só fez as risadas reiniciarem. Irritado, ele apontou para mim.

— Quanto a ele, que Deus nos ajude se *isso* é o que nos espera em nosso guarda-roupa do futuro!

Quando as risadas perderam força, puxei Emma de lado e perguntei num sussurro:

— Qual é a peculiaridade de Horace? Quer dizer, tirando as roupas.

— Sonhos proféticos. De vez em quando ele tem uns pesadelos intensos, com uma tendência perturbadora a se tornarem realidade.

— Com que frequência? Muita?

— Pergunte a ele.

Mas Horace não estava de bom humor para responder às minhas perguntas, por isso as guardei para um momento mais oportuno.

Quando chegamos ao vilarejo, enrolei uma toalha na cintura e pendurei outra nos ombros. Apesar de não ter sido bem uma profecia, uma coisa eles acertaram: não fui reconhecido. Na rua principal, algumas pessoas nos olharam de um jeito esquisito, mas ninguém nos incomodou. Passamos até pelo sujeito gordo que tinha causado o maior tumulto no bar por minha causa. Ele estava

enchendo um cachimbo na frente da tabacaria e falando sem parar sobre política com uma mulher que mal prestava atenção. Não consegui evitar olhar para o homem enquanto passávamos. Ele me encarou de volta sem dar o menor sinal de que me reconhecia.

Era como se alguém tivesse apertado o botão "reset" na cidade inteira. Continuei notando coisas que tinha visto no dia anterior: a mesma carroça passando desabalada pela ruazinha de terra, as rodas traseiras derrapando no cascalho; as mesmas mulheres fazendo fila para pegar água do poço; um homem vedando com alcatrão o fundo de um barco a remo, no mesmo estágio da tarefa em que se encontrava cerca de vinte e quatro horas antes. Fiquei na expectativa de ver meu sósia passar correndo pelo vilarejo, perseguido por uma horda, mas não era bem assim que o esquema funcionava.

— Vocês devem saber de muita coisa que acontece aqui — falei. — Tipo ontem, com os aviões e a carroça.

— Millard é quem sabe de tudo — comentou Hugh.

— De fato — confirmou o próprio Millard. — Na verdade, venho escrevendo o relato completo do dia na vida da cidade inteira, da maneira como ele é vivido por todos os habitantes. É o primeiro relato desse tipo no mundo. Todas as ações, todas as conversas, todos os sons feitos por cada um dos cento e cinquenta e nove humanos e dos trezentos e trinta e dois animais de Cairnholm, minuto a minuto, desde o amanhecer até o pôr do sol.

— Incrível! — exclamei.

— Não vejo como não concordar — disse Millard. — Em apenas vinte e sete anos já fiz o levantamento de metade dos animais e de quase todos os humanos.

— Vinte e sete *anos*?

— Ele passou três anos inteirinhos só com os porcos! — comentou Hugh. — Todos os dias de três anos completos fazendo anotações sobre *porcos*! Dá para imaginar uma coisa dessas? "Este aqui acabou de soltar uma bela montanha de cocô!", "Aquele ali disse *oinc, oinc*, depois dormiu na própria sujeira!".

— Os registros são parte fundamental do projeto — explicou Millard, com paciência. — Mas eu entendo sua inveja, Hugh. Será um trabalho sem precedentes na história da pesquisa acadêmica.

— Ah, pare de se vangloriar — protestou Emma. — Vai ser um trabalho sem precedentes na história das chatices, isso sim. O mais tedioso livro já escrito.

Em vez de retrucar, Millard começou a enumerar pequenos eventos iminentes em volta.

— A sra. Higgins vai ter um acesso de tosse.

Uma mulher na rua começou a tossir até ficar roxa.

— Um pescador vai lamentar a dificuldade de se ganhar a vida com seu trabalho durante estes tempos de guerra.

No segundo seguinte, um homem recostado em uma carroça cheia de redes se virou para outro sujeito e reclamou:

— Agora tem tantos submarinos na água que não é mais seguro jogar as redes de pesca por aqui!

Fiquei impressionado. E fiz questão de expressar isso.

— Que bom que *alguém* aprecia meu trabalho — comentou Millard.

Seguimos pela movimentada região do porto até passarmos pela última doca, depois continuamos pela costa rochosa, indo na direção do cabo, até chegarmos a uma enseada de areia. Os garotos tiraram a roupa e ficaram só de cueca (todos menos Horace, que tirou apenas os sapatos e a gravata), enquanto as garotas sumiram para se trocar e voltaram vestindo maiôs antigos e comportados. Entramos na água. Bronwyn e Emma ficaram disputando quem nadava mais rápido, enquanto eu e os outros passamos o tempo nos divertindo na água. Depois, exaustos, tiramos um cochilo na areia. Quando o sol nos esquentava demais, entrávamos no mar; quando a água gelada nos fazia tremer de frio, voltávamos para a areia, e assim foi até que nossas sombras começaram a ficar mais compridas.

Começamos a bater papo. Eles tinham um milhão de perguntas para me fazer, e, longe da srta. Peregrine, eu podia respondê-las com franqueza. Como era o mundo em que eu vivia? O que as pessoas comiam, bebiam, vestiam? Quando as doenças e a morte seriam vencidas pela ciência? Eles tinham uma vida fantástica, mas estavam famintos por histórias e rostos novos. Respondi tudo o que consegui, revirando o cérebro atrás de novidades interessantes da história do século XX que havia aprendido nas aulas da sra. Johnson — a ida do homem à Lua! O Muro de Berlim! A Guerra do Vietnã! —, mas esses fatos estavam longe de oferecer uma visão panorâmica do futuro.

O que os deixou mais impressionados mesmo foram a tecnologia e os padrões de vida do meu tempo. As casas tinham aparelhos de ar-condicionado. Eles já sabiam da existência da televisão, mas nunca tinham visto uma e ficaram chocados ao saber que em minha casa havia uma caixa que exibia imagens falantes, em praticamente todos os cômodos. A viagem de avião era tão comum para nós quanto a de trem era para eles. Nosso exército lutava com drones operados por controle remoto. Andávamos com telefones-computadores que cabiam no bolso, e, mesmo que o meu não estivesse funcionando ali (nenhum aparelho eletrônico funcionava), eu o tirei do bolso para mostrar a elegante tela espelhada.

O sol já estava para se pôr quando começamos a voltar para a casa. Emma grudou em mim, e, enquanto andávamos, a mão dela roçava na minha. Quando passamos por uma macieira, ela parou para pegar uma maçã, mas, mesmo na ponta dos pés, a fruta mais baixa ainda estava fora de seu alcance. Então, fiz o que qualquer cavalheiro faria: dei uma ajuda, abraçando-a pela cintura e a levantando, tentando não gemer de esforço. Ela esticava o braço pálido enquanto seu cabelo molhado brilhava à luz do sol. Quando a abaixei, ela me deu um beijinho na bochecha e me ofereceu a maçã.

— Tome — disse. — Você fez por merecer.

— A maçã ou o beijo?

Ela sorriu e saiu correndo para alcançar os outros. Eu não sabia como chamar o que estava acontecendo entre nós, mas estava gostando. Era uma sensação boba, frágil e agradável. Guardei a maçã no bolso e saí correndo atrás de Emma.

Quando chegamos ao pântano, falei que precisava voltar para meu mundo, ao que ela reagiu fazendo beicinho.

— Pelo menos posso acompanhar você? — perguntou.

Acenamos para os outros e cruzamos o pântano até chegar ao *cairn*, eu fazendo o possível para memorizar os pontos em que ela pisava no percurso.

— Fique um pouco comigo do outro lado — ousei pedir quando chegamos.

— Não posso. Tenho que voltar, senão a Ave vai desconfiar de nós dois.

— Desconfiar de quê?

Ela deu um sorriso tímido.

— De... alguma coisa.

— Alguma coisa — repeti.

— Ela está sempre atrás de alguma coisa — explicou Emma, rindo.

Mudei de tática:

— Então que tal me visitar amanhã?

— Visitar você? Do outro lado?

— Por que não? A srta. Peregrine não vai estar por perto para ficar de olho na gente. Você pode até conhecer meu pai. É claro que não dá para contar quem você é, mas talvez ele pare de pegar um pouco no meu pé querendo saber aonde eu vou e o que faço o tempo todo. Eu andando com uma garota bonita assim? Acho que é o maior sonho dele.

Achei que ela daria um sorriso ao ouvir o "bonita", mas, em vez disso, ficou com uma expressão séria.

— A Ave só nos deixa ficar alguns minutos do outro lado, só para manter a fenda aberta, sabe?

— Então diga que é o que você vai fazer!

Ela suspirou.

— Eu quero. De verdade. Mas não devo.

— A srta. Peregrine mantém vocês na coleira.

— Você não sabe do que está falando — retrucou Emma, com a cara emburrada. — E muito obrigada por me comparar a um cachorro. Adorei.

Como é que tínhamos passado do flerte para a discussão tão rápido?

— Não foi isso o que eu quis dizer — retruquei.

— Não é que eu não queira ir ao outro lado. Eu não posso.

— Tudo bem. Então vamos fazer um trato. Esqueça o pedido para ir um dia inteiro. Fique comigo só por um minuto. Agora.

— Um minuto? E o que podemos fazer em um minuto?

Dei um sorriso.

— Você ficaria surpresa...

— Conta! — pediu ela, me dando um empurrão de brincadeira.

— Tirar uma foto sua.

O sorriso dela desapareceu. Emma hesitou.

— Mas não estou exatamente com a minha melhor aparência...

— Que nada! Você está linda. Sério.

— Só um minuto mesmo? Promete?

Deixei que Emma entrasse no *cairn* primeiro. Quando saímos, o mundo à nossa volta estava frio e enevoado, mas pelo menos a chuva tinha dado uma trégua. Peguei o celular e fiquei feliz ao ver que minha teoria estava correta: daquele lado da fenda, os eletrônicos funcionavam direitinho.

— Cadê sua câmera? — perguntou ela, tremendo de frio. — Vamos logo com isso!

Levantei o celular e tirei a foto. Ela apenas balançou a cabeça, como se nada mais do meu mundo bizarro fosse capaz de surpreendê-la. Em seguida, afastou-se bruscamente, e tive que correr atrás dela em volta do *cairn* para tirar outra foto, de nós dois rindo. Ela se abaixava para se esconder da câmera e reaparecia para posar. Em questão de um minuto eu já havia tirado tantas fotos que a memória do meu celular estava quase lotada.

Emma correu para a entrada do *cairn*, soprou um beijo e disse:

— Vejo você amanhã, garoto do futuro!

Levantei a mão para lhe dar tchau, e ela entrou abaixada no túnel de pedra.

* * *

Voltei correndo para a cidade, morrendo de frio, todo molhado e sorrindo feito um idiota. Ainda estava a quarteirões do bar quando ouvi um barulho estranho se destacar em meio ao som dos geradores: alguém chamando meu nome. Segui a voz e encontrei meu pai parado na rua com um suéter ensopado, sua respiração formando fumaça como se saísse de um cano de escapamento em uma manhã fria.

— Jacob! Eu estava procurando você!

— Você disse para eu voltar antes do jantar, e foi o que eu fiz!

— Esqueça o jantar. Venha comigo.

Meu pai nunca deixava de jantar. Com certeza tinha acontecido alguma coisa errada.

— O que houve?

— Eu explico no caminho — respondeu ele, me levando ao bar-pensão. Só então ele deu uma boa olhada na minha roupa. — Você está todo molhado! Pelo amor de Deus, perdeu *outro* casaco?

— Eu... hã...

— E esse rosto corado? Parece bronzeado.

Merda. Tinha passado a tarde inteira na praia sem protetor solar.

— Estou morrendo de calor porque voltei correndo — respondi, embora meus braços estivessem arrepiados de frio. — O que está acontecendo? Alguém morreu ou o quê?

— Não, não, não. Quer dizer, mais ou menos. Algumas ovelhas.

— E o que a gente tem a ver com isso?

— Eles acham que isso é coisa de algum moleque. Algum vândalo.

— Eles quem? A polícia das ovelhas?

— Os fazendeiros. Interrogaram todo mundo com menos de vinte anos. E é claro que estão interessados em saber por onde você andou o dia todo.

Senti o estômago embrulhar na mesma hora. Eu não tinha exatamente um álibi, então, enquanto nos aproximávamos do Abrigo do Padre, tentei inventar uma história.

Na frente do bar, havia um pequeno aglomerado de gente em volta de alguns criadores de ovelhas bem irritados. Um deles vestia um macacão enlameado e se apoiava em um forcado com uma postura ameaçadora. Outro segurava Verme pela gola. Verme estava de calça esportiva fluorescente e uma camiseta com a frase TOO SEXY FOR MY SHIRT. Ele tinha chorado e, quando respirava, uma bolha de catarro se formava debaixo do nariz.

Um terceiro homem, um sujeito magrelo com touca de lã, apontou para mim quando nos aproximávamos.

— Ali está ele! — exclamou. — Por onde você andou, hein, rapaz?

Meu pai deu um tapinha nas minhas costas e disse, confiante:

— Conte a eles.

Tentei falar como se não tivesse o que esconder:

— Eu estava explorando o outro lado da ilha. O casarão.

— Que casarão? — perguntou o Touca de Lã, com cara de quem não estava entendendo.

— Aquele monte de escombros no meio da floresta — esclareceu o Forcado. — Só sendo um idiota pra botar os pés lá. Aquele lugar é cheio de bruxaria, uma armadilha das brabas.

Touca de Lã olhou desconfiado para mim.

— No casarão *com quem*?

— Com ninguém — respondi.

Meu pai me lançou um olhar estranho.

— Mentira! Acho que você estava com este aqui! — exclamou o homem que segurava Verme pela gola.

— Eu não matei ovelha nenhuma! — gritou Verme.

— Cala a boca! — berrou o homem.

— Jacob, e os seus amigos? — perguntou meu pai.

— Ai, pai, putz...

Touca de Lã se virou para nós e deu uma cusparada no chão.

— Ah, seu moleque mentiroso. Eu tinha é que dar uma surra em você na frente de Deus e do mundo.

— Fique longe dele — disse meu pai, fazendo sua melhor voz de pai sério.

Touca de Lã soltou um palavrão e deu um passo à frente. Os dois se encararam. Antes que um deles desse o primeiro soco, uma voz familiar disse:

— Fique calmo, Dennis. A gente vai resolver esse assunto. — Era Martin, que em seguida abriu caminho na multidão e se enfiou entre os dois. — Comece falando o que seu filho contou — pediu ele ao meu pai, que me lançou um olhar furioso.

— Ele disse que ia encontrar uns amigos do outro lado da ilha.

— *Que* amigos? — perguntou o Forcado.

Eu estava vendo que a coisa ia ficar ainda mais feia se não tomasse uma medida drástica. Claro que eu não podia falar das crianças peculiares, até porque ninguém acreditaria, então optei por um risco calculado.

— Não era ninguém — falei, baixando os olhos para fingir que estava com vergonha. — São amigos imaginários.

— O que foi que ele disse?

— Ele disse que eram amigos imaginários — repetiu meu pai, em tom preocupado.

Os fazendeiros trocaram olhares perplexos.

— Viram só? — disse Verme. — Esse garoto é um psicopata do caramba! *Só pode* ter sido ele!

— Eu nunca encostei um dedo nas ovelhas — retruquei, apesar de ninguém estar prestando atenção.

— Não foi o americano — arriscou o fazendeiro que segurava Verme. Em seguida, puxou-o com força pela gola e continuou: — Já este aqui tem história. Faz uns anos, ele chutou uma ovelha do alto de um precipício, e eu vi. Não acreditaria se não tivesse visto com estes olhos que a terra há de comer. Depois eu fui perguntar por que tinha feito aquilo. Ele respondeu que queria saber se o bicho voava. Estou falando… este aqui é doente.

As pessoas resmungaram com os dentes cerrados, indignadas. Verme parecia meio incomodado, mas não negou a história.

— Cadê o peixeiro amigo dele? — perguntou o Forcado. — Se este aqui está metido na história, pode apostar que o outro também está.

Alguém comentou que tinha visto Dylan perto da baía, e um grupo se formou para buscá-lo.

— Isso não pode ser coisa de um lobo… ou de um cachorro selvagem? — perguntou meu pai. — Meu pai foi morto por cachorros selvagens.

— Os únicos cachorros aqui são os pastores — respondeu Touca de Lã. — E não é bem da natureza de um pastor sair matando ovelhas por aí.

Fiquei torcendo para meu pai se dar por vencido e ir embora enquanto ainda não tinham engrossado o tom, mas ele parecia ter incorporado o Sherlock Holmes.

— De quantas ovelhas estamos falando? — perguntou.

— Cinco — respondeu o quarto fazendeiro, um baixinho sisudo que até então não havia aberto a boca. — Todas minhas. Mortas no curral. As coitadas nem tiveram chance de fugir.

— Cinco ovelhas. E quanto sangue o senhor acha que existe dentro de cinco ovelhas?

— Ah, baldes e baldes — arriscou o Forcado.

— Então o culpado não estaria coberto de sangue?

Os fazendeiros se entreolharam, depois se viraram para mim e, em seguida, para Verme. Por fim, deram de ombros e coçaram a cabeça.

— Vai ver foram as raposas — comentou Touca de Lã.

— Talvez um bando inteiro de raposas — acrescentou Forcado —, se é que a ilha tem tantas assim.

— Eu continuo achando que os cortes são limpos demais — interveio o sujeito que ainda segurava Verme. — Só pode ter sido alguém com uma faca.

— Eu não acredito — retrucou meu pai.

— Então venha ver com seus próprios olhos — chamou Touca de Lã.

Conforme a multidão se dispersava, meu pai e eu nos juntamos a um pequeno grupo que seguiu os homens até a cena do crime. Subimos uma ladeira leve, atravessamos um terreno e chegamos a um pequeno barracão marrom com um curral retangular nos fundos. Com todo o cuidado, nos aproximamos da cerca e espiamos pelos vãos entre as ripas.

Ali dentro, a cena era de uma violência que beirava o caricatural, um quadro que um impressionista maluco obcecado por tinta vermelha teria pintado. A área pisoteada da grama estava banhada em sangue, assim como as colunas de madeira castigadas pelo mau tempo e os corpos rígidos das pobres ovelhas, espalhados em posições de sofrimento agonizante. Uma tinha tentado escalar a cerca e acabou prendendo as patas. Estava pendurada bem à minha frente em um ângulo estranho, completamente rasgada desde o pescoço, como se alguém tivesse aberto o zíper de seu corpo.

Tive que virar o rosto para não ver. Ouviu-se um murmúrio geral, e alguém assobiou baixo. Verme gaguejou e desatou a chorar, o que foi interpretado como uma involuntária admissão de culpa — o criminoso que não conseguia encarar o próprio crime. Ele foi levado para o museu de Martin, no lugar que antes era a sacristia, mas que agora funcionava como uma cela improvisada da cidade, até que a polícia do continente fosse buscá-lo.

Deixamos o fazendeiro pensando em suas ovelhas mortas e voltamos para o vilarejo, atravessando com dificuldade as colinas úmidas sob o anoitecer cinza-chumbo. De volta ao quarto, eu sabia que precisaria encarar uma conversa severa com meu pai, por isso fiz o possível para desarmá-lo antes mesmo de ele começar.

— Eu menti para você, pai. Desculpa.

— Ora, veja só — disse ele, com sarcasmo, trocando o suéter molhado por um seco. — Que atitude louvável da sua parte. Mas agora me diga uma coisa: de qual mentira você está falando? Porque eu mal consigo acompanhar mais.

— A de que eu ia encontrar uns amigos. Não existe ninguém no outro lado da ilha. Eu inventei isso porque não queria deixar você preocupado quando fosse lá sozinho.

— Bom, pois eu me preocupo, sim, mesmo que seu psiquiatra diga que não tenha por quê.

— Eu sei que você se preocupa.

— E esses amigos imaginários? O dr. Golan sabe disso?

Balancei a cabeça em negativa.

— Também era mentira. Eu só queria que aqueles caras me deixassem em paz.

Meu pai cruzou os braços, sem saber em que acreditar.

— Francamente...

— Bom, é melhor acharem que sou um esquisitão do que um assassino de ovelhas, não acha?

Sentei-me à mesa. Meu pai me encarou por um tempo, e fiquei sem saber se ele tinha acreditado ou não. Então, ele foi até a pia, jogou água no rosto e se secou com a toalha. Quando finalmente se virou para mim outra vez, parecia ter concluído que daria muito menos trabalho acreditar na minha palavra.

— Tem certeza de que não precisamos ligar para o dr. Golan de novo para ter uma boa conversa?

— Se você quiser, pode ser. Mas eu estou bem.

— É exatamente por isso que eu não queria você andando com aqueles rappers — disse ele, pois precisava terminar com uma frase paternal o suficiente para aquilo valer como um bom sermão.

— Você estava certo sobre eles, pai — concordei, apesar de, no fundo, não acreditar que nenhum dos dois fosse capaz de matar ovelhas. Verme e Dylan só tentavam falar como se fossem valentões, mas não passava disso.

Meu pai se sentou de frente para mim. Parecia cansado.

— Eu ainda queria saber como alguém consegue se queimar de sol num dia como este.

Certo. O bronzeado.

— Acho que minha pele é muito sensível — expliquei.

— Sensível demais para o meu gosto — retrucou ele, seco.

Ele me liberou. Fui tomar um banho, pensando em Emma. Depois, escovei os dentes e pensei em Emma, então lavei o rosto e pensei em Emma. Em seguida, fui para o quarto, tirei do bolso a maçã que ela me dera e a coloquei na mesinha de cabeceira. Por fim, só para ter certeza de que Emma ainda existia, peguei o celular e fiquei olhando para as fotos daquela tarde. Eu ainda estava vendo as imagens quando ouvi meu pai se deitar no quarto ao lado, e continuava vendo quando os geradores foram desligados e meu abajur apagou. Por fim, quando já não havia mais nenhuma luz acesa em lugar algum, apenas o rosto dela na telinha do meu celular, permaneci deitado no escuro vendo as fotos.

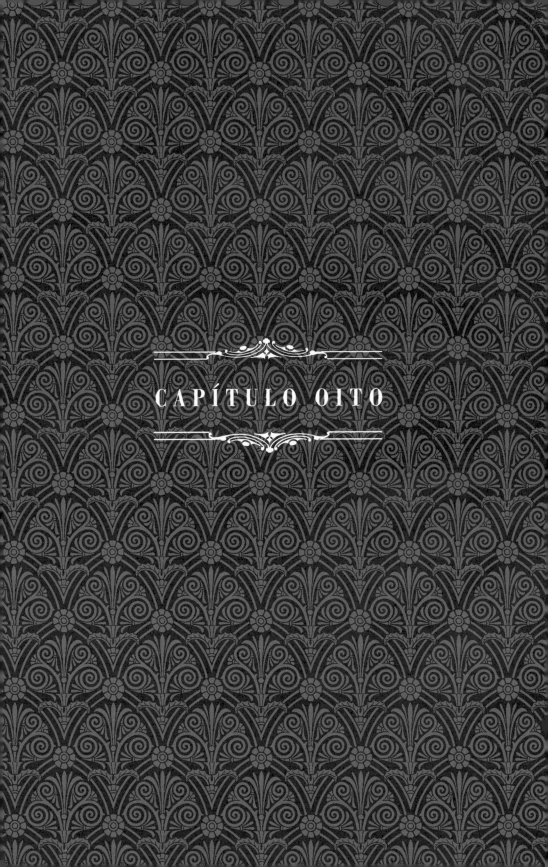

CAPÍTULO OITO

Na esperança de evitar outro sermão, acordei cedo e saí antes que meu pai acordasse. Passei um bilhete por debaixo da porta do quarto dele e fui pegar a maçã de Emma, mas não a encontrei na mesinha de cabeceira, onde a tinha deixado. Procurando com cuidado pelo chão do quarto, encontrei muita poeira e uma coisa que parecia uma bola de golfe em couro. Eu estava começando a me perguntar se alguém teria roubado a maçã quando me dei conta de que a tal coisa *era* a maçã. No decorrer da noite tinha estragado totalmente, apodrecido de um jeito que eu nunca vira acontecer com uma fruta. A impressão era de que a maçã tinha ficado um ano inteiro dentro de um desidratador de alimentos. Quando tentei pegá-la, ela se esfarelou na minha mão como um torrão de terra.

Apesar de intrigado, deixei pra lá e saí. Chovia forte, mas em pouco tempo o céu nublado deu lugar ao sol constante da fenda. Dessa vez, no entanto, não havia nenhuma garota bonita me aguardando do outro lado do *cairn*; não havia ninguém, na verdade. Tentei não ficar decepcionado, mas não teve jeito: fiquei um pouco, sim.

Assim que cheguei à casa, comecei a procurar por Emma, mas a srta. Peregrine me deteve antes mesmo de eu passar pelo saguão.

— Quero dar uma palavrinha com você, sr. Portman.

Ela me levou para a privacidade de sua cozinha, ainda impregnada do cheiro do café da manhã suntuoso que eu havia perdido. Fiquei com a sensação de que tinha sido chamado para o gabinete do diretor da escola.

A srta. Peregrine se apoiou no fogão gigante.

— Está desfrutando o tempo que tem passado aqui conosco? — perguntou. Eu disse que sim, e muito.

— Que bom — comentou ela, e então seu sorriso desapareceu. — Pelo que eu soube, você passou uma tarde agradável com alguns dos meus protegidos ontem. E tiveram uma conversa animada.

— Foi ótimo. Todos eles são muito legais.

Eu quis manter o clima leve, mas já sabia que ela estava armando o bote.

— Me diga uma coisa: como você descreveria a natureza das conversas que teve ontem?

Tentei me lembrar.

— Não sei... falamos sobre uma porção de assuntos. Como as coisas são aqui, como são de onde eu venho.

— De onde você vem.

— É.

— E você acha sensato discutir acontecimentos do futuro com crianças do passado?

— Crianças? É isso mesmo que você acha que elas são? — perguntei, mas me arrependi assim que as palavras saíram da minha boca.

— É assim que *elas* se veem — retrucou a srta. Peregrine, irritada. — Como você as descreveria?

Levando em conta seu mau humor, essa era uma sutileza que eu não estava preparado para discutir.

— Acho que eu diria que são crianças.

— Exato. Agora, como eu ia dizendo — continuou ela, dando petelecos no fogão para enfatizar as palavras —, você acha sensato discutir o futuro com crianças do passado?

— Não? — arrisquei.

— Ah, mas ao que parece você acha, sim! E eu sei disso porque no jantar de ontem à noite Hugh nos brindou com um relato fantástico sobre as maravilhas da tecnologia da telecomunicação no século XXI. — Sua voz estava carregada de sarcasmo. — Sabia que, no século XXI, quando você manda uma carta, ela pode ser recebida quase na mesma hora?

— Acho que você está falando do e-mail.

— Bem, Hugh sabia *tudo* sobre esse assunto.

— Não estou entendendo. Isso é um problema?

A srta. Peregrine se afastou do fogão e deu um passo claudicante na minha direção. Embora fosse uns trinta centímetros mais baixa do que eu, ainda assim ela conseguiu me intimidar.

— É meu dever solene, como *ymbryne*, manter as crianças seguras. Isso significa, acima de tudo, mantê-las *aqui*, na fenda, nesta ilha.

— Certo.

— Elas nunca vão poder fazer parte do seu mundo, sr. Portman. Então, por que encher a cabeça delas com histórias fantásticas sobre as maravilhas exóticas do futuro? Agora metade das crianças está implorando para viajar de avião para os Estados Unidos, e a outra metade sonha com o dia em que vai poder ter um telefone-computador como o seu.

— Me desculpe. Eu não tinha pensado nisso.

— Este é um lar para crianças. Tentei fazer deste lugar o melhor possível, mas a verdade sem enfeites é que elas não podem ir embora daqui, e eu ficaria muito grata se você não despertasse nelas essa vontade.

— Mas por que elas não podem sair?

A srta. Peregrine me encarou com os olhos semicerrados. Então, balançou a cabeça em pesar.

— Peço desculpas — disse ela. — Eu insisto em subestimar a medida de seu desconhecimento.

Dona de um temperamento que parecia impedi-la de ficar parada, a srta. Peregrine pegou uma panela do fogão e começou a areá-la com uma escova de aço. Será que ela tinha ignorado minha pergunta ou estava apenas pensando como baixar o nível intelectual da resposta?

Quando terminou de ariar a panela, ela a pôs de volta no fogão.

— Elas não podem ficar no seu mundo, sr. Portman, porque em pouco tempo iriam envelhecer e morrer.

— Como assim?

— Creio que não haja forma mais direta de dizer isso: elas morreriam, Jacob — repetiu a srta. Peregrine, sucintamente, como se quisesse se livrar logo do assunto. — Para você pode parecer que encontramos um jeito de enganar a morte, mas é uma ilusão. Se as crianças ficarem muito tempo no seu lado da fenda, vão avançar de uma só vez, em questão de horas, todos os anos que pularam.

Imaginei uma pessoa enrugando e esfarelando até virar poeira, como a maçã que eu deixara na mesinha da pensão.

— Que coisa horrível — falei, me arrepiando todo.

— As poucas vezes em que tive o desprazer de presenciar isso estão entre as piores lembranças da minha vida. E garanto que já vivi o suficiente para testemunhar cenas verdadeiramente pavorosas.

— Então isso já aconteceu antes.

— Infelizmente, sim, com uma moça que vivia sob meus cuidados, há muitos anos. Charlotte. Foi a primeira e última vez que fiz uma viagem para visitar uma de minhas irmãs *ymbrynes*. No pouco tempo que passei fora, Charlotte conseguiu escapar das crianças mais velhas que cuidavam dela e saiu da fenda. Acho que isso se deu no ano de 1985 ou 1986. Charlotte estava passeando sozinha pelo vilarejo quando um policial a encontrou. Como a pobrezinha não conseguiu explicar quem era nem de onde vinha, pelo menos não de um jeito que ele considerasse satisfatório, foi enviada de navio ao continente, para uma agência de proteção à criança. Levei dois dias para encontrá-la, e nesse meio-tempo ela havia envelhecido trinta e cinco anos.

— Acho que já vi um retrato dessa menina — falei. — Uma adulta em roupas de criança.

A srta. Peregrine assentiu com um ar sombrio.

— Depois disso, ela nunca mais foi a mesma. Ficou transtornada.

— O que aconteceu com ela?

— Hoje em dia ela mora com a srta. Nightjar. Ela e a srta. Thrush* cuidam dos casos mais complicados.

— Mas não é como se as crianças estivessem confinadas na ilha, é? Elas não poderiam ir embora *agora*, ainda em 1940?

— Poderiam, sim, e voltariam a envelhecer normalmente. Mas para quê? Para ficarem no meio de uma guerra feroz? Para encontrarem pessoas que as temem e não as entendem? Além disso, existem outros perigos. É melhor que fiquem aqui.

— Que outros perigos?

Seu rosto se entristeceu, como se estivesse arrependida de ter tocado no assunto.

— Nada com que você precise se preocupar — respondeu ela. — Pelo menos não por enquanto.

Dito isso, a srta. Peregrine me enxotou da casa. Perguntei de novo o que seriam aqueles "outros perigos", mas ela fechou a porta de tela na minha cara.

— Aproveite a manhã — disse a diretora, forçando um sorriso. — Vá atrás da srta. Bloom. Tenho certeza de que ela está louca para ver você. — E sumiu no interior da casa.

Passeei pelo jardim me perguntando como apagar da cabeça a imagem da maçã ressequida. Até que foi rápido. Não que eu tenha realmente esquecido o que vi, mas aquilo parou de me incomodar. Foi muito estranho.

---

* Em português, "tordo". (N. do T.)

Voltando à minha missão de encontrar Emma, soube por Hugh que ela tinha ido ao vilarejo fazer compras, então me acomodei à sombra de uma árvore para esperá-la. Em cinco minutos eu já estava quase dormindo na grama, com um sorriso idiota no rosto, imaginando o que teria para o almoço. Era como se o simples fato de estar ali exercesse uma espécie de efeito narcótico sobre mim, como se a fenda fosse ao mesmo tempo um estimulante e um sedativo. Se eu ficasse tempo demais ali, nunca mais iria querer sair.

Na hora pensei que, se isso fosse verdade, explicaria muita coisa. Por exemplo, como era possível as pessoas conseguirem viver naquele lugar o mesmo dia repetidamente durante décadas sem enlouquecer. Sim, o local era lindo e a vida era boa, mas, se todos os dias eram iguais e as crianças de fato não podiam ir embora, como a srta. Peregrine havia afirmado, então ali não era apenas um paraíso, mas também uma espécie de prisão. De um jeito hipnótico, aquilo tudo era tão agradável que levaria anos até a pessoa se dar conta disso, e aí seria tarde demais, pois já seria muito perigoso ir embora.

Então, a verdade é que nem se tratava de uma decisão. Você fica. Só mais tarde — anos depois — começa a se perguntar o que teria acontecido se tivesse ido embora.

* * *

Devo ter caído no sono, pois acordei no meio da manhã com alguém mexendo no meu pé. Entreabri um dos olhos e vi um pequeno vulto humanoide tentando se esconder no meu sapato, mas ele acabou preso no cadarço. O homenzinho de braços e pernas rígidos tinha metade da altura de uma calota de pneu e usava uma farda militar. Fiquei observando enquanto ele tentava se livrar do cadarço. De repente ficou rígido, feito um brinquedo mecânico sem corda. Desamarrei o tênis para soltá-lo e o virei de costas, procurando a chave para dar corda, mas não a encontrei. Olhando-o de perto, percebi que era um brinquedo estranho, meio tosco: a cabeça era um pedaço de argila mais ou menos arredondado e o rosto era uma marca de dedo esfregada.

— Traga-o aqui! — gritou um menino sentado em um toco de árvore do outro lado do quintal, perto da floresta, enquanto acenava para mim.

Como eu não tinha nenhum outro compromisso importante marcado em minha agenda atribulada, peguei o boneco de argila para devolver ao menino. Em volta dele havia uma coleção de soldadinhos de corda cambaleando de um lado para outro feito pequenos robôs danificados. Quando me aproximei, o boneco que eu segurava voltou a ganhar vida e começou a se contorcer como se quisesse escapar. Coloquei-o junto dos outros e limpei a argila da calça.

— Meu nome é Enoch. Então você é o tal garoto.

— Acho que sou.

— Desculpe se ele atrapalhou seu sono — disse Enoch, arrebanhando o boneco que eu havia devolvido. — Eles têm vontade própria, sabe? Ainda não foram bem treinados. Fiz esses faz pouco tempo, na semana passada.

Ele falava com um leve sotaque da região mais pobre de Londres, tinha olheiras cadavéricas que o faziam lembrar um guaxinim e usava um macacão que, embora sujo de argila e terra, era nitidamente o mesmo das fotos que eu vira. Tirando o rosto rechonchudo, ele parecia um limpador de chaminés saído de *Oliver Twist*.

— Você *fez* esses bonecos? — perguntei, impressionado. — Como?

— São homúnculos. Normalmente eu ponho cabeças de bonecas neles, mas dessa vez estava com pressa.

— O que são homúnculos?

— O plural de homúnculo. — Ele falou como se qualquer idiota soubesse o que eram aquelas coisas. — Tem quem diga que o certo é *homunculi*, em latim, mas soa meio esquisito, não acha?

— Com certeza.

O soldado de argila que eu tinha devolvido voltou a se afastar do grupo. Com o pé, Enoch o empurrou de leve na direção dos outros, que pareciam desgovernados e se esbarravam feito átomos superaquecidos.

— Lutem, seus mariquinhas! — ordenou Enoch.

Só então me dei conta de que os homúnculos não estavam apenas se chocando uns nos outros, mas se socando e se chutando. O soldadinho de argila tinha escapado porque não queria brigar. Quando ele voltou a se afastar do grupo, Enoch o agarrou e arrancou suas pernas.

— É isso o que acontece com desertores no meu exército! — exclamou o menino, e jogou o boneco aleijado na grama, onde o pobrezinho ficou se debatendo de maneira grotesca enquanto os outros caíam em cima dele.

— Você trata todos os seus brinquedos desse jeito?

— Sim, por quê? Ficou com pena?

— Sei lá. Deveria?

— Não. Eles nem estariam vivos se não fosse por mim.

Eu ri. Enoch fez uma careta para mim.

— Qual é a graça?

— A sua piada.

— Você é meio lento, hein? Olha só isso.

Enoch pegou um dos soldadinhos, tirou a roupa dele, quebrou-o ao meio e arrancou um coraçãozinho pulsante do interior pegajoso. O boneco perdeu a vida na mesma hora. Enoch ergueu o coração entre o polegar e o indicador para me mostrar.

— É de um camundongo — explicou ele. — É isso o que eu consigo fazer: tirar a vida de uma coisa e dá-la a outra, seja um objeto de argila, como estes bonecos, ou algum ser morto. — Ele guardou o coração imóvel no macacão. — Assim que eu descobrir um jeito de treiná-los direito, vou fazer um exército inteiro como este aqui. Só que eles vão ser *enormes*. — Enoch ergueu o braço acima da cabeça para mostrar o tamanho. — E *você*, o que faz?

— Eu? Nada. Quer dizer, nada de especial como você.

— Que pena. Mas mesmo assim você vai vir morar com a gente? — Ele não perguntou como se *quisesse* isso; parecia apenas curioso.

— Não sei. Ainda não pensei sobre o assunto.

Era mentira, claro. Eu já tinha pensado, sim, mas na maior parte das vezes foi meio que sonhando acordado.

Ele me olhou desconfiado.

— Mas você não *quer* ficar?

— Ainda não sei.

Ele semicerrou os olhos e assentiu lentamente, como se tivesse acabado de sacar qual era a minha.

— Emma já lhe contou sobre o Ataque ao Vilarejo, não foi?

— Ataque ao quê?

Ele desviou o olhar.

— Ah, não é nada, só um passatempo bobo.

Fiquei com a nítida sensação de que Enoch estava armando alguma para cima de mim.

— Ela não me falou sobre isso.

Ele deslizou no toco de árvore para se aproximar.

— Aposto que não falou mesmo. Aposto que existe um *monte* de coisas que ela não ia gostar que você soubesse.

— Ah, é? E por quê?

— Porque senão você ia achar que aqui não é tão bom quanto todo mundo quer que você ache, e aí você não ia querer ficar.

— Que tipo de coisas?

— Isso eu não posso contar — respondeu ele, com um sorriso diabólico. — Posso acabar me dando muito mal.

— Tudo bem. Foi você que tocou no assunto.

Fiz menção de ir embora.

— Espere! — exclamou ele, me segurando pela manga da camisa.

— Por quê, se você não vai me contar nada?

Ele coçou o queixo, pensativo.

— É verdade, não tenho permissão para *contar* nada... mas acho que não poderia impedir que você fosse ao segundo andar e desse uma olhada no último quarto do corredor.

— Por quê? O que tem lá?

— Meu amigo Victor. Ele quer conhecer você. Vá lá conversar com ele.

— Tudo bem.

Segui na direção da casa, mas então ouvi Enoch assobiar para mim. Ele fez um gesto indicando que eu deveria tatear o batente superior da porta. *A chave*, articulou, sem emitir som.

— Por que eu preciso de uma chave se tem alguém dentro do quarto?

Ele se virou, fingindo não me ouvir.

* * *

Entrei despreocupado na casa e subi a escada como se tivesse algo a fazer lá e não me importasse nem um pouco caso alguém me visse. Cheguei ao segundo andar sem ser notado, fui de fininho até o quarto no fim do corredor e tentei abrir a porta. Estava trancada. Bati, mas ninguém respondeu. Olhei de esguelha para trás, conferindo se não estava sendo observado, e fiz como Enoch mandou. De fato, encontrei uma chave.

Destranquei a porta e entrei sorrateiramente. Era um quarto igual a todos os outros da casa: uma cômoda, um guarda-roupa, um vasinho de flores na mesinha de cabeceira. O sol atravessava as cortinas de cor mostarda entreabertas e lançava uma luz tão amarelada que todo o cômodo parecia revestido de âmbar. Só então notei um jovem deitado na cama, os olhos fechados e a boca entreaberta, parcialmente escondido por um mosquiteiro.

Com medo de acordá-lo, fiquei parado. Eu o reconheci do álbum de retratos da srta. Peregrine, embora não o tivesse encontrado nas refeições ou pela casa. Na foto, ele dormia na cama, assim como naquele momento. Será que estava em quarentena, infectado por alguma doença do sono? Será que Enoch estava tentando me fazer pegar a doença?

— Olá? — murmurei. — Você está acordado?

Ele não se mexeu. Balancei seu braço de leve. A cabeça dele pendeu para o lado. Então uma hipótese horrível me passou pela cabeça. Para testá-la, estendi a mão diante da boca do menino. Não senti a respiração. Rocei o dedo em seus lábios: estavam gelados. Afastei a mão em choque.

Ouvi passos. Quando me virei, Bronwyn estava parada à porta.

— Você não devia entrar aqui — sussurrou ela.

— Ele está morto.

Bronwyn olhou para o garoto e fez cara de choro.

— Esse aí é o Victor.

Então me lembrei de onde o tinha visto antes: aquele era o garoto erguendo o pedregulho nas fotografias do meu avô. Victor era irmão de Bronwyn. Não dava para saber quanto tempo havia se passado desde a morte dele. Se a fenda continuasse ativa, ele poderia ficar ali cinquenta anos e parecer que tinha morrido no dia anterior.

— O que aconteceu com ele?

— Talvez eu acorde o velho Victor — disse alguém atrás de nós. — Aí você mesmo pode perguntar a ele.

Era Enoch. Ele entrou e fechou a porta.

Com os olhos marejados, Bronwyn abriu um sorriso radiante para ele.

— Você acordaria o Victor? Ah, *por favor*, Enoch.

— Não é recomendável — advertiu ele. — No momento, meu estoque de corações está baixo, e preciso de muitos para dar vida a um ser humano, mesmo que só por um minuto.

Bronwyn se aproximou do garoto morto e começou a fazer carinho no cabelo dele.

— Por favor — pediu ela. — Faz *tanto tempo* que a gente não fala com Victor...

— Bom, eu tenho alguns corações de vaca conservados no porão — disse Enoch, fingindo considerar a possibilidade. — Mas *detesto* usar material inferior. Os frescos são sempre melhores!

Bronwyn desatou a chorar. Uma das lágrimas caiu no paletó do irmão, e ela se apressou a secá-la com a manga da blusa.

— Não chore assim — disse Enoch. — Você sabe que eu não suporto isso. De qualquer modo, acordar Victor é crueldade. Ele gosta de onde está agora.

— E onde ele está? — perguntei.

— Quem pode saber? Mas sempre que o acordamos para conversar ele parece estar morrendo de pressa para voltar.

— Crueldade é você brincar com Bronwyn desse jeito e pregar uma peça dessas em mim — retruquei. — E, se Victor está morto, por que vocês simplesmente não o enterram?

Bronwyn me lançou um olhar de puro desprezo.

— Porque nunca mais o *veríamos* — respondeu ela.

— Isso é uma droga, camarada — disse Enoch. — E eu só falei para você vir aqui porque queria que soubesse de todos os fatos. Estou do seu lado.

— Ah, é? E quais são os fatos, então? Como Victor morreu?

Bronwyn ergueu os olhos.

— Ele foi morto por... *aaaaaai*! — gritou ela quando Enoch lhe deu um beliscão no braço.

— Shhh! — fez ele. — Não cabe a você contar essas coisas!

— Isso é ridículo! — exclamei. — Se nenhum dos dois vai me falar, posso perguntar à srta. Peregrine.

Enoch se aproximou rapidamente de mim, os olhos arregalados.

— Ah, não. Você não pode fazer isso.

— Ah, é? E por que não?

— A Ave não gosta que falemos sobre Victor. É por isso que ela sempre se veste de preto, sabe? Bom, ela não pode saber que estivemos aqui, senão vai nos pendurar pelos dedinhos do pé!

Como se aquilo fosse uma deixa, ouvimos o ruído inconfundível dos passos claudicantes da srta. Peregrine subindo a escada. Bronwyn ficou lívida e saiu correndo porta afora, mas antes que Enoch também conseguisse escapar eu bloqueei seu caminho.

— Sai da frente! — sussurrou ele.

— Me conte o que aconteceu com Victor!

— Não *posso*!

— Então me fale sobre o Ataque ao Vilarejo.

— Também não posso falar sobre isso! — Enoch me empurrou, tentando sair outra vez, mas, quando percebeu que não conseguiria, desistiu. — Tudo bem, então feche a porta e eu conto baixinho!

Fechei-a bem no momento em que a srta. Peregrine chegou ao segundo andar. Encostamos a orelha na porta, tentando escutar qualquer sinal de que ela nos havia descoberto. Os passos da diretora chegaram à metade do corredor e se aproximaram, mas de repente pararam. Uma porta rangeu ao se abrir e fez o mesmo barulho em seguida, sinal de que tinha sido fechada.

— Ela entrou no quarto dela — concluiu Enoch.

— Então tá. O Ataque ao Vilarejo.

Ele fez uma cara de quem estava arrependido de ter tocado no assunto, mas fez sinal para eu me afastar da porta. Eu me abaixei para ele poder cochichar no meu ouvido.

— Como eu disse, é um passatempo nosso. O nome é autoexplicativo.

— Quer dizer que vocês realmente *atacam* o vilarejo?

— Quebramos tudo, perseguimos as pessoas, pegamos o que queremos, queimamos as casas. É muito divertido.

— Que coisa horrível!

— Temos que praticar nossas habilidades de algum jeito, não é? Para o caso de precisarmos nos defender. Senão, ficamos enferrujados. Além do mais, existem regras. Não podemos matar ninguém, só assustar um pouco, sabe? E se alguém se machuca... bom, no dia seguinte já está inteirinho e não se lembra de nada do que aconteceu.

— Emma também participa disso?

— Não. Ela é como você. Diz que é uma brincadeira *cruel*.

— Bom, e é mesmo.

Enoch revirou os olhos.

— Vocês dois se merecem.

— *O que quer dizer com isso?*

Ele se empertigou e, do alto de seu um metro e sessenta, bateu o dedo no meu peito.

— Quero dizer que é melhor não vir com lição de moral para cima de *mim*, parceiro. Porque, se não atacássemos aquela droga daquele vilarejo de vez em quando, já teríamos perdido a cabeça há muito tempo. — Ele foi até a porta, levou a mão à maçaneta e se virou para me encarar. — Se você acha que *nós* somos cruéis, espere até ver os *outros*.

— Que outros? O que é isso que todo mundo anda falando?

Ele levou o dedo aos lábios (*Shhhhh!*) e saiu.

Fiquei sozinho outra vez. Meus olhos foram atraídos pelo corpo na cama. *O que aconteceu com você, Victor?*

Passou pela minha cabeça que talvez ele tivesse enlouquecido e se matado, cansado daquela eternidade alegre mas sem futuro. Talvez tivesse engolido veneno de rato ou pulado de um penhasco. Ou talvez isso fosse obra dos *outros*, os tais "outros perigos" que a srta. Peregrine havia mencionado.

Saí para o corredor, e no momento em que me dirigia à escada ouvi a voz da srta. Peregrine pela porta entreaberta de seu quarto. Entrei às pressas no cômodo mais próximo e fiquei escondido até ela descer a escada. Então notei ao meu lado um par de botas, ao pé de uma cama perfeitamente arrumada — as botas de Emma. Eu estava no quarto dela.

Junto a uma parede havia uma cômoda e um espelho, e, na outra, uma escrivaninha com uma cadeira. Era o quarto de uma garota organizada que não tinha nada a esconder, ou pelo menos foi o que me pareceu, até que vi uma caixa de chapéu dentro do armário entreaberto. Estava amarrada por um cordão, e na frente, escritas em giz de cera, lia-se: *Correspondência pessoal de Emma Bloom.*

Foi como se alguém tivesse balançado uma capa vermelha na frente de um touro. Eu me sentei com a caixa no colo e desamarrei o cordão. Estava repleta de cartas, todas do meu avô.

Meu coração acelerou. Era exatamente aquele tipo de tesouro que eu esperava encontrar na casa em ruínas. Claro que me senti mal por bisbilhotar, mas, se eles insistiam tanto em manter as coisas em segredo, eu simplesmente teria que encontrá-las por minha conta.

Minha vontade era ler todas, uma por uma, mas fiquei com medo de alguém me pegar no flagra, então as folheei rapidamente para ter uma ideia do que tinha encontrado. A maioria era do começo dos anos 1940, época em que meu avô serviu no Exército. Pegando algumas aleatoriamente, descobri que eram longas e apaixonadas, cheias de declarações de amor e descrições estranhas da beleza de Emma no inglês macarrônico que meu avô falava na época ("Você sou bela como flor, ter cheiro bom também, posso colher?"). Em uma, ele havia incluído uma foto de si mesmo fazendo pose em cima de uma bomba, com um cigarro na boca.

Com o passar do tempo nas datas, as cartas ficavam mais curtas e menos frequentes. A partir da década de 1950, ele passou a enviar talvez uma por ano.

Correspondência
pessoal de
Emma Bloom
Não abra

A última datava de abril de 1963. Dentro do envelope havia apenas algumas fotografias, nada escrito. Duas eram de Emma, que ela enviara e ele estava devolvendo. Na mais antiga delas, Emma fazia uma pose engraçada para responder à foto da bomba, descascando batatas e fingindo fumar um dos cachimbos da srta. Peregrine. A outra era mais triste, e concluí que fora enviada depois de meu avô passar um bom tempo sem escrever. A última foto — na verdade, a última coisa que ele enviou a ela — mostrava meu avô já na meia-idade, com uma menininha no colo.

Tive que olhar atentamente para a última foto até descobrir que a menininha era minha tia Susie, na época com uns quatro anos provavelmente. Depois disso, não havia mais cartas dele. Fiquei me perguntando por quanto tempo Emma continuara escrevendo sem receber resposta e o que ele tinha feito com as cartas que recebera dela. Teria jogado fora? Escondido? Com toda certeza meu pai e minha tia encontraram uma delas quando eram crianças e por isso pensaram que ele traísse a esposa. Estavam redondamente enganados.

Ouvi alguém pigarrear atrás de mim e, quando me virei, Emma me encarava, parada à porta do quarto. Com o rosto corado de vergonha, tentei reunir as cartas às pressas, mas era tarde demais. Tinha sido flagrado.

— Desculpa. Eu não devia estar aqui.

— Sei muito bem disso. Perdão por interromper sua leitura.

Emma caminhou com passos firmes até a cômoda, arrancou uma gaveta e a jogou no chão.

— Por que não aproveita e dá uma olhada nas minhas calcinhas também?

— Desculpa, desculpa, desculpa... — repeti. — Eu *nunca* faço esse tipo de coisa.

— Imagino! Deve estar sempre muito ocupado espiando as mulheres pelo buraco da fechadura!

Ela parou numa pose ameaçadora diante de mim, tremendo de raiva, enquanto eu me atrapalhava ao tentar colocar todas as cartas de volta na caixa.

— Estavam guardadas em uma *ordem*, sabia? Me dá isso aqui! Você está bagunçando tudo!

Emma se sentou e me empurrou de lado, esvaziou a caixa no chão e começou a organizar as cartas em pilhas com a velocidade de um funcionário dos correios. Achei melhor ficar calado e observar em silêncio.

— Então, você quer saber sobre Abe e eu, é isso? — disse ela, quando se acalmou um pouco. — Podia simplesmente ter me perguntado.

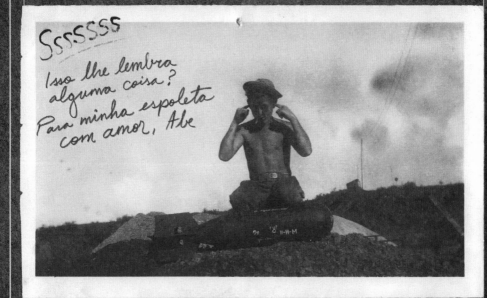

Descascando batatas e pensando em você. Volte logo.
Com amor, sua batatinha.

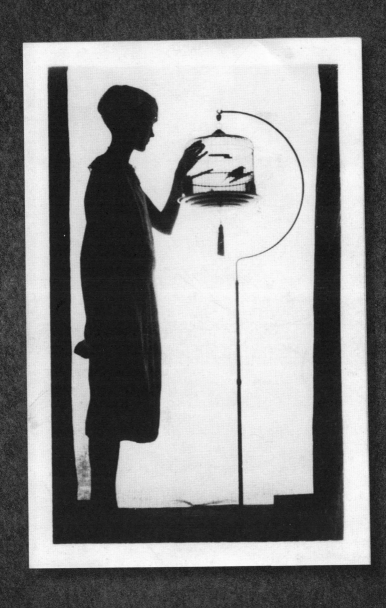

Me sinto engaiolada sem você.
Por que não me escreve mais?
Fico preocupada. Beijos,

Emma.

É POR ISSO

— Eu não queria me intrometer.

— É um pouco difícil acreditar nisso, concorda?

— É, acho que sim.

— E então? O que quer saber?

Pensei no assunto. Não sabia bem por onde começar.

— Só... Afinal, o que aconteceu?

— Tudo bem, vamos deixar as partes boas de lado e pular direto para o final. Na verdade, é muito simples. Ele foi embora. Disse que me amava e prometeu voltar um dia, mas nunca voltou.

— Mas ele precisava ir, não precisava? Para lutar na guerra?

— *Precisava*? Não sei. Ele disse que não conseguiria viver em paz enquanto seu povo era perseguido e morto. Que tinha um dever a cumprir. Imagino que o dever significasse mais para ele do que eu. Mesmo assim, eu esperei. Esperei e passei toda aquela maldita guerra preocupada, pensando que cada carta que chegava traria a notícia da morte dele. Então, quando a guerra acabou, Abe escreveu dizendo que não havia a menor possibilidade de voltar, senão enlouqueceria. Contou que no Exército tinha aprendido a se defender e que não precisava mais de uma babá como a Ave para cuidar dele, que ia para os Estados Unidos montar uma casa para nós dois e mandaria me buscar. Então eu esperei mais. Esperei tanto que, se tivesse saído daqui para ficar com ele, teria quarenta anos. Mas a essa altura ele já tinha se casado com uma mulher normal. E foi assim.

— Sinto muito. Eu não fazia ideia.

— É uma história antiga, e eu já não penso mais tanto nisso.

— Você o culpa por ter ficado presa aqui.

Ela me encarou com um olhar penetrante.

— Quem disse que eu estou presa? — Ela suspirou. — Não, eu não o culpo. Só sinto saudade.

— Ainda?

— Todos os dias.

Ela terminou de organizar as cartas.

— Pronto — disse Emma, tampando a caixa. — A história completa da minha vida amorosa em uma caixa empoeirada dentro de um armário.

Ela respirou fundo, fechou os olhos e massageou as têmporas. Por um instante, quase vi a mulher idosa escondida sob seus traços suaves. Meu avô tinha pisoteado seu pobre coração enfraquecido, e a ferida ainda estava aberta, mesmo depois de tantos anos.

Pensei em tocá-la, abraçá-la, mas alguma coisa me impediu. Ali estava uma menina linda, divertida e fascinante que, sabe-se lá por que milagre, parecia *gostar* de mim, de verdade. Mas então compreendi que não era de mim que Emma gostava. Ela estava de coração partido por outra pessoa, e eu não passava de um substituto do meu avô. Isso seria suficiente para desanimar qualquer um, por maior que seja a atração que sinta. Os garotos têm repulsa só de pensar em ficar com a ex-namorada de um *amigo*. Seguindo essa lógica, namorar a ex do avô seria praticamente incesto.

Quando dei por mim, a mão de Emma estava em meu braço. Então, ela pousou a cabeça em meu ombro, e senti seu queixo se aproximar lentamente do meu rosto. Era uma linguagem corporal que, sem a menor dúvida, dizia "me beije". Em questão de segundos, nossos rostos estariam frente a frente, e eu teria que escolher entre beijá-la ou me afastar, o que seria uma ofensa grave, e ela já havia se irritado comigo pouco antes. Não é que eu não *quisesse* — a verdade é que eu queria mais do que tudo —, mas me sentia estranho e nervoso só de pensar em beijá-la a meio metro de uma caixa repleta de cartas de amor do meu avô preservadas na base da obsessão.

A bochecha dela encostou na minha, e eu sabia que era agora ou nunca, então, para quebrar o clima, falei a primeira coisa que me passou pela cabeça.

— Tem alguma coisa rolando entre você e Enoch?

Emma se afastou na mesma hora, me olhando como se eu tivesse sugerido que jantássemos filhotinhos de cachorro.

— O quê? Não! De onde você tirou uma maluquice dessas?

— Do próprio Enoch. Ele parece meio amargurado quando fala de você, e tenho a nítida impressão de que não me quer aqui, como se eu estivesse invadindo o território dele, sei lá.

Ela arregalou ainda mais os olhos.

— Em primeiro lugar, ele não tem nenhum "território" que alguém possa "invadir". Isso eu garanto. É um idiota ciumento e mentiroso.

— É mesmo?

— É mesmo o quê?

— Ele é mentiroso?

Emma semicerrou os olhos.

— Por quê? Que tipo de absurdo ele andou soltando?

— Emma, o que aconteceu com Victor?

Ela ficou chocada. Então, balançou a cabeça e murmurou:

— Mas que egoísta desgraçado, aquele garoto.

— Tem alguma coisa que ninguém quer me contar, e eu quero saber o que é.

— Não posso dizer.

— É só isso o que eu escuto! Não posso conversar sobre o futuro. Vocês não podem falar sobre o passado. A srta. Peregrine controla tudo. O último desejo do meu avô foi que eu viesse aqui para descobrir a verdade. Será que essa última vontade dele não significa nada?

Ela segurou minha mão, encostou-a em seu colo e ficou olhando para baixo. Parecia procurar as palavras certas.

— Você tem razão. Existe um problema.

— Então me conte.

— Aqui não. Hoje à noite.

Marcamos de nos encontrar à noite, quando meu pai e a srta. Peregrine já estivessem dormindo. Emma disse que aquela era a única maneira de me contar, porque as paredes tinham ouvidos e era impossível nós dois sumirmos juntos durante o dia sem levantar suspeitas. Para completar a ilusão de que não tínhamos nada a esconder, passamos o resto da tarde à vista de todos no quintal, e, quando o sol começou a se pôr, cruzei o pântano sozinho para ir embora da fenda.

*   *   *

Era mais uma noite chuvosa no século XXI. Quando cheguei ao bar, foi um alívio entrar em um lugar seco. Encontrei meu pai sozinho a uma mesa, com uma cerveja. Puxei uma cadeira e comecei a inventar histórias sobre meu dia enquanto secava o rosto com guardanapos. (Estava começando a descobrir que, quanto mais você mente, mais fácil fica.)

Mas ele mal me ouvia.

— Hummm — dizia de vez em quando. — Que interessante. — Então seu olhar se perdia, e ele tomava outro gole de cerveja.

— O que foi, pai? Ainda está irritado comigo?

— Não, não, nada disso. — Ele estava prestes a me explicar, mas fez um gesto com a mão, tentando mudar de assunto. — Ah, é besteira.

— Pai, pode falar.

— É só que... apareceu um cara na ilha há uns dias. Outro observador de aves.

— Alguém que você conhece?

Ele balançou a cabeça.

— Nunca vi o sujeito antes. No começo achei que fosse só mais um entusiasta que fizesse isso como hobby, mas ele sempre vai aos mesmos lugares, aos mesmos pontos de nidificação, e faz anotações. O cara sabe o que está fazendo. Hoje eu o vi com uma gaiola alçapão e Predators, então é um profissional.

— Predators?

— São binóculos profissionais da melhor qualidade. — Ele já havia dobrado e desdobrado o porta-copo de papelão três vezes, um tique nervoso. — Achei que eu fosse o único a conhecer e estudar essa população de aves, sabe? Eu queria muito que esse livro fosse especial.

— E aí aparece esse imbecil safado.

— Jacob...

— Quer dizer, esse desgraçado dos infernos.

Ele deu uma risada.

— Obrigado, filho, é suficiente.

— Mas seu livro *vai* ser especial — afirmei, para tranquilizá-lo.

Ele deu de ombros.

— Não sei. Tomara.

Eu sabia exatamente o que iria acontecer. Aquilo fazia parte de um ciclo patético que meu pai não conseguia romper. Tudo começava quando ele se apaixonava por um projeto. Passava meses falando sobre aquilo sem parar, até que aparecia um probleminha qualquer para atrapalhar seus planos. Em vez de enfrentar a situação, ele ficava arrasado. Então o projeto era cancelado e ele passava para o seguinte, e o ciclo recomeçava. Ele desanimava fácil demais, por isso tinha mais de dez manuscritos inacabados guardados a sete chaves na escrivaninha; por isso a loja de pássaros que tentou abrir com a tia Susie nunca decolou; e por isso também se formou em línguas asiáticas na faculdade, mas nunca foi à Ásia. Ele tinha quarenta e seis anos e ainda tentava se encontrar, ainda tentava provar que não precisava do dinheiro da esposa.

Meu pai precisava mesmo era de uma conversa que o animasse, mas eu não me sentia nem um pouco qualificado para a tarefa, por isso tentei mudar de assunto sutilmente.

— E onde esse intruso se hospedou? — perguntei. — Achei que não tivesse outra pensão na ilha.

— Deve estar acampando.

— Com um tempo desses?

— É uma coisa meio ornitologia geek radical. A ideia de que passar por desconforto e dificuldade aproxima o pesquisador do seu objeto de estudo, tanto física quanto emocionalmente. Aquela história de superar as adversidades como meio de alcançar seus objetivos.

Dei uma risada.

— Então por que *você* não está lá fora? — perguntei, mas me arrependi assim que acabei de falar.

— Pelo mesmo motivo pelo qual meu livro provavelmente nunca vai sair. Sempre tem alguém mais dedicado que eu por aí.

Fez-se um silêncio constrangido.

— Não é isso. Eu quis dizer que...

— Shhh! — Meu pai ficou tenso na cadeira e lançou um olhar furtivo para a porta do bar. — Olhe rápido, mas disfarce. O sujeito acabou de entrar.

Escondi o rosto com o cardápio, depois espiei por cima. À porta estava um cara barbado e desmazelado, batendo os pés no chão para tirar a água das botas. Ele usava um chapéu impermeável, óculos escuros e vários casacos, um por cima do outro, o que o fazia parecer um mendigo gordo.

— Adorei o jeitão de Papai Noel sem-teto — sussurrei. — Não deve ser fácil acertar esse visual. Vai entrar na moda na próxima estação.

Meu pai me ignorou. O homem se recostou ao balcão do bar, e o pessoal próximo baixou um pouco a voz enquanto conversava. Kev anotou o pedido dele e seguiu para a cozinha. Enquanto esperava, o homem barbado olhava fixo para a frente. Um minuto depois, Kev voltou e lhe entregou uma embalagem para viagem. O sujeito colocou algumas notas no balcão e se dirigiu à porta. Antes de sair, virou-se devagar e observou o ambiente. Após alguns segundos nisso, foi embora.

— O que ele pediu? — gritou meu pai quando a porta já havia se fechado.

— Uns bifes — respondeu Kev. — Ele disse que não se importava com o ponto da carne, então fritei cada lado uns dez segundos e deixei quase crus. Sem reclamação.

O pessoal do bar começou a murmurar e especular, e o volume das conversas voltou a subir.

— Bife cru — comentei com meu pai. — Você precisa admitir que, mesmo para um ornitólogo, isso é meio esquisito.

— Vai ver é um desses que come comida crua.

— Ah, claro. Ou vai ver cansou dos banquetes com sangue de ovelha.

Meu pai revirou os olhos.

— É claro que o sujeito tem um fogareiro de acampamento. Provavelmente só prefere cozinhar ao ar livre.

— Na chuva? E por que você está defendendo o cara? Achei que ele fosse seu arquirrival.

— Não espero que você entenda, mas seria legal se parasse de zombar de mim.

Dito isso, ele se levantou da mesa e foi para o balcão.

*   *   *

Algumas horas depois, meu pai subiu a escada cambaleando, fedendo a bebida, e capotou na cama. Dormiu no mesmo instante e começou a soltar roncos monstruosos. Peguei um casaco e fui encontrar Emma. Nem precisei sair escondido.

As ruas estavam desertas e tão silenciosas que quase dava para ouvir o sereno cair. Nuvens finas se esticavam pelo céu e permitiam apenas o suficiente de luar para clarear o caminho. Quando cheguei ao topo da colina, uma sensação estranha de formigamento percorreu meu corpo. Olhei ao redor e notei um homem me observando de um afloramento rochoso ao longe. Ele estava com as mãos no rosto e os cotovelos abertos em um ângulo estranho, como se estivesse usando binóculos. Logo pensei *Droga, fui pego*, supondo que fosse um dos criadores de ovelhas em vigília, bancando o detetive. Mas, se era esse o caso, por que ele não se aproximava para me confrontar? Em vez disso, o sujeito simplesmente ficou parado me olhando enquanto eu o observava de volta.

Por fim, concluí que, se eu havia sido pego, paciência, porque não fazia diferença se eu voltasse para o vilarejo naquele momento ou seguisse em frente: de um jeito ou de outro, meu pai ficaria sabendo do meu passeio noturno. Então, ergui o braço, mostrei o dedo do meio e adentrei a neblina fria do outro lado da colina.

Quando saí do *cairn*, fiquei com a impressão de que as nuvens tinham sido arrancadas do céu e a lua pulsava como um enorme balão amarelo, tão brilhante que doía os olhos. Minutos depois, Emma apareceu atravessando o pântano com dificuldade, falando a mil por hora.

— Desculpe o atraso. Levou horas até todo mundo ir dormir! Aí, quando eu estava saindo, dei de cara com Hugh e Fiona se beijando no jardim. Mas não se preocupe, porque eles prometeram não contar nada se eu também ficasse quieta.

Ela me abraçou.

— Senti sua falta. Desculpe por hoje mais cedo.

— Também senti sua falta — falei, sem jeito, enquanto lhe dava uns tapinhas nas costas. — Então, vamos conversar.

Ela se afastou.

— Aqui não. Tem um lugar melhor. Um lugar especial.

— Não sei, não...

Ela me pegou pela mão.

— Não fique assim. Prometo que você vai adorar. Quando a gente chegar lá eu conto tudo.

Claro que aquilo era uma armação para me fazer ficar com ela, e, se eu fosse mais velho ou mais esperto — ou se fosse um daqueles caras que ficam com garotas bonitas com tanta frequência que já nem ligam mais —, talvez tivesse demonstrado a firmeza emocional e hormonal para exigir que a conversa acontecesse bem ali, naquele exato momento. Mas eu não era nada disso. Além do mais, Emma tinha aquele jeito de sorrir para mim, de sorrir por inteiro, e um mero gesto recatado, como o de pôr o cabelo atrás da orelha, me fazia querer segui-la, ajudá-la, fazer qualquer coisa que ela pedisse. O jogo estava perdido para mim.

Eu vou com ela, mas não vou beijá-la, pensei. Repeti essa frase feito um mantra enquanto ela me conduzia pelo pântano. *Não beije! Não beije!* Caminhamos na direção do vilarejo, mas desviamos para uma trilha íngreme que descia até a areia de uma praia rochosa da qual se avistava o farol.

Quando chegamos à beira da água, ela pediu que eu a esperasse ali e saiu correndo para pegar alguma coisa. Fiquei parado, vendo o feixe de luz do farol girar e iluminar tudo — um milhão de aves marinhas dormindo nos penhascos, rochas imensas expostas pela maré baixa, um pequeno barco apodrecido sumindo debaixo da areia. Quando voltou, Emma estava de maiô e segurava duas máscaras de mergulho.

— Ah, não — falei. — Nem pensar.

— Talvez seja melhor você ficar de cueca — disse ela, olhando ressabiada para minha calça jeans e meu casaco. — Sua roupa não é muito apropriada para nadar.

— Isso é porque eu *não vou* nadar! Concordei em sair escondido e me encontrar com você no meio da noite, sim, mas para *conversar*, não para...

— Nós *vamos* conversar — insistiu ela.

— Debaixo d'água. E de cueca.

Ela chutou areia em mim e se afastou, mas depois deu meia-volta.

— Não vou atacar você, se é disso que tem medo. Não pense que está com essa bola toda.

— Não estou pensando nada.

— Então tira logo essa calça estranha!

Em seguida, ela de fato me atacou, me derrubou no chão e lutou para tirar meu cinto com uma das mãos enquanto esfregava areia no meu rosto com a outra.

— Blergh! — gritei, cuspindo areia. — Jogo sujo, jogo sujo!

Só me restou contra-atacar com um punhado de areia, e logo a coisa virou uma batalha campal. Quando acabou, estávamos rindo e tentando em vão tirar toda a areia do cabelo.

— Bom, agora você precisa de um banho, então pode muito bem entrar na droga da água.

— Tudo *bem*.

No início, o mar estava incrivelmente gelado (o que não é nada agradável para quem está apenas de cueca), mas logo me acostumei com a temperatura. Avançamos devagar até passar pelas rochas, onde havia uma canoa amarrada a um indicador de profundidade. Entramos na canoa. Emma me entregou um dos remos e seguimos na direção do farol. Com a noite quente e o mar calmo, me deixei levar pelo ritmo agradável dos remos batendo na água. A uns cem metros do farol, Emma parou de remar e saiu da canoa. Para meu espanto, ela não afundou nas ondas, mas ficou de pé, com a água batendo apenas nos joelhos.

— Você está em um banco de areia ou coisa assim? — perguntei.

— Não.

Ela tirou uma pequena âncora da canoa e a largou na água. O objeto desceu cerca de um metro até parar, com um som metálico. Logo depois, a luz do farol passou por nós e vi o casco de um navio que se estendia para todos os lados bem embaixo de onde estávamos.

— Um naufrágio! — exclamei.

— Vamos. Já estamos quase lá. Traga sua máscara.

Ela começou a andar pelo casco arruinado do navio.

Saí da canoa com toda a cautela e a segui. Quem nos visse da costa teria a impressão de que estávamos caminhando sobre a água.

— Qual é o tamanho dessa coisa, afinal? — perguntei.

— É enorme. Um navio de guerra aliado. Atingiu uma mina e afundou bem aqui. — Ela parou. — Olhe para longe do farol por um minuto. Deixe seus olhos se acostumarem com o escuro.

Então viramos de frente para a praia e esperamos nossos olhos se adaptarem, a marola batendo em nossas coxas.

— Certo — disse ela. — Agora me siga e depois respire bem fundo.

Emma foi até um buraco escuro que parecia uma porta no casco do navio, se sentou na beirada e mergulhou.

Isso é maluquice, pensei, mas em seguida coloquei a máscara e mergulhei de pé atrás dela.

Espiei a escuridão abaixo e vi que Emma continuava se afastando, descendo pelos degraus metálicos de uma escada. Eu me segurei no degrau superior e comecei a segui-la, descendo a mão e depois a outra até alcançar um piso metálico. Era onde ela estava me esperando. O lugar parecia uma espécie de compartimento de carga, embora a escuridão não permitisse afirmar muito mais que isso.

Cutuquei Emma e apontei para minha boca. *Preciso respirar*. Ela deu um tapinha condescendente no meu braço e pegou um tubo plástico pendurado ali perto ligado a um cano, que por sua vez subia junto à escada em direção à superfície. Emma pôs o tubo na boca e assoprou, as bochechas inflando, então puxou o ar e passou o tubo para mim. Fiz o mesmo, enchendo os pulmões. Estávamos a quase sete metros de profundidade, dentro de um velho navio naufragado, e conseguíamos respirar.

Ela apontou para uma passagem à nossa frente, pouco mais que um buraco negro em meio a toda aquela escuridão. Balancei a cabeça. *Não quero*. Mas ela me pegou pela mão como se eu fosse uma criança medrosa e me puxou, levando o tubo junto.

Quando atravessamos a passagem, mergulhamos na escuridão total. Ficamos parados por um tempo, passando o tubo de respiração um para o outro. Não se ouvia som algum, a não ser o das bolhas da nossa respiração e o das pancadas metálicas de objetos no interior do navio se chocando de leve por causa da correnteza. Nem se eu fechasse os olhos ficaria mais escuro do que já estava. Éramos astronautas flutuando em um universo sem estrelas.

Foi então que uma coisa me deixou perplexo e maravilhado: uma a uma, estrelas começaram a surgir aqui e ali, clarões verdes no escuro. Achei que fosse uma alucinação, mas outras se acenderam, depois outras mais, até haver uma constelação inteira ao nosso redor, um milhão de estrelinhas verdes reluzentes que iluminavam nosso corpo e se refletiam em nossa máscara de mergulho. Emma ergueu o braço e girou o punho, mas em vez de produzir uma bola de fogo sua mão refulgiu em um tom cintilante de azul. As estrelas verdes se juntaram ao redor da mão dela, brilhando e girando, imitando seus movimentos feito um cardume de peixes, e só então percebi que as estrelas eram exatamente isso: peixes.

Fascinado, perdi a noção do tempo. Ficamos ali pelo que pareceram horas, embora o mais provável é que tenham sido poucos minutos. Então senti Emma me cutucar. Voltamos pela porta e subimos a escada. Quando alcançamos a superfície, a primeira coisa que vi foi a grande e notável faixa da Via Láctea pintada no céu. Naquele momento me ocorreu que, juntos, os peixes e as estrelas formavam um sistema completo, partes coincidentes de um todo antigo e misterioso.

Subimos no casco e tiramos as máscaras. Ficamos ali parados, com parte do corpo submerso, nossas coxas se tocando, sem dizer uma palavra.

— O que eram aquelas coisas? — perguntei, por fim.

— A gente chama de peixes-lanterna.

— Nunca tinha visto um desses antes.

— A maioria das pessoas nunca viu. Eles se escondem.

— São lindos.

— São.

— E peculiares.

Emma sorriu.

— É, também são peculiares, sim.

Então ela pousou a mão no meu joelho, e eu permiti que ficasse ali porque o contato era quente e agradável na água gelada. Tentei ouvir a voz na minha cabeça que me dizia para não beijá-la, mas já havia se calado.

Então nos beijamos. A intensidade dos nossos lábios se tocando, das nossas línguas roçando uma na outra e da minha mão em sua bochecha perfeita afastou qualquer dúvida se aquilo era certo ou errado e qualquer lembrança sobre o motivo para eu tê-la seguido até ali. Nós nos beijamos sem parar, até que de repente acabou. Quando ela afastou o rosto, eu o segui com o meu. Ela pôs a mão no meu peito, em um gesto suave e firme ao mesmo tempo.

— Eu preciso respirar, bobo.

Dei uma risada.

— Está certo.

Ela me pegou pelas mãos e me encarou, e eu retribuí o olhar. Só aquele olhar era mais intenso que os beijos.

— Você podia ficar — disse ela, por fim.

— Ficar.

— Aqui. Com a gente.

A realidade daquelas palavras tomou forma aos poucos, e a magia vibrante do que havia acabado de acontecer entre nós começou a perder força.

— Eu quero, mas acho que não posso.

— Por que não?

Refleti sobre a ideia. O sol, os banquetes, os amigos... e a monotonia, os dias idênticos. Qualquer coisa em excesso enjoa, como todos os objetos de luxo insignificantes que minha mãe comprava e dos quais logo se cansava.

Mas havia Emma. Ela estava ali. Talvez não fosse tão estranho aquilo que podíamos ter. Talvez eu pudesse ficar por um tempo, amá-la e depois voltar para casa. Mas não. Quando eu quisesse ir embora, seria tarde demais. Ela era uma sereia. Eu precisava ser forte.

— É a ele que você quer, não a mim. Eu não posso ser meu avô para você.

Emma afastou o olhar, magoada.

— Não é por isso que você deve ficar. Seu lugar é aqui, Jacob.

— Não é, não. Eu não sou como vocês.

— É, sim.

— Não. Eu sou uma pessoa comum, assim como meu avô.

Ela balançou a cabeça em negativa.

— Você acha mesmo?

— Se eu pudesse fazer alguma coisa espetacular, como vocês, acha que já não teria notado a essa altura?

— Não era para eu dizer isto, mas pessoas normais não podem entrar nas fendas temporais.

Refleti por um momento sobre aquilo, mas não consegui compreender.

— Eu não tenho nada de peculiar. Sou a pessoa mais normal que você vai conhecer na vida.

— Duvido muito — retrucou ela. — Abe tinha uma habilidade peculiar muito rara, que quase ninguém mais tem. — Então ela me olhou no fundo dos meus olhos e completou: — Ele via os monstros.

CAPÍTULO NOVE

le via os monstros. No momento em que Emma disse isso, todos os horrores que eu pensava ter deixado para trás voltaram de uma só vez. Eles eram reais. Eram reais e tinham matado meu avô.

— Eu também vejo — sussurrei, como se fosse um segredo vergonhoso.

Os olhos dela marejaram, e ela me abraçou.

— Eu sabia que você era peculiar. E digo isso como o maior dos elogios.

Eu sempre soube que era estranho. Nunca sonhei que fosse peculiar. Mas, se eu conseguia ver criaturas que quase ninguém mais conseguia, isso explicava por que Ricky não tinha visto nada no bosque na noite em que meu avô foi morto. Explicava também por que todo mundo achava que eu estava ficando maluco. Eu não estava maluco nem vendo coisas ou sofrendo uma reação aguda ao estresse. A sensação de pânico que parecia dar um nó na boca do meu estômago sempre que eles estavam próximos, além da visão assombrosa daqueles corpos, era consequência da minha habilidade.

— E você? Não consegue vê-los? — perguntei.

— Só as sombras. É por isso que eles costumam caçar à noite.

— E o que os impede de vir atrás de você agora mesmo? — perguntei, mas em seguida me corrigi: — Quer dizer, atrás de nós.

Ela ficou séria.

— Eles não sabem onde nos encontrar. E não conseguem entrar nas fendas. Por isso estamos seguros na ilha, só não podemos sair daqui.

— Mas Victor saiu.

Ela fez que sim, com uma expressão de tristeza.

— Ele disse que estava enlouquecendo, que não aguentava mais. Pobre Bronwyn. Meu Abe também foi embora, mas pelo menos não foi assassinado por etéreos.

Eu me forcei a encará-la.

— Então... Lamento muito ter que lhe contar isto, mas...

— O quê? Ah, não...

— Eles me convenceram de que tinham sido animais selvagens, mas, se o que você está dizendo é verdade, meu avô foi morto por etéreos, sim. A primeira e única vez que vi um monstro foi na noite em que ele morreu.

Emma abraçou os joelhos junto ao peito e fechou os olhos. Passei o braço sobre seus ombros, e ela apoiou a cabeça na minha.

— Eu sabia que mais cedo ou mais tarde eles o pegariam — murmurou. — Abe me garantiu que estaria seguro nos Estados Unidos, que lá podia se proteger. Mas nunca estamos seguros fora da fenda, nenhum de nós. Não de verdade.

Ficamos sentados conversando no navio naufragado até a lua descer, a água chegar à altura do pescoço e Emma começar a tremer de frio. Então, demos as mãos e andamos até a canoa. Enquanto remávamos de volta para a praia, ouvimos vozes nos chamando. Quando contornamos uma rocha, avistamos Hugh e Fiona na areia, acenando para nós. Mesmo de longe, dava para notar que havia algo de errado.

Amarramos a canoa e corremos até eles. Hugh estava sem fôlego, e abelhas voavam agitadas a seu redor.

— Aconteceu uma coisa! Vocês precisam voltar com a gente.

Não havia tempo para discussão. Emma vestiu a roupa por cima do maiô e eu coloquei a calça todo sem jeito e coberto de areia. Hugh me olhou com um ar de dúvida.

— Ele não. Isso é sério.

— Não, Hugh — disse Emma. — A Ave tinha razão. Jacob é um de nós.

Ele a encarou boquiaberto, depois se virou para mim.

— Você *contou* a ele?

— Foi preciso. Mas ele praticamente já tinha descoberto tudo sozinho.

Hugh pareceu surpreso por um momento, mas então me deu um aperto de mão firme.

— Sendo assim, bem-vindo à família.

Sem saber o que responder, eu me limitei a agradecer.

A caminho da casa, captamos fragmentos de informações que Hugh ia soltando sobre o que havia acontecido, mas na maior parte do tempo simplesmente corremos.

— É uma das *ymbrynes* amigas da Ave — disse Hugh quando paramos no meio da floresta para recuperar o fôlego. — Ela chegou voando há mais ou menos uma hora, em um estado lamentável, fazendo o maior escândalo e tirando todo mundo da cama. E caiu desmaiada antes mesmo de conseguirmos entender o que ela queria dizer. — Ele esfregava as mãos, em um gesto de nervosismo. — Ai, tenho *certeza* de que foi alguma tragédia.

— Espero que você esteja enganado — disse Emma, e voltamos a correr.

* * *

No corredor que dava para a sala de estar, crianças em pijamas amarrotados se amontoavam em volta de um lampião a querosene e especulavam sobre o que poderia ter acontecido.

— Talvez tenham esquecido de reiniciar a fenda — sugeriu Claire.

— Aposto que tem etéreos na história — disse Enoch. — Aposto que comeram um monte deles e não deixaram nem as botas!

Claire e Olive choravam e cobriam o rosto com as mãozinhas. Horace se ajoelhou ao lado delas.

— Calma, calma — disse ele, com uma voz reconfortante. — Não deixem Enoch enfiar minhoca na cabeça de vocês. Todo mundo sabe que os etéreos preferem os mais novos. Foi por isso que soltaram a amiga da srta. Peregrine… ela tem gosto de café velho!

Olive espiou entre os dedos.

— E os mais novos têm gosto de quê?

— De framboesa — respondeu ele com toda a naturalidade, e as meninas voltaram a chorar.

— Deixe as duas em paz! — berrou Hugh, e um enxame de abelhas fez Horace sair correndo pelo corredor, aos gritos.

— O que está acontecendo aí? — gritou a srta. Peregrine, da sala de estar. — Estou ouvindo a voz do sr. Apiston? A srta. Bloom e o sr. Portman já voltaram?

Emma se encolheu e lançou um olhar tenso para Hugh.

— Ela sabe? — perguntou.

— Quando descobriu que você tinha saído, ela ficou fora de si. Pensou que você tivesse sido raptada por acólitos ou qualquer outra loucura dessas. Desculpe, eu tive que contar.

Emma pareceu desolada, mas só nos restava entrar e enfrentar as consequências. Fiona meneou a cabeça, como se nos desejasse boa sorte, e abrimos as portas.

A única luz da sala de estar vinha de uma lareira cujo brilho projetava nossas sombras tremulantes na parede. Bronwyn andava de um lado para outro perto de uma mulher idosa que se balançava em uma poltrona, semiconsciente, enrolada em um cobertor feito uma múmia. A srta. Peregrine estava sentada em um pufe e a alimentava com colheradas de um líquido escuro.

Quando Emma viu o rosto da mulher, congelou.

— Ai, meu Deus — sussurrou. — É a srta. Avocet.

Só então eu a reconheci, mesmo que a duras penas, da fotografia que a srta. Peregrine havia me mostrado da mulher ainda jovem. Na foto, a srta. Avocet parecia indomável, mas naquele momento passava uma imagem de fraqueza e fragilidade.

Enquanto observávamos, a srta. Peregrine inclinou um cantil prateado nos lábios da srta. Avocet para que ela bebesse, e por um momento a velha *ymbryne* pareceu reanimar, sentando-se ereta com um brilho nos olhos. Porém, logo em seguida sua expressão voltou a ficar abatida, e ela afundou de novo na poltrona.

— Srta. Bruntley, vá arrumar o divã para a srta. Avocet — pediu a diretora. — Depois, pegue uma garrafa de vinho de coca e um cantil de conhaque.

Enquanto saía às pressas, Bronwyn acenou a cabeça para nós, em um gesto formal. Em seguida, a srta. Peregrine se virou e sussurrou:

— Estou tremendamente decepcionada com você, srta. Bloom. Tremendamente. E, como se não bastasse, você escolhe justo hoje para dar sua escapada.

— Sinto muito, srta. Peregrine, mas como eu poderia adivinhar?

— Eu deveria puni-la. Mas, dadas as circunstâncias, provavelmente não vale a pena. — Ela acariciou o cabelo branco de sua mentora. — A srta. Avocet nunca teria deixado seus protegidos para vir aqui a menos que algo terrível tivesse acontecido.

O fogo da lareira fazia brotar gotículas de suor na minha testa, mas a srta. Avocet tremia na poltrona. Será que ela estava morrendo? Será que a cena trágica entre mim e meu avô se repetiria, desta vez entre a srta. Peregrine e sua professora? Visualizei o que tinha acontecido: eu segurando o corpo do meu avô, aterrorizado e confuso, sem suspeitar da verdade sobre ele ou sobre mim mesmo. Concluí que o que estava se desenrolando na minha frente não tinha nada a ver com o que havia acontecido comigo. A srta. Peregrine sempre soube quem era.

Não me parecia um bom momento para falar do assunto, mas eu estava com raiva e não consegui me controlar.

— Srta. Peregrine — chamei, e ela levantou a cabeça para me olhar. — Quando você ia me contar?

Ela estava prestes a me perguntar *do que* eu estava falando, mas então seus olhos pousaram no rosto de Emma, e a *ymbryne* pareceu ler a resposta. Por um instante, fez uma expressão zangada, mas então viu que eu estava com raiva, e seu sentimento se esvaiu.

— Em breve, meu rapaz. Por favor, entenda que, se eu tivesse lhe contado toda a verdade no nosso primeiro encontro, teria sido um choque. Seu comportamento era imprevisível. Você poderia ter fugido e nunca mais voltado. Eu não podia correr esse risco.

— Então você resolveu me seduzir com comida, diversão e garotas enquanto escondia as partes ruins?

— *Seduzir?* — disse Emma, indignada. — Ah, por favor, não pense isso de mim, Jacob. Eu não suportaria.

— Infelizmente, acho que você nos interpretou muito mal — disse a srta. Peregrine. — Quanto a seduzi-lo, o que você viu aqui é como de fato vivemos. Não houve enganação. Apenas ocultamos alguns fatos.

— Bom, então eu vou contar um fato para vocês. Uma daquelas criaturas matou meu avô.

A srta. Peregrine olhou para a lareira por um momento.

— Lamento muito saber disso.

— Eu vi uma com meus próprios olhos. Quando contei às pessoas, elas tentaram me convencer de que eu estava maluco. Mas eu não estava, nem meu avô. Ele passou a vida inteira me contando a verdade, e eu não acreditei. — Senti a vergonha tomar conta de mim. — Se eu tivesse acreditado, talvez ele ainda estivesse vivo.

A srta. Peregrine notou que eu tremia e me ofereceu a cadeira de frente para a srta. Avocet.

Eu me sentei, e Emma se ajoelhou ao meu lado.

— Abe devia saber que você era peculiar — disse ela. — E devia ter uma boa razão para não lhe contar.

— Sim, sabia — confirmou a srta. Peregrine. — Ele me comunicou isso em uma carta.

— Então eu não entendo. Se era tudo verdade, todas aquelas histórias, e se ele sabia que eu era como ele, por que manteve isso em segredo até o último minuto de vida?

A srta. Peregrine deu mais conhaque na boca da srta. Avocet, que grunhiu e se empertigou um pouco, mas logo voltou a afundar na poltrona.

— Só posso imaginar que ele quisesse protegê-lo — respondeu ela. — Nossa vida é cheia de tribulações e privações. A de Abe foi duas vezes pior, porque ele nasceu judeu na pior época possível. Seu avô encarou um genocídio duplo: o dos judeus, por parte dos nazistas, e o dos peculiares, pelos etéreos. Ele era atormentado pela ideia de que estava se escondendo aqui enquanto seus povos, tanto os judeus quanto os peculiares, eram massacrados.

— Ele dizia que tinha ido para a guerra lutar contra monstros — falei.

— E foi mesmo — confirmou Emma.

— A guerra acabou com o domínio nazista, mas os etéreos surgiram mais fortes que nunca — continuou a srta. Peregrine. — Então, assim como muitos outros peculiares, permanecemos escondidos. Mas, ao fim da guerra, seu avô era um homem mudado. Era um guerreiro e estava determinado a construir uma vida própria fora da fenda. Ele se recusou a ficar escondido.

— Eu implorei que ele não fosse para os Estados Unidos — disse Emma. — Todos nós imploramos.

— Por que os Estados Unidos? — perguntei.

— Na época, havia poucos etéreos por lá — respondeu a srta. Peregrine. — Depois da guerra, aconteceu um pequeno êxodo de peculiares para o país. Por um tempo, muitos conseguiram se passar por pessoas normais, como foi o caso do seu avô. O maior desejo dele era ser normal, levar uma vida normal. Sempre mencionava isso nas cartas. Tenho certeza de que foi por esse motivo que escondeu a verdade de você por tanto tempo. Ele queria que você tivesse o que ele mesmo nunca pôde ter.

— Uma vida normal — concluí.

A srta. Peregrine assentiu.

— Mas ele nunca conseguiu escapar da própria peculiaridade. Sua capacidade única se somava à destreza que ele havia desenvolvido na guerra como caçador de etéreos e fazia dele uma pessoa muito valiosa. Sempre era pressionado a agir, chamado para ajudar a erradicar bolsões problemáticos de etéreos. E, sendo quem era, Abe raramente se negava a fazê-lo.

Aquilo explicava as longas viagens de caça. Minha família tinha uma foto dele em uma dessas incursões, embora eu não saiba quem a tirou, nem quando, pois ele ia sozinho, mas, quando criança, eu achava aquela foto a coisa mais engraçada do mundo, porque ele estava de terno. Quem vai caçar de terno?

Agora eu sabia: alguém que caça algo mais do que apenas animais.

Fiquei emocionado com essa nova imagem do meu avô — não a de um paranoico louco por armas, nem a de um mulherengo dissimulado ou de pai de família ausente, mas a de um cavaleiro errante que arriscava a própria vida pelos outros, vivia em carros e hotéis baratos, caçava sombras mortais, voltava para casa com algumas balas a menos, com machucados que nunca conseguia explicar direito e com pesadelos dos quais não podia falar. E, em troca de seus muitos sacrifícios, só recebia o desprezo e a desconfiança daqueles que amava. Acho que por isso ele escrevia tantas cartas para Emma e a srta. Peregrine. Elas o entendiam.

Bronwyn voltou com uma garrafa de vinho de coca e outro cantil de conhaque. A srta. Peregrine a dispensou e misturou as bebidas em uma xícara de chá. Depois, começou a dar tapinhas suaves na face entrecortada por veias azuis da srta. Avocet.

— Esmerelda — chamou ela. — Esmerelda, você precisa se levantar e beber este tônico que preparei.

A srta. Avocet gemeu, e a srta. Peregrine levou a xícara aos lábios dela. A srta. Avocet tomou alguns goles e, embora tenha engasgado e tossido, conseguiu engolir a maior parte do líquido arroxeado. Por um instante ela ficou olhando o nada, como se estivesse prestes a afundar outra vez na letargia, mas então se inclinou para a frente com o rosto um pouco mais animado.

— Nossa! — soltou ela, a voz rouca e seca. — Eu dormi? Que deselegante da minha parte. — Ela nos encarou com um olhar de leve surpresa, como se tivéssemos aparecido do nada. — Alma? É você?

A srta. Peregrine massageou as mãos ossudas dela.

— Esmerelda, você veio de muito longe para nos ver, na calada da noite. Deixou todos aqui extremamente agitados.

— Deixei, é?

A srta. Avocet semicerrou os olhos e franziu a testa, e seus olhos pareceram mirar a parede à sua frente, que estava tomada de sombras tremulantes. Então, uma expressão angustiada cruzou seu rosto.

— É verdade — continuou ela. — Eu vim lhe dar um aviso, Alma. Vocês precisam ficar atentos. Não sejam pegos de surpresa, como aconteceu comigo.

— Pegos por quem? — perguntou a srta. Peregrine, parando de massagear as mãos da srta. Avocet.

— Os acólitos, é claro. Dois deles se disfarçaram de membros do Conselho e apareceram no meio da noite. É claro que não existem homens no Conselho, mas essa tática tapeou meus vigias sonolentos por um tempo, o suficiente para os amarrarem e os levarem.

— Ah, Esmerelda...

— A srta. Bunting e eu acordamos com os gritos angustiados das crianças sendo levadas, mas os acólitos nos haviam prendido dentro de casa, por isso demoramos até conseguirmos forçar a porta e abri-la. Então, seguimos o fedor dos acólitos até atravessarmos a fenda temporal, mas depois encontramos uma gangue de sombras-feras nos esperando do outro lado. Elas se jogaram em cima de nós aos uivos.

A srta. Avocet parou de falar, mal conseguindo conter as lágrimas.

— E as crianças?

A srta. Avocet balançou a cabeça, e toda a luz pareceu se esvair de seus olhos.

— Não passavam de uma isca.

Emma tomou minha mão e a apertou, aflita. Vi o rosto da srta. Peregrine reluzir à luz da lareira por causa das lágrimas.

— Era a mim e à srta. Bunting que eles queriam. Eu consegui escapar, mas ela não teve a mesma sorte.

— Eles a mataram?

— Felizmente, não. Raptaram. E o mesmo aconteceu à srta. Wren* e à srta. Treecreeper, quando suas fendas foram invadidas, duas semanas atrás. Eles estão atrás de nós, *ymbrynes*, Alma. É alguma ação coordenada. Tremo só de imaginar qual será o motivo.

— Então eles também virão atrás de nós — concluiu, baixinho, a srta. Peregrine.

— Isso se conseguirem encontrá-la — comentou a srta. Avocet. — Você está mais bem escondida que a maioria, mas mesmo assim precisa estar preparada.

A srta. Peregrine assentiu gravemente. A srta. Avocet olhou com um ar de impotência para as próprias mãos, que tremiam em seu colo feito uma ave com uma asa quebrada.

— Ah, minhas crianças queridas... — disse ela, com a voz entrecortada. — Rezem por elas. Agora estão sozinhas.

Dito isso, ela virou o rosto e começou a chorar.

A srta. Peregrine ajeitou o cobertor em volta dos ombros da amiga e se levantou. Saímos da sala, deixando a srta. Avocet sozinha com sua tristeza.

---

* Em português, "cambaxirra". (N. da E.)

Quando saímos, as crianças estavam amontoadas perto da porta da sala. Mesmo que não tivessem ouvido toda a conversa, haviam escutado o suficiente, e isso ficou nítido em seus rostos aflitos.

— Coitada da srta. Avocet — choramingou Claire, o lábio inferior tremendo.

— Coitadas das crianças da srta. Avocet — disse Olive.

— Eles virão atrás de nós agora, srta. Peregrine? — perguntou Horace.

— Vamos precisar de armas! — exclamou Millard.

— Machados de guerra! — disse Enoch.

— Bombas! — acrescentou Hugh.

— Parem com isso de uma vez por todas! — exclamou a srta. Peregrine, erguendo as mãos para pedir silêncio. — Precisamos ficar calmos. Sim, o que aconteceu com a srta. Avocet foi trágico, um desastre, mas não precisa se repetir aqui. No entanto, temos que ficar em estado de alerta. Daqui por diante, vocês só vão poder sair da casa com meu consentimento, e sempre em pares. Se virem um desconhecido, mesmo que pareça peculiar, voltem imediatamente e me informem. Discutiremos essas e outras medidas de precaução amanhã pela manhã. Até lá, durmam! Isso não é hora de conversa.

— Mas senhori... — começou Enoch.

— Para a cama!

As crianças saíram correndo para os quartos.

— Quanto a você, sr. Portman, não me agrada nem um pouco a ideia de voltar sozinho. Talvez seja melhor ficar, pelo menos até as coisas se acalmarem.

— Eu não posso simplesmente desaparecer. Meu pai ficaria louco de preocupação.

Ela fez uma cara séria.

— Nesse caso, você deve ao menos passar esta noite aqui. Eu insisto.

— Tudo bem, mas só se me contar tudo o que sabe sobre as criaturas que mataram meu avô.

Ela inclinou a cabeça e me observou com uma expressão de quem estava achando engraçado.

— Muito bem, sr. Portman. Não vou ignorar sua necessidade de saber a verdade. Instale-se no divã esta noite, e assim que acordarmos vamos conversar.

— Tem que ser agora. — Eu havia aguardado dez anos para ouvir toda a história, e não conseguia esperar nem mais um minuto. — Por favor.

— Às vezes, meu rapaz, você caminha em uma linha bastante tênue entre ser um teimoso encantador e um cabeça-dura insuportável. — Ela se virou para Emma. — Srta. Bloom, pode trazer meu cantil com vinho de coca? Parece que não vou dormir esta noite, por isso terei que me permitir beber um pouco para me manter desperta.

*   *   *

A biblioteca era muito próxima dos quartos das crianças para passarmos a madrugada conversando, então a diretora e eu fomos para uma pequena estufa perto da floresta. Nos sentamos em vasos de plantas virados de cabeça para baixo, rodeados de roseiras, com um lampião a querosene no gramado entre nós, antes de o amanhecer iluminar o lugar através das paredes de vidro. A srta. Peregrine tirou um cachimbo do bolso e se abaixou para acendê-lo no fogo do lampião. Em seguida, soltou algumas baforadas com uma expressão pensativa, soprando a fumaça em espirais azuladas, e começou:

— Antigamente, nos confundiam com deuses, mas nós, peculiares, somos tão mortais quanto as pessoas normais. As fendas temporais apenas retardam o inevitável, e o preço que pagamos por usá-las é alto: uma separação irreconciliável do presente verdadeiro. Como você sabe, quem passa muito tempo nas fendas temporais mal pode pisar no presente, caso contrário murcha e morre. Assim tem funcionado desde os primórdios.

Ela deu outra baforada e continuou:

— Alguns anos atrás, mais ou menos na virada do século passado, uma facção dissidente surgiu entre nosso povo. Um grupo de peculiares insatisfeitos e com ideias perigosas. Eles acreditavam que haviam descoberto um método de deturpar a função das fendas temporais para dar a quem as usasse uma espécie de imortalidade; não só a interrupção, mas a própria anulação do envelhecimento. Falavam em aproveitar a juventude eterna fora das fendas, de ficar indo e voltando entre o futuro e o passado impunemente, sem sofrer nenhum dos efeitos adversos que sempre impediram uma imprudência dessas. Em outras palavras, eles pretendiam manipular o tempo sem serem vencidos pela morte. O conceito em si era uma loucura, uma grande farsa, uma refutação das leis empíricas que tudo governam!

A diretora soltou o ar bruscamente, mas logo depois fez uma pausa para se acalmar.

— Bem, meus dois irmãos, que têm mentes brilhantes mas nenhum bom senso, ficaram fascinados pela ideia. Chegaram a ter a audácia de pedir minha ajuda para transformá-la em realidade. O que eu disse a eles foi: *Vocês estão falando em se tornarem deuses. Não é possível fazer isso. E, mesmo que fosse possível, não deveria ser feito.* Mas eles não se deixaram deter. Tinham crescido entre as *ymbrynes* em treinamento da srta. Avocet, por isso sabiam mais sobre nossa arte única do que a maioria dos homens peculiares... infelizmente, sabiam o bastante para serem perigosos. Apesar dos avisos e até das ameaças do Conselho, no verão de 1908 meus irmãos e centenas de membros dessa facção de renegados, entre eles várias *ymbrynes* poderosas, todas traidoras, se embrenharam na tundra siberiana para realizar seu experimento odioso. Lá, escolheram uma velha fenda obscura desativada séculos antes. Nós esperávamos que eles voltassem em uma semana, com o rabo entre as pernas, humilhados pelo caráter imutável da natureza. Mas não: o castigo que receberam foi muito mais terrível. Eles provocaram uma explosão catastrófica que fez as janelas tremerem até nos Açores. Qualquer um no raio de quinhentos quilômetros certamente achou que era o fim do mundo. Pensamos que todos haviam morrido e que aquele estrondo obsceno, capaz de rachar o mundo ao meio, tinha sido sua última declaração coletiva.

— Mas eles sobreviveram — completei, tentando adivinhar.

— De certa maneira, sim. Outras pessoas podem chamar o estado em que ficaram depois disso de uma espécie de danação eterna em vida. Semanas depois, criaturas horríveis começaram a nos atacar. E ninguém podia ver nada além das sombras delas, a não ser peculiares com o mesmo poder que o seu. E esses foram nossos primeiros enfrentamentos com os etéreos. Demoramos um tempo para perceber que, na verdade, aquelas abominações com tentáculos na boca eram nossos irmãos rebeldes, que haviam conseguido se arrastar para fora da cratera fumegante aberta pelo experimento. Em vez de se transformar em deuses, tinham se tornado demônios.

— O que deu errado?

— Isso ainda é tema de discussão. Uma teoria diz que eles reverteram o processo de envelhecimento até o ponto em que nem suas almas haviam sido concebidas. Como seus corações e suas almas são vazios, nós os chamamos de *etéreos*. Em uma reviravolta cruel e irônica do destino, eles alcançaram a imortalidade que buscavam. Acreditamos que os etéreos possam viver milhares de anos, mas é uma vida de tormento físico constante, de degradação humilhante, pois se alimentam de animais perdidos e vivem isolados. Além disso, têm uma fome insaciável pela carne de seus antigos companheiros, porque nosso sangue é a única esperança que eles têm de se salvarem. Se um etéreo bebe sangue de peculiares o suficiente, ele se torna um acólito.

— De novo essa palavra. Quando conheci Emma, ela me acusou de ser um deles.

— Talvez eu tivesse pensado o mesmo se já não o tivesse observado antes — disse a srta. Peregrine.

— Mas o que são esses acólitos?

— Se ser um etéreo é, sem sombra de dúvida, inferno em vida, ser um acólito equivale ao purgatório. Os acólitos são quase pessoas normais. Eles não têm as habilidades dos peculiares, mas, como conseguem se passar por humanos, vivem como servos de seus irmãos etéreos, agindo como exploradores e espiões e provedores de carne. É uma hierarquia dos condenados que tem como objetivo um dia transformar todos os etéreos em acólitos e todos os peculiares em cadáveres.

— Mas o que os impede? Se antes eram peculiares, eles não conhecem todos os seus esconderijos?

— Felizmente, parece que eles não têm nenhuma lembrança da vida anterior. E, embora os acólitos não sejam tão poderosos ou aterrorizantes quanto os etéreos, eles costumam ser igualmente perigosos. Ao contrário dos etéreos, eles são controlados por algo que vai além do instinto, e com frequência conseguem se misturar à população geral. Pode ser difícil distingui-los das pessoas normais, embora existam alguns indicadores. Os olhos, por exemplo. Curiosamente, os acólitos não têm pupilas.

Fiquei todo arrepiado ao me lembrar do vizinho de olhos brancos que regava o gramado alto na frente de casa na noite em que meu avô foi morto.

— Acho que vi um deles. Pensei que não passasse de um velho cego.

— Então você é mais observador que a maioria. Os acólitos são bons em passar despercebidos. Eles costumam adotar identidades invisíveis para a sociedade: o homem de terno cinza no trem; o mendigo que pede moedas; apenas rostos na multidão, embora se saiba que alguns se arriscam a ser descobertos se colocando em posições de destaque, no papel de médicos, políticos, líderes religiosos... Fazem isso para interagir com mais pessoas ou ter certo poder sobre elas. Assim, fica mais fácil descobrirem peculiares escondidos entre os normais, como era o caso de Abe.

A srta. Peregrine começou a folhear um álbum de fotografias que tinha levado consigo.

— Essas fotos foram reproduzidas e distribuídas para os peculiares por toda parte, como aqueles cartazes de pessoas procuradas. Veja aqui — disse ela, apontando para um retrato de duas meninas montadas em uma rena falsa, enquanto um Papai Noel assustador e de olhar vazio espreitava por trás dos chifres. — Este acólito foi descoberto trabalhando em uma loja de departamentos americana na época do Natal. Ele conseguiu interagir com muitas crianças em um período excepcionalmente curto. Tocou nelas e fez perguntas em busca de indícios de peculiaridade.

Ela virou a página e revelou a foto de um dentista de aspecto sádico.

— Já este trabalhava como cirurgião-dentista — continuou. — Eu não me surpreenderia se descobrisse que o crânio da foto pertencia a uma de suas vítimas peculiares.

Ela virou a página de novo, dessa vez para mostrar o retrato de uma garotinha encolhida diante de uma sombra que se projetava em sua direção.

— Esta aqui era Marcie. Ela nos deixou há trinta anos, para ir morar no campo com uma família normal. Implorei para que ficasse, mas ela estava decidida. Pouco depois, Marcie foi sequestrada por um acólito enquanto esperava o ônibus escolar. No local, encontraram uma câmera com esta foto por revelar.

— Quem bateu a foto?

— O próprio acólito. Eles adoram um gesto teatral e sempre deixam alguma recordação provocadora.

Examinei as imagens. Um leve e familiar pavor se agitava dentro de mim. Quando não aguentei mais, fechei o álbum.

— Estou lhe contando tudo isso porque é um direito seu, mas também porque preciso de sua ajuda. Você é o único de nós que pode deixar a fenda sem levantar suspeitas. Uma vez que está conosco e insiste em ir e voltar no tempo, preciso que fique atento para a chegada de qualquer estranho na ilha e venha aqui me informar.

— Outro dia mesmo apareceu um — comentei, me lembrando do ornitólogo que deixara meu pai chateado.

— Você viu os olhos dele?

— Infelizmente, não. Estava escuro, e ele usava um chapéu largo que encobria boa parte do rosto — expliquei.

Com uma expressão intrigada, a srta. Peregrine mordiscou os nós dos dedos.

— Por quê? — perguntei. — Acha que ele pode ser um acólito?

— É impossível ter certeza sem ver os olhos, mas a possibilidade de vocês terem sido seguidos até a ilha me preocupa bastante.

— Como assim? Por um acólito?

— Talvez pelo mesmo que você viu na noite da morte do seu avô. Isso explicaria por que eles escolheram poupar sua vida. Você os conduziria a um prêmio bem maior: esta fenda.

— Mas como eles poderiam saber que eu era peculiar? Nem *eu mesmo* sabia!

— Se eles sabiam do seu avô, pode ter certeza de que também sabiam de você.

Pensei em todas as chances que eles provavelmente haviam tido de me matar, em todas as vezes que os senti por perto nas semanas antes da morte do meu avô. Será que eles vinham me observando? Esperando eu fazer exatamente o que fiz para depois entrar na fenda?

Aflito, escondi a cabeça entre os joelhos.

— Imagino que você não me deixaria tomar um gole desse vinho, não é? — arrisquei.

— Claro que não.

De repente, senti um aperto no peito.

— Será que um dia eu vou ficar seguro em algum lugar? — perguntei.

A srta. Peregrine tocou meu ombro.

— Você está seguro aqui — respondeu. — E pode ficar conosco pelo tempo que quiser.

Tentei falar, mas só consegui gaguejar.

— Mas eu... eu não posso. Meus pais...

— Eles podem até amar você, Jacob — sussurrou ela —, mas nunca vão compreender.

*   *   *

Quando voltei para o vilarejo, o sol projetava suas primeiras sombras nas ruas; homens que tinham virado a noite bebendo zanzavam perto de postes de luz enquanto voltavam relutantes para casa; pescadores usando grandes botas pretas se dirigiam de semblante sério e a passos lentos rumo à baía; e meu pai

estava só começando a acordar de um sono pesado. Enquanto ele rolava para fora da cama, eu estava me deitando na minha. Puxei a coberta sobre as roupas cheias de areia segundos antes de ele abrir a porta para ver como eu estava.

— Está tudo bem?

Soltei um gemido e me virei de costas. Ele foi embora. No fim da tarde, quando acordei, encontrei um bilhete com uma mensagem de apoio e uma caixa de analgésicos na mesa da sala comum aos dois quartos. Sorri, me sentindo um pouco culpado por mentir para meu pai, e, para piorar, comecei a me preocupar com ele lá fora, andando por aqueles pontais com seu binóculo e seu caderninho de anotações, talvez na companhia de um louco assassino de ovelhas.

Esfreguei os olhos para espantar o sono, vesti uma capa de chuva e saí para dar a volta no vilarejo, depois fui até os penhascos e as praias das redondezas, esperando ver meu pai ou o ornitólogo esquisito — e dar uma boa observada em seus olhos —, mas não encontrei nenhum dos dois. Já estava quase escurecendo quando finalmente me dei por vencido e voltei para o Abrigo do Padre, onde encontrei meu pai, no bar, bebendo cerveja com os fregueses de sempre. A julgar pela quantidade de garrafas vazias ao seu redor, ele já estava ali fazia um tempo.

Eu me sentei perto dele e perguntei se tinha visto o ornitólogo barbado. Ele respondeu que não.

— Bom, faça o favor de ficar longe desse cara, está bem?

Ele me olhou de um jeito estranho.

— Por quê?

— Só não fui com a cara dele. E se for um maluco? E se tiver sido *ele* quem matou as ovelhas?

— De onde você tirou essas ideias estapafúrdias?

Eu quis contar. Quis explicar tudo, para depois ele me dizer que compreendia e me dar um conselho de pai para filho. Naquele momento, quis que tudo voltasse a ser como era antes da viagem; antes de eu ter encontrado a carta da srta. Peregrine, quando não passava de um garoto rico, confuso e mais ou menos normal. Em vez disso, fiquei sentado ao lado do meu pai por um tempo, conversando amenidades enquanto tentava lembrar como era minha vida quatro semanas antes — um passado insondavelmente distante — ou imaginar como seria dali a quatro semanas, mas não consegui. Depois de um tempo, ficamos sem assunto, então pedi licença e subi para ficar sozinho.

CAPÍTULO DEZ

Na noite de terça-feira, a maior parte do que eu pensava saber sobre mim mesmo tinha se revelado equivocada. Meu pai e eu deveríamos fazer as malas e voltar para casa no domingo pela manhã. Eu tinha só alguns dias para decidir o que fazer. Ficar ali ou não? Nenhuma das alternativas me parecia boa. Como poderia ficar em Cairnholm e deixar para trás tudo o que conhecia? Por outro lado, depois do que havia descoberto, como poderia voltar para casa?

E o pior é que eu não tinha ninguém com quem conversar sobre o assunto. Falar com meu pai estava fora de questão. Emma não parava de expor argumentos incisivos para explicar por que eu deveria ficar na fenda, nenhum dos quais levava em conta a vida que eu deixaria para trás (por mais insignificante que isso parecesse a ela), ou como meus pais seriam afetados pelo desaparecimento repentino e inexplicável de seu filho único, ou a sensação sufocante e opressiva que ela própria admitia sentir dentro da fenda. Ela dizia apenas: "Com você aqui, vai melhorar."

A srta. Peregrine me ajudava menos ainda. Limitava-se a dizer que não podia tomar aquela decisão por mim, embora eu só quisesse conversar sobre o assunto. No entanto, era óbvio que ela queria que eu ficasse. Se eu ficasse na fenda, todos se sentiriam mais seguros, não apenas eu. Mas a ideia de passar o resto da vida como cão de guarda deles não me agradava nem um pouco. (Eu começava a suspeitar que meu avô tinha se sentido do mesmo jeito e que, em parte, tinha sido isso o que o levara a se recusar a voltar depois da guerra.)

Se eu me juntasse a eles, também não me formaria no colégio, não iria para a faculdade nem faria nada do que os jovens normais fazem quando estão crescendo. Por outro lado, eu precisava me lembrar a todo momento que não era *normal*; enquanto houvesse etéreos à minha caça, qualquer vida que eu levasse fora da fenda muito provavelmente seria interrompida antes do tempo. Eu passaria o resto dos dias com medo, olhando por cima do ombro, atormentado por pesadelos, esperando o momento em que eles finalmente apareceriam para me matar. Essa alternativa me parecia bem pior que deixar de cursar uma faculdade.

Então pensei: *Será que existe uma terceira opção? Será que eu não poderia ser como vovô Portman, que viveu cinquenta anos fora da fenda, prosperou e manteve os etéreos fora da fenda?*

Foi aí que a voz autodepreciativa dentro da minha cabeça despertou.

Ele tinha treinamento militar, seu besta. Era frio e durão. Tinha um armário cheio de armas. Comparado a você, seu avô era o Rambo.

Eu poderia marcar uma aula de tiro, pensou meu lado otimista. *Poderia me inscrever no caratê. Começar a malhar.*

Está de brincadeira? Você não conseguia se proteger nem no colégio! Tinha que dar um dinheiro para aquele caipira ser seu guarda-costas. E só de apontar uma arma de verdade para alguém você faria xixi na calça.

Não faria, não.

Você é fraco. É um fracassado. Foi por isso que ele nunca lhe contou quem você era de verdade. Ele sabia que você não aguentaria o tranco.

Cale a boca. Cale a boca.

Passei dias indo e voltando nesse diálogo interno. Ir ou ficar. Fiquei obcecado com o assunto, mas não cheguei a uma decisão. Nesse meio-tempo, meu pai perdeu toda a empolgação com o livro. Quanto menos ele trabalhava, mais desmotivado se sentia, e quanto mais desmotivado se sentia, mais tempo passava no bar. Eu nunca tinha visto meu pai beber daquele jeito — seis, sete cervejas por noite —, e não queria ficar perto quando o via naquele estado. Ele transmitia uma energia sombria e, quando não ficava amuado e em silêncio, me contava coisas que eu não queria saber.

— Qualquer dia desses sua mãe vai me largar — disse ele, certa noite. — Se eu não tomar alguma atitude, acho que ela vai mesmo me largar.

Comecei a evitá-lo. E não sei se ele sequer percebeu. Chegava a ser deprimente como tinha se tornado fácil mentir para ele sobre minhas idas e vindas.

Enquanto isso, no lar das crianças peculiares, a srta. Peregrine instaurou uma espécie de confinamento. Era como se tivesse declarado lei marcial: as crianças mais novas não podiam sair sozinhas, os mais velhos andavam em pares e a srta. Peregrine tinha que ser informada do paradeiro de todos. Uma simples permissão para dar uma volta por aí era um suplício.

Sentinelas foram colocadas na frente e nos fundos da casa. Durante todo o dia e a maior parte da noite, viam-se crianças entediadas espiando pelas janelas.

Se alguém se aproximasse, elas puxavam uma corrente que tocava um sino no quarto da diretora. Por isso, sempre que eu chegava, a srta. Peregrine já estava me esperando à porta, pronta para me interrogar sobre o que estava acontecendo fora da fenda, se eu havia notado algo estranho, se eu tinha certeza de que ninguém me seguira.

Não foi surpresa alguma quando as crianças começaram a surtar. As mais novas ficaram revoltadas, enquanto as mais velhas ficaram deprimidas, reclamando das novas regras pelos cantos. Suspiros de enfado dramáticos brotavam no ar, no geral a única pista de que Millard estava por perto. As abelhas de Hugh voavam por todo lado e nos picavam, até que finalmente foram expulsas da casa. Depois disso, ele passava o tempo todo à janela, vendo as abelhas do outro lado do vidro.

Alegando não saber onde estavam seus sapatos de chumbo, Olive ficava flutuando no teto feito uma mosca e jogando grãos de arroz na cabeça das pessoas até elas olharem para cima e notarem sua presença, quando então tinha uma crise de riso tão forte que sua levitação falhava e ela precisava se agarrar a um candelabro ou trilho de cortina para não cair. Mas quem reagiu da forma mais estranha foi Enoch, que se escondeu em seu laboratório no porão para fazer cirurgias em seus soldadinhos, experimentos que deixariam o dr. Frankenstein de cabelo em pé: amputava os braços de dois para transformar um terceiro em um homem-aranha horroroso, ou juntava quatro corações de galinha em uma única cavidade peitoral para tentar criar um super-homem-argila que nunca ficaria sem energia. Um a um, os corpinhos cinzentos cediam ao esforço, e depois de um tempo o porão ficou parecendo um hospital de campanha de guerra.

Já a srta. Peregrine permanecia em um estado de movimento contínuo, fumando o cachimbo sem parar e mancando de cômodo em cômodo para ver como estavam todos, como se as crianças pudessem desaparecer assim que saíssem de sua vista. A srta. Avocet continuou na casa. De vez em quando saía de seu estado de torpor para perambular pelos corredores, chamando com tristeza por seus pobres protegidos abandonados até cair nos braços de alguém e ser levada de volta para a cama. Houve muita especulação paranoica sobre a experiência trágica da srta. Avocet e sobre as motivações dos etéreos para sequestrar as *ymbrynes*, com teorias que variavam do bizarro ("para criar a maior fenda temporal da história, tão grande que engoliria o planeta inteiro") ao ridiculamente otimista ("para fazer companhia aos etéreos, pois deve ser muito solitário ser um monstro devorador de almas").

Depois de um tempo, um silêncio mórbido se abateu sobre a casa. Dois dias de confinamento tinham deixado todo mundo em estado letárgico. Acreditando que a rotina era a melhor forma de combater a depressão, a srta. Peregrine tentou nos manter interessados em suas aulas diárias, na preparação das refeições e na limpeza meticulosa da casa. No entanto, quando não estavam cumprindo ordens diretas, as crianças ficavam largadas nas poltronas, ou olhavam fixamente para as janelas trancadas, com uma expressão apática, ou folheavam livros cheios de orelhas, já lidos inúmeras vezes, ou apenas dormiam.

Eu nunca tinha visto o talento peculiar de Horace em ação até que, certa noite, ele começou a gritar de repente. Subimos correndo a escada que levava ao sótão, onde ele estava de sentinela, e o encontramos rígido na cadeira, vivenciando um pesadelo acordado, golpeando o ar com uma expressão horrorizada. No começo ele apenas gritava, mas depois passou a balbuciar, gritando coisas sobre mares ferventes e cinzas que caíam do céu e um manto interminável de fumaça que cobria a terra. Depois de alguns minutos dessas declarações apocalípticas, sua energia pareceu se esgotar e ele caiu em um sono agitado.

Os outros já tinham visto aquilo acontecer — o suficiente para haver fotos desses episódios no álbum de retratos da srta. Peregrine —, portanto sabiam como agir. Sob a supervisão da diretora, eles o carregaram para a cama, segurando-o pelos braços e pernas. Quando Horace acordou, horas depois, disse que não conseguia se lembrar do sonho e que, quando isso acontecia, raramente se tornavam realidade. Os outros fingiram acreditar, porque já tinham muito com o que se preocupar. Eu, por outro lado, fiquei com a sensação de que ele estava escondendo alguma coisa.

Quando alguém some em uma cidade pequena como Cairnholm, as pessoas notam. Foi por isso que, na quarta-feira, percebendo que Martin não tinha aparecido para abrir o museu nem passado no Abrigo do Padre para beber alguma coisa antes de dormir, como fazia toda noite, as pessoas começaram a se perguntar se ele estava doente. Quando foi visitá-lo, a esposa de Kev encontrou a porta da casa dele escancarada e a carteira e os óculos na bancada da cozinha, mas nenhum sinal dele. Será que o cara havia morrido? No dia seguinte, estando Martin ainda desaparecido, alguns homens saíram para procurá-lo nos barracões e embaixo de barcos virados, buscando qualquer lugar onde um sujeito solteiro que adorava uísque poderia dormir para curar uma bebedeira. As buscas mal haviam começado quando chegou uma chamada pelo rádio: o corpo de Martin tinha sido retirado do oceano.

Eu estava no bar com meu pai quando chegou o pescador que o encontra-ra. Ainda não era nem meio-dia, mas ele pediu uma cerveja logo de cara e em questão de minutos já estava contando a história.

— Eu estava puxando as redes em Gannet's Point e reparei que pesavam uma barbaridade. Coisa esquisita, aquilo, porque lá só dá umas coisinhas miúdas, camarão, esse tipo de coisa. Vai que as redes se pegaram numa armadilha para caranguejos, pensei cá comigo, aí peguei o arpão e comecei a dar umas cutucadas na água em volta do barco, e foi nisso que ele prendeu em alguma coisa.

Todos em volta nos inclinamos para a frente, como se fosse a hora da his-torinha em um jardim de infância mórbido.

— E não é que era o Martin? Parecia que tinha caído de um penhasco e levado umas boas de umas mordidas de tubarão. Sabe Deus o que ele estava fazendo só de roupão e cueca lá perto dos penhascos no meio da noite.

— Ele não estava vestido? — perguntou Kev.

— Vestido para dormir, só se for — respondeu o pescador. — Não para passear na chuva.

Os clientes murmuraram algumas orações rápidas pela alma de Martin e depois começaram a trocar teorias. Em questão de minutos o bar tinha virado um enfumaçado antro de Sherlock Holmes bêbados.

— Vai ver ele estava de porre — arriscou um sujeito.

— Ou, se estava perto dos penhascos, de repente ele viu o assassino de ovelhas e resolveu correr atrás dele — disse outro.

— E o estranho esquisitão? — perguntou o pescador. — Aquele que está acampando?

Meu pai se endireitou no banco.

— Esbarrei nele dois dias atrás, à noite.

— Você não me contou isso — falei, surpreso, me virando para ele.

— Eu estava tentando pegar a farmácia ainda aberta, e o cara vinha no sentido contrário, saindo da cidade. Com muita pressa. Quando ele passou, es-barrei no ombro dele, só para irritá-lo. Ele parou e me encarou. Estava tentan-do me intimidar. Ficamos cara a cara, e eu falei que queria saber o que ele veio fazer aqui e no que está trabalhando, porque nesta ilha as pessoas não ficam se escondendo dos outros.

— E...? — perguntou Kev, debruçando-se no balcão do bar.

— Ele fez cara de quem queria me dar um soco, mas depois simplesmente foi embora.

Muitos dos outros clientes do bar tinham perguntas a fazer: o que faz um ornitólogo, por que o cara estava acampando e outras coisas que eu já sabia. Eu só tinha uma pergunta, e estava morrendo de vontade de fazê-la.

— Você notou alguma coisa estranha nele? No rosto?

Meu pai pensou por um segundo antes de responder:

— Na verdade, sim, notei. Ele estava de óculos escuros.

— À *noite*?

— Muito esquisito, não é?

Um mal-estar me invadiu, e me perguntei até que ponto meu pai havia chegado perto de algo muito pior que uma briga. Eu sabia que precisava contar isso à srta. Peregrine, e o quanto antes.

— Ô, desgraça! — reclamou Kev. — Faz cem anos que não tem um assassinato em Cairnholm. E, cá pra nós, por que matar o velho Martin? Não faz sentido. Aposto uma rodada com vocês que, quando fizerem a autópsia, vão descobrir que ele bebeu até não poder mais e caiu.

— Pode demorar um pouco para isso acontecer — disse o pescador. — Vem vindo aí um temporal dos infernos, e o homem do tempo disse que vai ser um daqueles. O pior do ano.

— Homem do tempo... — zombou Kev. — Eu não confio naquele idiota nem para saber se está chovendo *agora*.

*   *   *

Os moradores da ilha costumavam fazer previsões sombrias sobre o que a Mãe Natureza reservava para Cairnholm — afinal, tendo sempre vivido à mercê das intempéries, eram compreensivelmente pessimistas —, mas daquela vez seus piores temores se confirmaram. O vento e a chuva que já assolavam a ilha ao longo da semana ganharam força naquela noite e se transformaram em uma tempestade violenta de nuvens negras que cobriam o céu e reviravam as águas do mar. Com os rumores de que Martin havia sido assassinado, somados ao tempo ruim, a cidade entrou em um confinamento muito parecido com o do lar das crianças. Ninguém saía de casa. Janelas foram fechadas, portas foram bem trancadas. As ondas fortes faziam os barcos retinir ao bater nos ancoradouros, mas nenhum deles saiu da baía; tentar navegar em uma tempestade daquelas seria suicídio. E, como a polícia do continente só conseguiria recolher o corpo de Martin quando o mar acalmasse, os moradores da cidade se viram diante da incômoda questão: o que fazer com o cadáver? Por fim, decidiu-se que o peixeiro, dono do maior estoque de gelo da ilha, manteria o corpo resfriado nos fundos de seu estabelecimento, entre salmões, bacalhaus e outros seres retirados do mar — tal como Martin.

Meu pai tinha me dado ordens estritas de não sair do bar, mas eu também recebera instruções de informar qualquer acontecimento estranho na ilha à srta. Peregrine. Se uma morte suspeita não era um acontecimento estranho, nada seria. Então, naquela noite fingi que estava meio gripado e me tranquei no quarto. Em seguida, fugi pela janela, me agarrei no cano de água externo e desci até o chão. Ninguém mais seria insensato o suficiente para ficar andando por aí, então saí correndo pela rua principal sem medo de ser visto, o capuz da capa de chuva bem fechado em volta do rosto para me proteger da chuva e do vento.

Quando cheguei ao lar, bastou a srta. Peregrine me dar uma olhada para saber que havia algo errado.

— O que aconteceu? — perguntou ela, os olhos injetados me observando de cima a baixo.

Contei tudo, todos os fatos incompletos e rumores que tinha entreouvido, e ela ficou pálida. Depois, levou-me às pressas para a sala de estar, onde, em pânico, reuniu as crianças que conseguiu encontrar; em seguida, saiu do cômodo a passos enérgicos para encontrar os poucos que tinham ignorado seus gritos. Os demais foram deixados ali, ansiosos e confusos.

Emma e Millard me encurralaram.

— Por que ela está tão irritada? — perguntou ele.

Contei-lhes, em voz baixa, sobre Martin. Millard respirou fundo. Emma cruzou os braços, preocupada.

— Isso é mesmo tão ruim assim? — perguntei. — Quer dizer, não podem ter sido os etéreos. Eles só caçam peculiares, não é?

Emma soltou um gemido.

— Quer contar ou prefere que eu conte? — perguntou ela a Millard.

— Os etéreos preferem mil vezes os peculiares — explicou ele —, mas comem quase de tudo para se sustentar, desde que seja fresco e tenha muita carne.

— Este é um jeito de saber se existe um etéreo por perto: os corpos começam a se amontoar — explicou Emma. — É por isso que, em essência, eles são nômades. Se não fosse por isso, seria bem mais fácil encontrá-los.

— Com que frequência? — perguntei, sentindo um arrepio percorrer minha coluna. — Quer dizer, com que frequência eles precisam comer?

— Ah, muita — respondeu Millard. — A organização das refeições dos etéreos consome a maior parte do tempo dos acólitos. Quando podem, eles procuram peculiares, mas uma parte enorme de suas energias e esforços é gasta rastreando vítimas comuns para os etéreos, sejam eles animais ou humanos, e depois escondendo os rastros. — Millard falava em tom acadêmico, como se estivéssemos estudando o sistema reprodutivo de uma espécie pouco interessante de roedor.

— Mas os acólitos não são pegos? — perguntei. — Quer dizer, se eles estão ajudando a *matar* pessoas, seria de se esperar que...

— Alguns são — interrompeu Emma. — Se você acompanha as notícias, aposto que já ouviu falar de algum. Houve o caso de um sujeito... Encontraram cabeças humanas no frigorífico dele e tripas em uma panela cozinhando em fogo baixo, como se ele estivesse preparando o jantar de Natal. Foi mais ou menos na sua época.

Eu me lembrava vagamente de um especial de TV sensacionalista que tinha passado tarde da noite sobre um serial killer canibal de Milwaukee preso em circunstâncias igualmente repulsivas.

— Você está falando de... Jeffrey Dahmer?

— Sim, creio que era esse o nome do cavalheiro — respondeu Millard. — Um caso fascinante. Parece que ele nunca perdeu o gosto por comida fresca, embora já não fosse mais um etéreo havia muitos anos.

— Achei que vocês não pudessem saber do futuro — comentei.

Emma abriu um sorriso cauteloso.

— A Ave guarda em segredo só as coisas *boas* do futuro, mas pode apostar que a gente fica sabendo de todas as partes desagradáveis.

Foi então que a srta. Peregrine voltou arrastando Enoch e Horace pela manga da camisa. Todos pararam o que estavam fazendo para prestar atenção.

— Acabamos de saber de uma nova ameaça — anunciou ela, fazendo um gesto de agradecimento com a cabeça. — Um homem do outro lado da nossa fenda morreu sob circunstâncias suspeitas. Não temos como saber a causa ao certo, ou se isso representa uma ameaça real a nossa segurança, mas precisamos agir como se representasse. Até segunda ordem, ninguém pode deixar a casa, nem mesmo para colher verduras ou trazer um ganso para o jantar.

Ouviu-se um resmungo generalizado. A srta. Peregrine ergueu a voz:

— Esses últimos dias têm sido desafiadores para todos nós. Peço que mantenham a paciência.

De imediato, mãos se ergueram na sala de estar, mas a srta. Peregrine saiu para trancar as portas, ignorando todas as perguntas. Corri atrás dela em pânico. Se de fato havia uma criatura perigosa na ilha, essa criatura poderia me matar no momento em que eu pisasse fora da fenda. Mas, se eu ficasse na casa, deixaria meu pai indefeso. Sem contar que ele morreria de preocupação comigo, o que parecia ainda pior.

— Eu preciso ir — afirmei quando alcancei a srta. Peregrine.

Ela me puxou para um quarto vazio e fechou a porta.

— Você vai manter a voz baixa e respeitar minhas regras — ordenou. — O que eu disse também se aplica a você. Ninguém sai desta casa.

— Mas...

— Em respeito à sua situação excepcional, até agora eu lhe dei uma autonomia sem precedentes para ir e vir à vontade. Mas você pode ter sido seguido, e isso põe a vida dos meus protegidos em risco. Não vou permitir que os ponha em perigo, nem a si mesmo, mais do que já o fez.

— Você não entende? — perguntei, irritado. — Os barcos estão atracados. As pessoas da cidade estão presas na ilha. Meu *pai*, inclusive. Se é verdade que tem um acólito lá, e se for quem eu acho que é, ele e meu pai já quase brigaram uma vez. Se ele acabou de matar um completo estranho para alimentar um etéreo, quem você acha que ele vai caçar da próxima vez?

O rosto da srta. Peregrine não transparecia nenhuma emoção.

— O bem-estar dos moradores da cidade não é da minha alçada. Não vou pôr meus protegidos em risco. Por ninguém.

— Não são só os moradores da cidade. É o meu *pai*. Você realmente acha que algumas portas trancadas vão me impedir de sair?

— Talvez não. Mas, se você insistir em ir embora, então insisto para que nunca mais volte.

Fiquei tão chocado que não consegui conter uma risada.

— Mas vocês *precisam* de mim.

— Sim, precisamos — admitiu ela. — E muito.

* * *

Subi a escada furioso e entrei no quarto de Emma. O ambiente era um retrato da frustração que poderia ter sido pintado por Norman Rockwell, se Norman Rockwell tivesse pintado pessoas cumprindo pena na prisão. Bronwyn olhava impassível pela janela. Enoch, no chão, talhava um bloco de argila endurecida. Emma, sentada na beira da cama com os cotovelos apoiados nos joelhos, arrancava folhas de papel de um caderno e as incendiava entre os dedos.

— Você voltou! — exclamou ela quando entrei.

— Nem cheguei a ir embora. A srta. Peregrine me proibiu. — Todos escutaram enquanto eu explicava meu dilema. — Se eu tentar ir embora, vou ser banido.

O caderno inteiro de Emma pegou fogo.

— Ela não pode fazer isso! — exclamou ela, sem notar as chamas lambendo sua mão.

— Ela pode fazer o que quiser — comentou Bronwyn. — Ela é a Ave.

Emma jogou o caderno no chão e pisoteou-o para apagar o fogo.

— Eu só subi aqui para dizer a vocês que estou indo, queira ela ou não. Não vou ser mantido em cativeiro nem fingir que não sei que meu pai está correndo sério perigo.

— Então eu vou com você — disse Emma.

— Você não pode estar falando sério — interveio Bronwyn.

— Estou, sim.

— Então você é uma besta — disse Enoch. — Vai virar uma ameixa seca. E por quê? Por ele?

— Não vou, não — retrucou Emma. — O tempo só alcança a gente depois de horas fora da fenda, e não vai demorar esse tempo todo, vai, Jacob?

— Não é uma boa ideia — falei.

— E *qual* é a ideia, aliás? — perguntou Enoch. — Ela vai arriscar a própria vida para fazer nem sabe o quê.

— A diretora não vai gostar nada disso — comentou Bronwyn, constatando o óbvio. — Ela vai *matar* a gente, Emma.

Emma se levantou e fechou a porta.

— Não é *ela* que vai matar a gente, eles é que vão — retrucou. — E, se não matarem, viver desse jeito pode ser pior que a morte. A Ave engaiolou a gente de um jeito que mal dá para respirar, e tudo porque não tem coragem de enfrentar o que está lá fora!

— Ou o que não está lá fora — interveio Millard, e só então soube que ele estava no quarto.

— Mas ela não vai gostar nem um pouco — insistiu Bronwyn.

Emma deu um passo decidido na direção da amiga.

— Quanto tempo você aguenta se esconder debaixo da barra da saia daquela mulher?

— Já esqueceu o que aconteceu com a srta. Avocet? — perguntou Millard. — Os protegidos dela só foram mortos quando saíram da fenda, e aí a srta. Bunting foi sequestrada. Se tivessem ficado quietos no lugar, não teria acontecido nada.

— Nada? — repetiu Emma, de um jeito dúbio. — Sim, é verdade, os etéreos não podem entrar nas fendas. Mas os acólitos podem, e foi exatamente assim que eles enganaram os protegidos da srta. Avocet e os fizeram sair. Será que devemos ficar sentados aqui só esperando eles entrarem? E se dessa vez, em vez de virem com disfarces inteligentes, eles trouxerem armas?

— Sabem o que eu faria? — disse Enoch. — Esperaria todo mundo dormir, desceria pela chaminé igual ao Papai Noel e *BUM!* — Ele atirou no travesseiro de Emma com uma arma imaginária. — Miolos na parede.

— Obrigado por me fazer imaginar isso — disse Millard, com um suspiro.

— Precisamos atacá-los antes que eles percebam que sabemos que estão lá, enquanto ainda é possível contar com o elemento surpresa — disse Emma.

— Mas nós *não* sabemos se eles estão lá! — exclamou Millard.

— Pois vamos descobrir.

— E como você sugere que a gente faça isso? Zanzando de um lado para outro até ver um etéreo? E depois? *Com licença, gostaríamos de saber quais seriam suas intenções no que diz respeito a nos devorar.*

— Nós temos Jacob — disse Bronwyn. — Ele consegue ver os etéreos.

Senti um nó na garganta, ciente de que, se aquele grupo de caça se formasse, de alguma forma eu seria responsável pela segurança de todos.

— Eu só vi *um* até hoje — falei. — Não diria que sou exatamente um especialista.

— E se acontecer de ele não ver nenhum etéreo? — acrescentou Millard. — Isso poderia significar que não há nenhum, ou que estão escondidos. De um jeito ou de outro, vocês continuariam perdidos, assim como claramente estão agora.

Todos fecharam a cara. Millard tinha razão.

— Bom, parece que a lógica voltou a prevalecer — continuou ele. — Vou fazer um mingau para jantar. Se algum de vocês, aspirantes a amotinados, quiser me acompanhar, estão convidados.

As molas da cama rangeram quando Millard se levantou e foi em direção à porta. Mas, antes de ele sair, Enoch também se levantou, de um pulo.

— Já sei!

— Já sabe o quê? — perguntou Millard, ainda no quarto.

Enoch se virou para mim.

— O sujeito que pode ou não ter virado comida de etéreo... você sabe onde o colocaram?

— Nos fundos da peixaria.

Enoch esfregou as mãos.

— Então eu sei como podemos ter certeza.

— Como? — quis saber Millard.

— Vamos perguntar a ele.

*   *   *

Formamos uma equipe de expedição. Comigo iriam Emma, que se recusou categoricamente a me deixar ir sozinho; Bronwyn, que relutava em contrariar a srta. Peregrine mas tinha certeza de que precisávamos de sua proteção; e Enoch, autor do plano que iríamos executar. A invisibilidade de Millard poderia ter vindo a calhar, mas ele se negou a participar. Tivemos que suborná-lo só para que não nos entregasse.

— Se todos nós formos, a Ave não vai poder banir Jacob — raciocinou Emma. — Ela vai ter que banir nós quatro.

— Mas eu não quero ser banida! — exclamou Bronwyn.

— Ela nunca faria isso, Wyn. Essa é a questão. E, se voltarmos antes da hora de dormir, talvez ela nem note que saímos.

Eu tinha minhas dúvidas quanto a isso, mas todos concordamos que valia a pena correr o risco.

Eu me sentia como se estivesse tentando fugir de uma prisão. Depois do jantar, quando a casa se encontrava no ápice do caos e a srta. Peregrine estava mais distraída, Emma fingiu ir para a sala de estar, e eu, para a biblioteca. Minutos depois, nos encontramos no fim do corredor do primeiro andar, onde um alçapão retangular no teto revelava uma escada ao ser puxado para baixo. Emma foi primeiro. Eu a segui, puxando a escada de volta depois de subir. Estávamos no espaço escuro e apertado do sótão. Em um canto havia uma saída de ventilação fácil de desaparafusar, que dava para uma parte plana do telhado.

Saímos para o ar noturno. Os outros já nos esperavam ali. Bronwyn nos deu um abraço forte e nos entregou capas de chuva pretas que havia providenciado — uma sugestão minha para nos protegermos da tempestade que caía fora da fenda. Eu estava prestes a perguntar como chegaríamos ao chão quando Olive surgiu flutuando junto à beira do telhado.

— Quem quer brincar de paraquedas? — perguntou, com um sorriso largo.

Ela estava descalça e tinha uma corda amarrada à cintura. Curioso para saber em que ela estava presa, cheguei perto da beirada para espiar e vi Fiona acenando para mim de uma janela enquanto segurava a corda com a outra mão. Ao que tudo indicava, tínhamos cúmplices.

— Você primeiro — disse Enoch, ríspido.

— Eu? — falei, me afastando da beirada com nervosismo.

— Agarre-se em Olive e pule — instruiu Emma.

— Não me lembro da parte do plano em que eu quebrava a bacia — falei.

— Isso não vai acontecer, seu bobo. É só você não soltar Olive. É muito divertido. A gente já fez isso várias vezes. — Emma parou e pensou por um instante. — Quer dizer, uma vez.

Não havia alternativa, então me preparei e me aproximei da beirada.

— Não precisa ter medo! — exclamou Olive.

— É fácil falar — retruquei. — Você não cai mesmo...

Ela estendeu os braços e me deu um abraço apertado. Eu a abracei de volta.

— Muito bem, vamos lá — sussurrou Olive.

Fechei os olhos e dei um passo no vazio. Mas, em vez da temida queda, descemos flutuando bem devagar, como um balão de hélio perdendo ar.

— Foi divertido — disse Olive quando pisamos no solo. — Agora pode me soltar.

Obedeci, e ela subiu como um foguete de volta ao telhado, gritando "Iupiiii!" no caminho. Os outros pediram para ela se calar e então, um a um, a abraçaram e desceram flutuando. Assim que todos nos reunimos, partimos de fininho na direção da floresta coroada pela lua, enquanto Fiona e Olive acenavam para nós. Vai ver foi só minha imaginação, mas as criaturas dos arbustos ornamentais também pareceram nos saudar quando foram agitadas pela brisa, Adão inclinando a cabeça em uma despedida sombria.

* * *

Quando fizemos uma pausa para recuperar o fôlego, Enoch enfiou a mão no bolso do casaco grosso que vestia e pegou algumas coisas embrulhadas em gaze.

— Tomem — disse ele. — Não vou ficar carregando todos.

— O que são essas coisas? — perguntou Bronwyn, desembrulhando a gaze e revelando um pedaço de carne meio amarronzada da qual saíam tubinhos. — Eca, que *fedor*! — exclamou, esticando o braço para afastar aquilo do rosto.

— Calma, é só um coração de ovelha — disse ele, colocando um outro com mais ou menos as mesmas dimensões nas minhas mãos. Cheirava a formol, e dava para sentir uma umidade desagradável mesmo através do tecido.

— Vou vomitar minhas tripas se tiver que carregar isso — comentou Bronwyn.

— Até parece — resmungou Enoch, parecendo ofendido. — Guarde na capa de chuva e vamos seguir em frente.

Atravessamos o pântano pela faixa escondida de solo firme. Àquela altura, eu já tinha percorrido o caminho tantas vezes que quase esquecera como podia ser perigoso, quantas vidas já tinham sido engolidas ali ao longo dos séculos. Assim que subimos o morro, pedi que todos abotoassem as capas de chuva.

— E se cruzarmos com alguém? — perguntou Enoch.

— É só agir com naturalidade — respondi. — Vou dizer que vocês são meus amigos dos Estados Unidos.

— E se aparecer um acólito? — perguntou Bronwyn.

— Corram.

— E se Jacob vir um etéreo?

— Nesse caso — respondeu Emma —, corram como se o próprio diabo estivesse atrás de vocês.

Um a um, entramos agachados no *cairn* e deixamos para trás aquela tranquila noite de verão. Tudo estava em silêncio até chegarmos aos fundos da câmara, quando de repente a pressão do ar caiu, a temperatura despencou e a tempestade rugiu a plenos pulmões. Nervosos, nos viramos na direção do som e por um instante ficamos parados ali, apenas ouvindo a tormenta se agitar e uivar na boca do túnel. Soava como uma fera enjaulada à qual haviam acabado de mostrar o jantar. Não havia opção senão nos oferecermos a ela.

Ficamos de joelhos e engatinhamos no que parecia um buraco negro, as estrelas perdidas atrás de uma montanha de nuvens carregadas, com a chuva torrencial e o vento gelado golpeando nossas capas de chuva, as descargas elétricas dos raios iluminando o céu, nos deixando brancos como ossos e tornando a escuridão que se seguia ainda mais escura. Emma tentou criar uma chama, mas parecia um isqueiro quebrado — cada vez que girava o punho, saíam apenas faíscas, que se apagavam com um chiado antes de virar fogo. Assim, nos encolhemos em nossas capas de chuva e corremos encarando a tempestade e o pântano encharcado que sugava nossas pernas, avançando mais graças à memória do que à visão.

No vilarejo, a chuva batia nas portas e janelas, mas todos os moradores estavam trancados dentro de suas casas enquanto corríamos despercebidos pelas ruas inundadas. Passamos por telhas arrancadas e espalhadas pela ventania, por uma ovelha solitária que balia perdida e desorientada pela chuva e por um banheiro externo tombado, desaguando seu conteúdo na rua, até que chegamos à peixaria. A porta estava trancada, mas Bronwyn a escancarou com dois chutes violentos. Emma secou a mão nas roupas por baixo da capa de chuva e finalmente conseguiu produzir uma chama. Com esturjões de olhos arregalados nos encarando por trás do vidro, conduzi o grupo pela peixaria até o outro lado do balcão, onde Dylan passava os dias resmungando palavrões e descamando peixes e, em seguida, por uma porta com marcas de ferrugem. Depois dela havia uma pequena câmara frigorífica em uma espécie de barracão com chão de terra e telhado de zinco, as paredes feitas de tábuas mal cortadas permitindo a passagem da chuva pelas frestas que as separavam e lhes davam o aspecto de dentes podres. Havia mais de dez tinas retangulares, cheias de gelo e sustentadas por cavaletes.

— Ele está em qual? — perguntou Enoch.

— Não sei — respondi.

Emma iluminou o local com a chama enquanto caminhávamos entre as tinas tentando adivinhar qual delas continha mais do que meros cadáveres de peixe. O problema era que todas pareciam iguais, apenas caixotes de gelo sem tampa. Teríamos que revirar todas até encontrar o corpo.

— Eu não — disse Bronwyn. — Não quero vê-lo. Não gosto de coisas mortas.

— Nem eu, mas é preciso — retrucou Emma. — Estamos juntos nessa.

Cada um escolheu uma tina e começou a escavá-la como um cachorro em um cobiçado canteiro de flores. Eu estava na metade de uma e já perdendo a sensibilidade dos dedos quando ouvi Bronwyn soltar um grito. Virei na direção dela e a vi cambalear para longe da tina, tapando a boca com as duas mãos.

Fomos nos amontoar ao redor da tina em que ela estava mexendo para saber o que havia descoberto. Vimos uma mão congelada sobressaindo, as juntas peludas.

— Creio que você encontrou nosso homem — disse Enoch.

Tapamos os olhos e, por entre as frestas dos dedos, vimos Enoch continuar retirando gelo e aos poucos revelar um braço, depois um tronco e, por fim, todo o corpo destruído de Martin.

Foi algo terrível de se ver. Os membros estavam retorcidos em direções improváveis. O tronco tinha sido aberto, as entranhas retiradas, e o gelo preenchia a cavidade onde antes estavam seus órgãos vitais. Quando o rosto dele apareceu, todos arfamos, em choque. Metade tinha faixas de pele arroxeada, como uma máscara rasgada, e a outra estava preservada apenas o suficiente para o reconhecermos: uma mandíbula com barba rala, uma seção em zigue-zague de bochecha e testa, um olho verde coberto por uma película e fitando o vazio. Ele vestia apenas uma cueca e trapos de um roupão felpudo. Não havia a menor chance de ter saído à noite vestido daquele jeito para passear sozinho perto do penhasco. Alguém havia arrastado Martin até lá.

— Está muito deteriorado — disse Enoch, avaliando Martin como um cirurgião examinando um doente terminal. — Já vou logo avisando que talvez não funcione.

— Temos que tentar — disse Bronwyn, dando um passo corajoso na direção da tina para se juntar a nós. — Chegamos até aqui, agora precisamos pelo menos tentar.

Enoch abriu a capa de chuva que vestia e pegou do bolso um dos corações embalados. Parecia uma luva de beisebol dobrada.

— Se ele acordar, não vai ficar nada feliz — avisou Enoch. — Então, afastem-se e não digam que eu não avisei.

Todos demos um passo bem grande para trás, menos Enoch, que se apoiou na tina, enfiou o braço no gelo que preenchia o tórax de Martin e começou a girá-lo como se estivesse tentando pegar uma lata de refrigerante em um cooler. Depois de um tempo, pareceu encontrar alguma coisa, então usou a outra mão para erguer o coração de ovelha acima da própria cabeça.

De repente, uma convulsão sacudiu o corpo de Enoch, e o coração de ovelha começou a bater e a borrifar uma leve névoa de formol misturada com sangue. Enoch ficou ofegante enquanto parecia canalizar alguma coisa. Eu prestava atenção a qualquer sinal de movimento em Martin, mas o corpo continuava imóvel.

Aos poucos, o coração na mão de Enoch começou a bater mais devagar e encolher, ficando cinza-escuro, da cor de carne deixada no congelador por tempo demais. Enoch o jogou no chão e esticou a mão livre para mim, e eu lhe entreguei o coração que guardava no bolso. Ele repetiu o procedimento. O coração bombeou e borrifou líquido por um tempo até parar de funcionar, como o anterior. Em seguida, ele fez isso pela terceira vez, com o coração que havia entregado a Emma.

O de Bronwyn era o único que faltava — nossa última chance. Enoch assumiu uma expressão mais intensa quando ergueu o coração sobre o caixão tosco de Martin, apertando-o como se quisesse atravessá-lo com os dedos. Quando o coração começou a balançar e tremer como um motor enguiçado, Enoch gritou:

— Levante-se, morto. Levante-se!

Percebi um movimento sutil debaixo do gelo. Eu me aproximei um pouco, cauteloso, atento a qualquer sinal de vida. Por um tempo não vi nada, mas de repente o corpo se retorceu, com tanta violência que parecia ter levado um choque de mil volts. Emma soltou um grito e todos pulamos de susto. Quando olhei de novo, a cabeça de Martin estava virada na minha direção, o olho opaco girando alucinadamente até se fixar, ao que pareceu, em mim.

— Ele está vendo você! — exclamou Enoch.

Eu me debrucei na tina. O morto cheirava a terra revirada, salmoura e alguma coisa ainda pior. O gelo caía de sua angustiante mão azulada, que de repente se ergueu no ar, trêmula por um momento, e pousou no meu braço. Tive que resistir ao impulso de arrancá-la dali.

Ele entreabriu os lábios, sua mandíbula desceu. Eu me abaixei para ouvi-lo, mas não saía som algum.

Claro que não, pensei. *Os pulmões dele foram destroçados*. Mas então um som baixinho escapou de sua boca. Eu me aproximei ainda mais, quase encostando a orelha em seus lábios congelados. Estranhamente, aquilo me lembrou a calha de chuva da minha casa: se a gente encostasse a cabeça no cano e esperasse o trânsito na rua diminuir, captava o sussurro de um córrego subterrâneo, enterrado durante a construção da cidade mas ainda fluindo, aprisionado em um mundo onde é sempre noite.

Os outros se aproximaram, mas eu era o único que escutava Martin. E a primeira coisa que ele disse foi meu nome.

— Jacob.

Senti o medo percorrer meu corpo.

— Sim?

— Eu estava morto. — As palavras saíam devagar, escorrendo como mela-ço. Ele se corrigiu: — Eu *estou* morto.

— Me conte o que aconteceu. Você se lembra?

Martin pareceu pensar. O vento zuniu por entre as frestas das paredes. Ele disse alguma coisa, mas não entendi.

— Pode repetir, Martin?

— Ele me matou — sussurrou ele.

— Quem?

— Meu velho.

— Está falando do Oggie? Do seu tio?

— Meu velho. Ele ficou grande. E forte. Muito forte.

— Quem matou você, Martin?

Ele fechou os olhos, e temi que tivesse morrido de vez. Olhei para Enoch, que indicou com a cabeça o coração em sua mão, ainda pulsando.

O olho de Martin se mexeu rapidamente sob a pálpebra. Ele voltou a falar, devagar, mas de um jeito ritmado, como se estivesse recitando um texto.

— Durante cem gerações ele dormiu, encolhido como um feto no ventre misterioso da terra, digerido por raízes, fermentando na escuridão, os frutos do verão enlatados e esquecidos na despensa até que a pá de um fazendeiro o trouxe à luz, uma parteira rústica para uma colheita estranha.

Martin fez uma pausa. Seus lábios tremiam, e naquele breve silêncio Emma olhou para mim.

— O que ele está dizendo? — perguntou ela, num sussurro.

— Não sei — respondi. — Mas parece um poema.

Ele prosseguiu, a voz ainda vacilante, mas agora alta o bastante para todos ouvirem:

— Enegrecido ele descansa, o rosto macio da cor de fuligem, os membros ressequidos como veios de carvão. Os pés são troncos à deriva adornados com uvas-passas.

Então eu reconheci o poema: era o que ele próprio tinha escrito sobre o garoto do pântano.

— Ah, Jacob, eu cuidei tão bem dele! — exclamou Martin. — Tirei a poeira do vidro, troquei a terra e criei um lar para ele... como se fosse meu bebê, enorme e ferido. Tive tanto cuidado com ele, mas... — Martin começou a tremer. Uma lágrima correu por sua face e congelou no caminho. — Mas ele me matou.

— Quer dizer que foi o garoto do pântano? O Velho?

— Por favor, me mande de volta — implorou ele. — Isso dói.

Sua mão fria massageou meu ombro, e sua voz voltou a perder força.

Olhei para Enoch em busca de ajuda. Ele apertou o coração ainda mais forte e em seguida balançou a cabeça.

— Depressa, cara — disse ele.

Então me dei conta: apesar de descrever o garoto do pântano, não tinha sido ele quem matara Martin. *Eles só ficam visíveis para nós quando estão se alimentando*, tinha me explicado a srta. Peregrine, *ou seja, quando já é tarde demais*. Martin vira um etéreo. À noite, na chuva, enquanto era retalhado por ele. E o confundira com a peça mais valiosa de sua exposição.

O velho medo ressurgiu, enchendo de calor minhas entranhas.

— Foi um etéreo — falei, me virando para os outros. — Ele está em alguma parte da ilha.

— Pergunte onde — pediu Enoch.

— Martin, onde? Eu preciso saber onde você o viu.

— Por favor. Isso dói.

— Onde você o viu?

— Ele bateu à minha porta.

— O Velho?

Sua respiração ficou entrecortada, de um jeito estranho. Era difícil olhar para ele, mas me obriguei a fazer isso, seguindo o movimento de seu olho, que focou em algo atrás de mim.

— Não — respondeu Martin. — *Ele*.

Foi então que um feixe de luz nos varreu e uma voz sonora se fez ouvir.

— *Quem está aí?* — perguntou alguém, gritando.

Emma fechou a mão. A chama se apagou com um chiado, e todos nos viramos. Vimos um homem à porta segurando uma lanterna com uma das mãos e uma pistola com a outra.

Enoch tirou o braço do gelo às pressas, enquanto Emma e Bronwyn formaram uma barreira para bloquear a visão de Martin.

— Não queríamos invadir — disse Bronwyn. — E já estávamos de saída. É sério!

— Fiquem onde estão! — gritou o homem.

Sua voz era monótona e sem sotaque identificável. A luz me impedia de ver seu rosto, mas os casacos amontoados o entregaram: era o ornitólogo.

— Senhor, não comemos nada o dia todo — disse Enoch, choramingando, pela primeira vez falando como um menino de doze anos. — Só queríamos pegar um ou dois peixinhos, eu juro!

— É mesmo? — questionou o homem. — E parece que já escolheram um. Vamos ver qual é a espécie. — Ele balançou a lanterna como se tentasse nos afastar com o feixe de luz. — Saiam da frente!

Obedecemos. Ele apontou a lanterna para o corpo de Martin, cenário de uma ruína gritante.

— Caramba, que peixe estranho, hein? — disse ele, imperturbável. — Deve ser fresco, porque ainda está se mexendo!

O feixe de luz parou no rosto de Martin, que revirava o olho e mexia os lábios sem emitir som, apenas um reflexo enquanto a vida que Enoch lhe emprestara se esvaía.

— Quem é você? — perguntou Bronwyn.

— Isso depende de quem pergunta — respondeu o homem —, e não tem a menor importância se comparado ao fato de que *eu* sei quem *vocês* são. — Ele apontou a lanterna para cada um e continuou falando, como se recitasse um dossiê secreto: — Emma Bloom, uma faisqueira, abandonada em um circo já que os pais não conseguiram vendê-la. Bronwyn Bruntley, uma belígera sedenta de sangue, não conhecia a própria força até a noite em que quebrou o pescoço do sórdido padrasto. Enoch O'Connor, um vivificador, nascido em uma família de coveiros que não conseguia entender a frequente fuga dos mortos que enterrava.

Vi todos recuarem, assustados. Então ele apontou a lanterna para mim.

— E Jacob. Que amigos mais peculiares você arranjou, hein...

— Como você sabe meu nome?

Ele pigarreou. Quando voltou a falar, foi com uma voz totalmente diferente.

— Esqueceu de mim assim tão rápido? — respondeu ele, com um sotaque da Nova Inglaterra. — Se bem que sou só um pobre motorista de ônibus. É claro que você não se lembraria.

Parecia impossível, mas de algum modo ele estava imitando perfeitamente o motorista do ônibus escolar que eu pegava durante o ensino fundamental, o sr. Barron, um sujeito tão detestável, tão mal-humorado, tão roboticamente inflexível que no último dia do oitavo ano os alunos arrancaram a foto dele no anuário, o desfiguraram com um grampeador e prenderam o retrato estragado no encosto do banco, como uma efígie. Justamente quando eu estava me lembrando do que o motorista dizia quando eu saltava do ônibus todas as tardes, o homem na minha frente recitou:

— Fim da linha, Portman!

— Sr. Barron? — perguntei, receoso, tentando enxergar o rosto oculto pela luz da lanterna.

O homem deu uma risada e pigarreou.

— Ou o jardineiro — disse ele, mudando para o sotaque arrastado da Flórida. — Vai uma boa poda nesse seu jardim? Cobro baratinho!

Era exatamente a mesma voz do homem que durante anos cuidara do jardim e da piscina da minha família.

— Como você faz isso? Como conhece essas pessoas?

— Eu *sou* essas pessoas — respondeu ele, outra vez sem sotaque algum, e deu uma risada; o maldito parecia estar se divertindo em me ver horrorizado e desconcertado.

Então uma hipótese me ocorreu. Eu já tinha visto os olhos do sr. Barron? Não. Ele sempre usava aqueles óculos escuros enormes, típicos de velho, que cobriam boa parte do rosto. O jardineiro também usava óculos escuros, além de um chapéu de aba larga. Eu já havia olhado direito para algum dos dois? Quantos outros papéis aquele camaleão interpretara na minha vida?

— O que está acontecendo? — perguntou Emma. — Quem é esse homem?

— Cale a boca! — vociferou ele. — Sua vez já vai chegar.

— Você tem me vigiado — falei. — Foi você que matou aquelas ovelhas. E Martin.

— Quem, eu? — disse ele, fingindo um ar de inocente. — *Eu* não matei ninguém.

— Mas você é um acólito, não é?

— Essa é a palavra que *eles* usam.

Eu não conseguia entender. Não via o jardineiro fazia uns três anos, desde que minha mãe o substituíra, e o sr. Barron tinha sumido da minha vida depois do oitavo ano. Seria possível que eles, ou melhor, que ele realmente tivesse me seguido aquele tempo todo?

— Como você sabia onde me encontrar?

— Ora, Jacob — disse ele, mudando de voz outra vez. — Foi você mesmo quem me contou. Em caráter confidencial, é claro.

Ele falou com um sotaque do Meio-Oeste americano, suave e educado. Depois, inclinou a lanterna para cima, iluminando o próprio rosto.

A barba farta que ele usava no outro dia tinha sumido. Não havia como não o reconhecer.

— Dr. Golan.

Minha voz era apenas um sussurro, engolido pelo ruído da chuva.

Pensei na conversa que havíamos tido por telefone dias antes. O barulho ao fundo... Ele tinha dito que estava no aeroporto. Mas não para ir buscar a irmã: ele estava indo atrás de mim.

Recuei, cambaleante, e acabei esbarrando na tina onde estava o corpo de Martin. O torpor tomava conta de mim.

— O vizinho — falei. — O senhor que estava molhando a grama na noite em que meu avô morreu. Também era você.

Ele sorriu.

— Mas seus olhos...

— Lentes — explicou ele, e em seguida tirou uma delas, revelando uma órbita branca. — É espantoso o que se consegue fabricar hoje em dia. E, se me permite antecipar algumas das suas perguntas, sim, eu sou psiquiatra de verdade. A mente dos normais sempre me fascinou. E, não, apesar de nossas sessões terem se baseado em uma mentira, acho que não foram uma total perda de tempo. Na verdade, talvez eu possa continuar ajudando você. Ou melhor: talvez possamos ajudar um ao outro.

— Por favor, Jacob, não dê ouvidos a ele — pediu Emma.

— Não se preocupe. Eu já acreditei uma vez, não vou cometer esse erro de novo.

Golan prosseguiu como se não tivesse me escutado:

— Eu posso lhe dar segurança, dinheiro. Posso lhe dar sua vida de volta, Jacob. Você só precisa trabalhar para nós.

— "Nós"?

— Malthus e eu — explicou ele, virando o rosto para chamá-lo por cima do ombro. — Venha dizer oi, Malthus.

Um vulto surgiu à porta atrás dele, e logo depois sentimos uma onda de fedor insuportável. Bronwyn teve ânsia de vômito e deu um passo para trás, e vi Emma com os punhos cerrados, como se ela estivesse pensando em atacá-lo. Toquei em seu braço e mexi a boca em silêncio: *Espere*.

— É só isso que estou lhe propondo — continuou Golan, tentando parecer razoável. — Que nos ajude a encontrar mais pessoas como você. Em troca, você não vai ter motivo para sentir medo de Malthus e seus semelhantes. Vai poder viver em sua casa. No tempo livre, vai viajar comigo e conhecer o mundo, e lhe pagaremos generosamente. Diremos aos seus pais que você é meu assistente de pesquisa.

— Se eu concordar, o que vai acontecer com meus amigos? — perguntei.

— Eles já tomaram uma decisão há muito tempo — respondeu Golan, fazendo um gesto de desdém com a pistola. — O importante é que existe um plano mais abrangente em andamento, Jacob, e você vai fazer parte dele.

Será que cheguei a considerar a possibilidade? Suponho que sim, mesmo que por um breve momento. O dr. Golan estava me oferecendo exatamente o que eu queria: uma terceira opção. Um futuro que não era *ficar aqui para sempre* nem *ir embora e morrer*. Mas bastou olhar para meus amigos, para seus rostos preocupados, e aquela tentação se foi.

— E então? — quis saber Golan. — O que me diz?

— Prefiro morrer a fazer qualquer coisa para ajudar você.

— Ah, mas você já me ajudou. — Ele se dirigiu à porta. — Pena que não teremos mais sessões, Jacob, mas acho que a perda não será total. Pode ser que vocês quatro juntos bastem para finalmente tirar o velho Malthus da forma humilhante em que está preso há tanto tempo.

— Ai, não — choramingou Enoch. — Não quero ser devorado!

— Não chore, é humilhante — disse Bronwyn. — Só temos que matá-los.

— Queria poder ficar para assistir — comentou Golan, da porta. — Adoro assistir!

Então ele saiu, nos deixando a sós com aquilo. Eu ouvia a respiração da criatura no escuro, um chiado viscoso que lembrava um encanamento entupido. Todos demos um passo para trás, depois outro, até que batemos as costas na parede, então ficamos lado a lado, feito condenados diante de um pelotão de fuzilamento.

— Preciso de luz — sussurrei para Emma, que, em choque, parecia ter esquecido o próprio poder.

Sua mão ardeu em chamas, e nas sombras tremeluzentes vi a criatura nos espreitando por entre as tinas. Meu pesadelo. Malthus se agachou, careca e nu, a pele coberta de manchas pretas e acinzentadas caindo em dobras flácidas, os olhos circundados por uma putrefação aquosa, as pernas arqueadas, os pés deformados e as mãos retorcidas em garras inúteis — cada parte dele tinha uma aparência envelhecida e deteriorada, como se pertencesse ao corpo de um homem incrivelmente velho, mas as mandíbulas eram descomunais, se destacavam no rosto, repletas de dentes do tamanho de facas de carne e tão afiados quanto; dentes que a pele da boca não conseguia conter, fazendo os lábios se abrirem em um permanente sorriso insano.

Aqueles dentes horripilantes se arreganharam. A criatura escancarou a boca e projetou três línguas fibrosas, cada uma da grossura do meu punho, que se projetaram por alguns metros e ali ficaram, se contorcendo no ar. O monstro respirava penosamente, através de dois repugnantes buracos no rosto, como se estivesse nos farejando e avaliando a melhor maneira de nos devorar. Se ainda estávamos vivos, era graças ao fato de ser tão fácil nos matar. Como um *gourmand* prestes a saborear uma refeição refinada, o etéreo não tinha pressa.

Os outros não viam a criatura como eu a via, mas viam na parede sua sombra e as sombras das grossas línguas. Emma esticou o braço, e a chama em sua mão brilhou mais forte.

— O que ele está fazendo? — perguntou. — Por que ainda não atacou?

— Está jogando com a gente, Emma. Ele sabe que não temos como escapar — respondi.

— Nada disso — murmurou Bronwyn. — Eu só preciso de uma chance para acertar um soco na cara dele. Vou fazer esse maldito engolir os dentes.

— Se eu fosse você, não chegaria nem perto dos dentes dele — adverti.

O etéreo avançou um pouco, a passos pesados, para compensar nosso recuo. Suas várias línguas se esticaram um pouco mais e se afastaram umas das outras, indo uma na minha direção, outra na de Enoch e a terceira na direção de Emma.

— Deixe a gente em paz! — gritou Emma, usando a mão flamejante como uma tocha para atacá-lo.

A língua se retorceu e se afastou dela, mas logo depois voltou a avançar lentamente, feito uma serpente se preparando para dar o bote.

— Vamos tentar chegar à porta! — gritei. — O etéreo está perto da terceira tina à esquerda, então fiquem do lado direito!

— Não vamos conseguir! — exclamou Enoch.

Uma das línguas tocou o rosto dele, fazendo-o gritar.

— Vamos no três! Um... — começou Emma.

Mas Bronwyn ignorou a contagem e se lançou no etéreo, gritando como um demônio mortal. Ele guinchou e recuou, sua pele se eriçando. No momento em que ele estava prestes a contra-atacar com suas três línguas, Bronwyn investiu com todo o peso do corpo contra a enorme tina em que estava o corpo de

Martin e enfiou os braços por baixo; quando o recipiente começou a virar, ela o ergueu e arremessou, levando junto o gelo, os peixes e o cadáver de Martin. A tina voou pelos ares e foi cair em cima do etéreo com um estrondo.

Bronwyn se virou e correu na nossa direção.

— VAMOS! — gritou ela, e se jogou na parede bem ao meu lado, dando um chute que abriu um buraco nas tábuas podres.

Dei um pulo de susto. Enoch, o menor do grupo, foi o primeiro a atravessar o buraco, seguido por Emma. Nem tive tempo de dizer nada antes de Bronwyn me pegar pelo braço e me lançar lá fora, na noite chuvosa. Aterrissei de cara numa poça d'água. O frio que me atingiu naquele momento produziu um choque em meu corpo, mas eu me sentia eufórico pelo simples fato de aquilo não ser a língua do etéreo se enroscando em meu pescoço.

Fui erguido do chão por Emma e Enoch, e saímos em disparada. Mas no segundo seguinte Emma parou e gritou por Bronwyn. Todos nos viramos. Ela não estava ali.

Sem coragem para voltar lá dentro, gritamos o nome de Bronwyn e olhamos por toda a nossa volta, procurando-a na escuridão.

— Ali! — gritou Enoch.

Ela estava com o corpo apoiado num canto da câmara frigorífica.

— O que ela está fazendo? — perguntou Emma, ainda aos gritos. — BRONWYN! FUJA!

Parecia que ela estava tentando abraçar o barracão inteiro de uma vez. Ela então recuou e avançou correndo, batendo com o ombro violentamente na viga de sustentação. Como uma casinha de palitos, a construção desmoronou, formando uma nuvem de gelo pulverizado e estilhaços de madeira que o vento soprou pela rua.

Vibramos e comemoramos enquanto Bronwyn corria até nós com um sorriso alucinado, depois a abraçamos e rimos debaixo do temporal. Mas não demorou para o clima voltar a pesar, conforme compreendíamos o que tinha acabado de acontecer. Foi quando Emma se virou para mim e fez a pergunta que devia estar na mente de todos eles:

— Como aquele acólito sabia tanto sobre você e sobre nós?

— Você o chamou de doutor — lembrou Enoch.

— Ele era meu psiquiatra.

— Psiquiatra! — repetiu Enoch. — Que maravilha! Ele não só traiu a gente com um acólito, como também é louco de pedra!

— Retire o que disse! — gritou Emma, e deu um empurrão em Enoch. Ele estava prestes a revidar quando me coloquei entre os dois.

— Parem! — exclamei, afastando-os. Olhei Enoch nos olhos. — Você está enganado, eu não sou maluco. Ele me fez pensar que era, mas já devia saber que eu era peculiar. Você só tem razão sobre uma coisa: eu traí vocês, sim. Contei as histórias do meu avô para um estranho.

— Não é culpa sua — disse Emma. — Você não tinha como saber que éramos reais.

— Claro que tinha! — gritou Enoch. — Abe contou tudo a ele. Até mostrou nossos malditos retratos!

— Golan sabia tudo, menos como encontrar vocês — falei. — E eu o trouxe direto para cá.

— Mas ele enganou você — disse Bronwyn.

— Eu só queria que vocês soubessem que sinto muito.

Emma me abraçou.

— Está tudo bem. Estamos vivos.

— Por enquanto — retrucou Enoch. — Aquele louco continua à solta por aí. Se ele estava louco para transformar a gente em comida para seu etéreo de estimação, aposto que a essa altura já descobriu como entrar na fenda sozinho.

— Ah, meu Deus, você tem razão — disse Emma.

— Bom, então é melhor a gente voltar para lá antes dele — falei.

— E antes *dele* também — acrescentou Bronwyn. Quando olhamos para a direção em que ela estava apontando, vimos a pilha de escombros da câmara frigorífica, onde algumas tábuas podres começavam a se mexer. — Aposto que ele vai vir direto atrás da gente, e não tem mais nada aqui em volta que eu possa jogar em cima dele.

Alguém gritou *Corram!*, mas já tínhamos saído em disparada em direção ao único lugar onde o etéreo não poderia nos alcançar: a fenda temporal. Corremos, nos afastando do vilarejo em meio à escuridão, as silhuetas azuladas das casinhas dando lugar a campos inclinados, e subimos a colina a toda, o temporal varrendo nossos pés e deixando a trilha ainda mais perigosa.

Enoch escorregou e caiu. Nós o levantamos e voltamos a correr. Quando estávamos quase no topo, Bronwyn também perdeu o equilíbrio e deslizou por mais de seis metros. Emma e eu voltamos rapidamente para ajudá-la. Enquanto a levantávamos, dei uma olhada para trás, torcendo para enxergar onde estava a criatura, mas só havia a escuridão e a chuva rodopiando ao vento. Minha habilidade de enxergar etéreos não valia muita coisa quando não havia luz. Por sorte, estávamos novamente subindo a colina, arfantes, quando um raio mais demorado iluminou a noite. Eu me virei e o vi. Estava lá embaixo, ainda bem longe de nós, mas subia rápido, golpeando o barro com suas línguas musculosas e ganhando impulso colina acima como se fosse uma aranha.

— *Vamos!* — gritei.

Descemos deslizando sentados até o terreno plano do outro lado da colina, onde pudemos voltar a correr.

Outro relâmpago iluminou a noite, e vi que o etéreo estava mais perto. Naquele ritmo, seria impossível ganhar dele na corrida. Nossa única esperança era despistá-lo.

— Se ele pegar a gente, vai matar todo mundo! — gritei. — Mas, se a gente se dividir, ele vai ter que escolher. Eu vou pegar o caminho mais longo para tentar despistá-lo no pântano, e vocês, entrem na fenda o mais rápido possível!

— Você está louco! — gritou Emma. — Se alguém tem que ficar para trás, sou eu! Posso usar o fogo contra ele!

— Não nessa chuva e sem conseguir enxergá-lo — retruquei.

— Não vou deixar você se matar!

Não havia tempo para discutir, então Bronwyn e Enoch seguiram em frente, enquanto Emma e eu saímos da trilha, torcendo para o etéreo escolher nos seguir. E foi o que aconteceu. A essa altura, ele já estava tão perto que eu não precisava mais dos relâmpagos para saber sua localização: o nó que sentia no estômago era suficiente.

Corremos de mãos dadas por um terreno repleto de buracos e valas, tropeçando e caindo toda hora e nos segurando um no outro em uma dança epiléptica. Eu estava olhando em volta à procura de pedras para usar contra o etéreo quando surgiu na escuridão, bem à nossa frente, uma construção: um casebre bastante deteriorado, com janelas quebradas e sem as portas nos batentes. Em meio ao pânico, não reconheci o lugar.

— Vamos nos esconder! — exclamei, arfando.

Por favor, que esse monstro seja burro!, rezei enquanto corríamos para o casebre. *Por favor, por favor, que seja um idiota.* Demos uma volta grande, na esperança de entrar pelos fundos sem sermos vistos.

— Espere! — pediu Emma quando chegamos.

Ela pegou da capa de chuva uma gaze do embrulho de Enoch e rapidamente a amarrou em uma pedra que pegou do chão, produzindo uma espécie de estilingue. Em seguida, fez a gaze pegar fogo e atirou longe. A pedra envolvida em gaze caiu no pântano a uma boa distância de nós, onde ficou reluzindo fracamente na escuridão.

— É para despistar o etéreo — explicou ela.

Então fomos nos esconder na penumbra do casebre.

*　　*　　*

Atravessamos uma porta que pendia das dobradiças e nos vimos em um mar de imundície fedorenta. Quando senti os pés afundando, fazendo um ruído repulsivo como frutas sendo esmagadas, me dei conta de onde estávamos.

— O que é isso? — sussurrou Emma.

De repente, o som de um animal respirando quase nos matou de susto. O lugar estava cheio de ovelhas, que, assim como nós dois, se abrigavam ali para fugir da noite impiedosa. Quando nossa visão começou a se adaptar à escuridão, nos deparamos com o brilho opaco de olhos que nos encaravam de volta. Dezenas e dezenas de ovelhas.

— É o que eu estou pensando? — perguntou Emma, levantando um pé com todo o cuidado.

— Não pense. Vamos logo. Precisamos sair de perto dessa porta.

Peguei Emma pela mão e fomos em frente, serpenteando por um labirinto de animais ariscos que se afastavam à nossa passagem. Seguimos por um corredor estreito até um cômodo com uma janela alta e uma porta ainda presa ao batente e fechada, o que oferecia proteção, mesmo que mínima, do exterior; já era mais do que todos os outros cômodos. Fomos nos esgueirando até o outro lado, onde nos ajoelhamos para esperar, atentos a qualquer ruído, escondidos por um paredão de ovelhas apavoradas.

Tentávamos não afundar demais no esterco, mas não havia muito o que eu pudesse fazer para evitar. Depois de um minuto encarando a escuridão como cego, comecei a distinguir formas em volta. Caixas e caixotes empilhados num canto, e, ao longo da parede atrás de nós, ferramentas enferrujadas. Procurei qualquer coisa afiada que servisse de arma e avistei um objeto que parecia uma tesoura gigante.

— Vai tosquiar umas ovelhas? — perguntou Emma quando me levantei para pegá-lo.

— Isso é melhor que nada.

No momento em que eu ia pegar a tesoura pendurada na parede, veio um barulho do outro lado da janela sem vidro. As ovelhas baliram nervosamente, e logo depois uma comprida língua negra se enfiou pela abertura. Eu me abaixei bem rápido, tentando não fazer barulho. Emma levou a mão à boca para silenciar a respiração.

A língua espreitou o cômodo como um periscópio. Parecia estar provando o gosto do ar. Para nossa sorte, tínhamos nos escondido no lugar mais fedorento da ilha, e o cheiro de tantas ovelhas juntas deve ter mascarado o nosso, porque depois de um tempinho o etéreo se deu por vencido e recolheu a língua. Ouvimos passos se afastando.

Emma destapou a boca e soltou o ar, aliviada.

— Acho que ele mordeu a isca — sussurrou ela.

— Quero que você saiba de uma coisa: se a gente sair dessa, eu fico.

Ela pegou minha mão.

— Mesmo?

— Não posso voltar para casa depois de tudo o que aconteceu. E, se eu for de alguma ajuda, devo isso e muito mais a vocês. Até eu chegar, vocês estavam perfeitamente seguros.

— Se a gente sair dessa — disse ela, se aproximando mais —, tudo vai ter valido a pena.

Um curioso magnetismo uniu meu rosto ao dela, mas, quando nossos lábios estavam prestes a se tocar, o silêncio foi quebrado. Do cômodo ao lado vieram balidos agudos, desesperados. Na mesma hora nos afastamos, e logo o ruído apavorante fez as ovelhas ao nosso redor começarem a se agitar freneticamente, esbarrando umas nas outras e nos empurrando para a parede.

O monstro não era tão burro quanto eu desejava.

Pelo barulho, ele se aproximava, já dentro do casebre. Se antes havia alguma chance de fugir, esse momento passara. Assim, nos encolhemos no meio daquele monte de esterco e torcemos para o etéreo passar direto.

Foi quando o cheiro dele chegou até minhas narinas, ainda mais pungente que os outros cheiros da casa. Senti que ele estava na entrada do cômodo. As ovelhas se afastaram da porta de uma hora para outra, recuando juntas como um cardume de peixes, o que nos prendeu junto à parede com tanta força que ficamos sem ar. Emma e eu nos agarramos um ao outro, mas não ousamos fazer barulho. Por um momento carregado de tensão insuportável, só ouvíamos os balidos das ovelhas e de seus cascos pisando no chão. Em seguida veio outro grito rouco, repentino e desesperado, que foi silenciado de forma igualmente repentina, interrompido pelo barulho apavorante de ossos se quebrando. Nem precisei olhar para saber que o etéreo tinha acabado de rasgar uma ovelha ao meio.

Foi o caos. Em pânico, os animais se debatiam, nos jogando contra a parede tantas vezes que fiquei tonto. O etéreo soltou um grito ensurdecedor e começou a devorar ovelha atrás de ovelha com suas mandíbulas salivantes. A cada mordida ele fazia jorrar sangue, para depois largar o bicho de lado, feito um rei comilão se esbaldando em um banquete medieval. Fez isso várias e várias vezes, deixando um rastro de morte enquanto abria caminho. Eu estava paralisado de medo, e é por isso que não consigo explicar direito o que aconteceu em seguida.

Todos os meus instintos gritavam para que eu permanecesse escondido, me enfiasse ainda mais no esterco, mas um pensamento lúcido atravessou a estática — *Não vou permitir que a gente morra neste barraco cheio de merda* —, então empurrei Emma para deixá-la atrás da maior ovelha que vi por perto e corri para a porta.

Estava fechada e a cerca de três metros, e havia vários animais no meio do caminho, mas mesmo assim avancei com tudo, feito um jogador de futebol americano, e me joguei de ombro na porta, que se escancarou.

Caí no lado de fora, no meio da chuva.

— Vem me pegar aqui, seu desgraçado nojento!

Eu soube que havia conseguido atrair a atenção do etéreo porque ele soltou um uivo tenebroso, que fez as ovelhas debandarem pela porta que eu abrira, passando correndo por mim. Eu me levantei o mais rápido que pude e, quando tive certeza de que ele estava indo na minha direção, que havia desistido de Emma, disparei rumo ao pântano.

Eu o sentia atrás de mim. Poderia correr mais rápido se não fosse pela tesoura de tosquia — não sei por que não conseguia soltá-la. Então pisei em solo macio e soube que havia chegado ao pântano.

Por duas vezes o etéreo se aproximou o bastante para lançar as línguas, que chicotearam minhas costas, e nessas duas vezes, quando eu tinha certeza de que uma delas laçaria meu pescoço e o espremeria até minha cabeça estourar, a criatura tropeçou no terreno instável e ficou para trás. Só cheguei ao *cairn* porque sabia exatamente onde pisar. Graças a Emma, eu conseguia atravessar correndo aquele caminho em uma noite sem lua e no meio de uma tempestade que mais parecia um furacão.

Subi o monte onde ficava o *cairn*, dei a volta até a abertura nas pedras e entrei. O interior estava negro como piche, mas não importava — era só chegar à câmara que eu estaria a salvo. Avancei engatinhando, porque mesmo para ficar de pé eu perderia um tempo valioso, mas de repente, quando estava no meio do caminho e já me sentia levemente otimista com minhas chances de sobreviver, não consegui mais avançar. Uma das línguas tinha me agarrado pelo tornozelo.

O etéreo havia se segurado às pedras na boca do túnel com duas línguas, usando-as como apoio para evitar a lama enquanto bloqueava a entrada com o corpo, como se fosse a tampa de um pote. A terceira língua me puxava para fora — um peixe fisgado por um anzol.

Tentei me segurar no chão, mas era de cascalho, meus dedos o atravessavam, então me virei de costas e tentei me agarrar às pedras do túnel com a mão livre, mas estava deslizando rápido demais. Com a tesoura, golpeei a língua do monstro, mas era forte e dura demais, uma corda de músculos ondulantes, e as lâminas estavam completamente cegas. Fechei os olhos com força, porque não queria que as mandíbulas escancaradas de um etéreo fossem a última coisa que eu veria na vida, e apontei a tesoura para a frente com as duas mãos. O tempo pareceu passar em câmera lenta, como dizem que acontece em batidas de carro, acidentes de trem ou quedas de avião. O que senti em seguida foi um impacto demolidor ao me chocar no etéreo.

Perdi completamente o ar. Ouvi um grito. Voamos juntos para fora do túnel e rolamos morro abaixo até o terreno pantanoso. Quando abri os olhos, vi a tesoura de tosquia cravada até o cabo nos olhos do monstro. Ele gemia como dez porcos sendo castrados, rolando de um lado para o outro e se debatendo na lama gerada pela água da chuva, o olho exsudando um rio negro, o líquido viscoso escorrendo pelo cabo enferrujado da minha arma improvisada.

Senti que ele estava morrendo, que a vida lhe escapava, porque a língua em meu tornozelo se afrouxou. Senti também em mim o efeito: o nó no estômago foi se desfazendo pouco a pouco. Finalmente, seu corpo se enrijeceu e afundou diante dos meus olhos, a cabeça submergindo na lama até restar apenas uma fina camada escura de sangue como vestígio de que estivera ali.

Mas o pântano me sugava junto. Quanto mais força eu fazia para escapar, mais o mar de lama me engolia.

Que estranha descoberta seremos daqui a mil anos, pensei, *nós dois conservados juntos na turfa.*

Tentei remar na direção do solo firme, mas só fiz afundar mais. Era como se a lama escalasse meu corpo, subindo pelos meus braços, se fechando em volta do meu pescoço feito o nó de uma forca.

Gritei por ajuda — e, por milagre, a ajuda veio, na forma de algo que parecia uma libélula, um brilho voando na minha direção. Então ouvi Emma me chamar, e respondi.

Um galho de árvore caiu na água. Eu me agarrei a ele, e Emma o puxou. Quando finalmente saí do pântano, tremia tanto que não conseguia ficar de pé. Emma se agachou ao meu lado, e me joguei nos braços dela.

Eu o matei, pensei. *Eu realmente o matei.*

Durante todo aquele tempo que passara dominado pelo medo, eu nunca sequer havia sonhado que seria capaz de *matar* o monstro!

Eu me senti poderoso. Era capaz de me defender. Nunca seria tão forte quanto meu avô, mas também não era um fracote medroso. Eu podia *matá-los*.

Testei as palavras em voz alta:

— Ele morreu. Eu o *matei*.

E ri. Emma me abraçou, seu rosto colado ao meu.

— Sei que ele teria orgulho de você — disse ela.

Então nos beijamos. Foi um beijo suave e agradável, a chuva pingando do nosso nariz e entrando quente em nossas bocas entreabertas. Foi cedo demais quando ela interrompeu o beijo.

— Aquilo que você disse... era pra valer?

— Eu vou ficar. Se a srta. Peregrine deixar.

— Ela vai deixar. Vou fazer de tudo para isso.

— Antes de pensar nisso, é melhor a gente encontrar meu psiquiatra e tirar a arma dele.

— Tem razão — concordou ela, assumindo uma expressão séria. — Então não temos tempo a perder.

*   *   *

Deixamos a chuva para trás e surgimos em uma paisagem de fumaça e muito barulho. A fenda não tinha se reiniciado. O pântano estava pontilhado de buracos abertos por bombas. Aviões zuniam no céu, muros de chamas alaranjadas avançavam na direção da linha das árvores ao longe. Eu já ia sugerir esperarmos o hoje se tornar ontem e tudo aquilo desaparecer antes de tentarmos chegar à casa, quando um par de braços musculosos se fechou ao redor do meu corpo.

— Vocês estão vivos! — exclamou Bronwyn.

Ela estava acompanhada de Enoch e Hugh. Quando se afastou, os dois se aproximaram para apertar minha mão e ver como eu estava.

— Me desculpe por ter chamado você de traidor — disse Enoch. — Fico feliz em ver que não morreu.

— Eu também — falei.

— Está inteiro? — perguntou Hugh, me olhando de cima a baixo.

— Dois braços e duas pernas — respondi, mexendo os membros para comprovar. — E vocês não vão mais precisar se preocupar com aquele etéreo. Matamos o maldito.

— Ah, pare de modéstia! — exclamou Emma, cheia de orgulho. — Foi *você* que o matou.

— Que maravilha — disse Hugh, mas nem ele nem os outros abriram um sorriso.

— O que aconteceu? — perguntei. — Esperem aí: por que vocês não estão dentro da casa? Cadê a srta. Peregrine?

— Ela sumiu — respondeu Bronwyn, com o lábio trêmulo. — E a srta. Avocet também. Ele pegou as duas.

— Ah, meu Deus — disse Emma.

Tínhamos chegado tarde demais.

— Ele apareceu armado — explicou Hugh, olhando para o chão. — Tentou levar Claire como refém, mas ela o mordeu com a boca de trás, então ele resolveu me pegar. Tentei lutar, mas ele me deu uma coronhada na cabeça. — Hugh tocou a parte de trás da orelha, e seus dedos voltaram sujos de sangue. — Trancou todo mundo no porão e disse que, se a diretora e a srta. Avocet não virassem aves, faria mais um buraco na minha cabeça. Elas obedeceram, e ele colocou as duas numa gaiola.

— Ele tinha uma gaiola? — perguntou Emma.

Hugh fez que sim.

— E era pequena, para elas não terem espaço para se transformar ou fugir voando. Eu tinha certeza de que ele ia atirar em mim, mas só me empurrou para o sótão junto com os outros e fugiu com as aves.

— Foi assim que os encontramos quando chegamos — comentou Enoch, chateado. — Escondidos lá embaixo, como um bando de covardes.

— Não estávamos escondidos! — exclamou Hugh. — Ele nos trancou lá. Ia atirar em nós!

— Deixem isso pra lá — interveio Emma. — Para onde ele foi? Por que vocês não o seguiram?

— Não sabemos para onde ele foi — respondeu Bronwyn. — Nossa esperança era que vocês o tivessem visto.

— Não, não vimos! — exclamou Emma, chutando uma pedra do *cairn*.

Hugh pegou alguma coisa de dentro da camisa. Um retrato pequeno.

— Ele enfiou isso no meu bolso antes de ir embora. Disse que era o que aconteceria se tentássemos ir atrás dele.

Bronwyn arrancou a foto da mão de Hugh.

— Ah! — exclamou, contendo um grito. — É a srta. Raven?

— Acho que é a srta. Crow* — disse Hugh, esfregando o rosto, nervoso.

— É isso. Com certeza elas vão morrer — lamentou Enoch. — Eu sabia que esse dia chegaria!

— A gente não devia ter fugido — constatou Emma, com tristeza. — Millard tinha razão.

Uma bomba caiu do outro lado do pântano. A explosão silenciosa foi seguida por uma chuva de lama ao longe.

— Esperem um minuto — falei. — Antes de tudo, a gente não sabe se a ave da foto é a srta. Crow ou a srta. Raven. Pode muito bem ser um corvo qualquer. E, se Golan quisesse realmente matar a srta. Peregrine e a srta. Avocet, por que se daria ao trabalho de sequestrar as duas? Se as quisesse mortas, aposto que elas já teriam morrido. — Eu me virei para Emma. — Se não tivéssemos fugido, estaríamos no porão com todos os outros, e ainda teria um etéreo andando por aí!

— Não tente amenizar as coisas! — exclamou ela. — Isso é tudo culpa *sua*!

— Dez minutos atrás você disse que estava *feliz*!

— Dez minutos atrás a srta. Peregrine não tinha sido sequestrada!

— Vocês querem fazer o favor de parar com isso? — pediu Hugh. — Agora o que importa é que a Ave desapareceu, e a gente tem que trazê-la de volta!

— Certo — concordei. — Então, vamos pensar. Se você fosse um acólito, para onde levaria duas *ymbrynes* sequestradas?

— Depende do que eu faria com elas — respondeu Enoch. — E isso a gente não sabe.

---

* Em português, "corvo" e "gralha-preta", respectivamente. (N. da E.)

CAW CAW CAW

— Primeiro, eu teria que tirar as duas da ilha — disse Emma. — E, para isso, precisaria de um barco.

— Mas tirá-las de *qual* ilha? — perguntou Hugh. — A de dentro da fenda ou a de fora?

— Fora da fenda tem um temporal castigando a ilha — falei. — Ninguém conseguiria ir muito longe de barco com aquele tempo.

— Se é assim, ele só pode estar aqui dentro — concluiu Emma, começando a parecer esperançosa. — Então, por que estamos perdendo tempo aqui? Vamos para as docas!

— *Talvez* ele esteja nas docas — disse Enoch. — Se é que já não foi embora. E, mesmo que ainda não tenha ido e a gente o encontre no meio dessa escuridão sem virar peneira com os estilhaços de bomba no caminho, ainda tem o problema de ele estar armado. Afinal, vocês enlouqueceram? Preferem que a Ave seja sequestrada ou leve um tiro bem na nossa frente?

— Ótimo! — disse Hugh. — Então vamos simplesmente desistir e ir para casa. Que tal? Quem quer um chazinho quente antes de dormir? Aliás, já que a Ave não está por aqui, vamos aproveitar e tomar logo um porre! — Ele chorava de raiva e enxugava as lágrimas. — Como você pode não pensar nem em *tentar*, depois de tudo que ela fez por nós?

Antes que Enoch pudesse responder, ouvimos alguém nos chamando da trilha. Hugh se adiantou, olhou com atenção e logo depois fez uma cara estranha.

— É a Fiona.

Até então, eu nunca tinha ouvido Fiona dar um pio sequer. Mas, com o ronco dos aviões e as explosões de bombas ao longe, era impossível entender o que ela estava dizendo, por isso corremos até lá, pelo pântano.

Chegamos ofegantes à trilha e a encontramos rouca de tanto gritar, com um olhar tão enlouquecido quanto seu cabelo emaranhado. Logo ela começou a nos puxar, arrastar e empurrar para a trilha na direção que levava ao vilarejo, gritando em tamanho desespero com seu sotaque irlandês que ninguém entendia nada. Hugh a segurou pelos ombros e pediu que falasse mais devagar.

Fiona respirou fundo, tremendo feito vara verde, e apontou para trás.

— Millard o seguiu! — exclamou. — Estava escondido quando aquele homem nos trancou no porão, e o seguiu quando ele foi embora!

— Para onde? — perguntei.

— Ele pegou uma canoa.

— Viram? — exclamou Emma. — As docas!

— Não — retrucou Fiona. — Ele pegou a *sua* canoa, Emma. A que você acha que ninguém sabe que existe e deixa escondida na sua prainha. Ele levou a gaiola e ficou remando em círculos, mas o mar começou a ficar bravo e ele resolveu ir para a pedra do farol. Está lá ainda.

Saímos correndo a toda na direção do farol. Quando chegamos ao penhasco do qual conseguíamos avistá-lo, encontramos as outras crianças em um capinzal perto da beira.

— Abaixem-se — sussurrou Millard.

Obedecemos, e avançamos engatinhando. Os outros estavam agachados atrás do capinzal. Vez ou outra, um deles se erguia para espiar o farol. Pareciam em estado de choque, principalmente as crianças menores, como se ainda não tivessem absorvido direito o pesadelo que estava acontecendo, e mal prestaram atenção no fato de que tínhamos acabado de sobreviver a outro pesadelo.

Rastejei pela grama até a beira do penhasco e observei o mar. Avistei a canoa de Emma amarrada nas pedras do farol, depois do navio naufragado, mas nem sinal de Golan ou das *ymbrynes*.

— O que ele está fazendo lá? — perguntei.

— Não há como saber — respondeu Millard. — É possível que esteja esperando algum aliado aparecer em seu resgate, ou talvez pretenda fugir remando quando a maré baixar.

— Na minha canoinha? — perguntou Emma, duvidando.

— Como eu disse, não há como saber.

Três estampidos soaram sucessivamente, e todos nos abaixamos quando luzes alaranjadas brilharam no céu.

— Caem bombas por aqui, Millard? — perguntou Emma.

— Minha pesquisa abrange o comportamento dos humanos e dos animais — respondeu ele. — Não das bombas.

— Muito útil no momento — desdenhou Enoch.

— Você tem mais barcos escondidos por aqui? — perguntei a Emma.

— Infelizmente, não. Vamos que ter que ir nadando até lá.

— Nadar até lá e depois o quê? — perguntou Millard. — Ser morto?

— Vamos pensar em alguma coisa.

Ele suspirou.

— Ah, que ótimo. Um suicídio improvisado.

— Alguém tem uma ideia melhor?

Emma olhou nos olhos de cada um.

— Se eu estivesse com os meus soldados... — começou Enoch.

— Eles iriam se desfazer no mar — completou Millard.

Enoch ficou cabisbaixo. Os outros permaneceram calados.

— Então está decidido — disse Emma. — Quem vem comigo?

Levantei a mão. Bronwyn também.

— Vocês vão precisar de alguém que o acólito não consiga ver — comentou Millard. — Eu vou, se for necessário.

— Quatro já basta — disse Emma. — Espero que todos nadem bem.

Não houve tempo para repensar a decisão nem para longas despedidas. Os outros nos desejaram sorte, e lá fomos nós.

Tiramos a capa de chuva e avançamos a passos largos pelo mato, agachados como soldados, até chegarmos à trilha que levava à praia. Escorregamos sentados trilha abaixo, pequenas avalanches de areia se amontoando aos nossos pés e entrando em nossas calças.

De repente, ouvimos um barulho ensurdecedor, como se cinquenta motosserras passassem por cima da nossa cabeça. Nos abaixamos bem no momento em que um avião passou rugindo. O vento bagunçou nosso cabelo e provocou uma tempestade de areia. Cerrei os dentes, esperando a bomba que nos estraçalharia, mas nada aconteceu.

Seguimos em frente. Quando chegamos à praia, Emma nos reuniu à sua volta.

— Tem um navio naufragado entre o ponto onde estamos e o farol. Me sigam até lá, mas fiquem debaixo d'água. Não deixem que ele veja vocês. Quando chegarmos aos destroços, vamos procurá-lo e decidir o que fazer em seguida.

— Vamos resgatar nossas *ymbrynes* — disse Bronwyn.

Engatinhamos até a arrebentação e entramos na água gelada nos arrastando de bruços. No começo foi fácil, porém, quanto mais nos afastávamos da costa, mais a correnteza nos empurrava de volta para a areia. Outro avião zumbiu no céu e ergueu um spray de água gelada.

Chegamos ofegantes ao navio submerso. Só com a cabeça para fora d'água, nos agarramos ao casco enferrujado e observamos atentamente o farol e a ilhota inóspita que o abrigava, mas não vimos nem sinal do meu imprevisível psiquiatra. A lua cheia pairava baixa no céu, surgindo de vez em quando por entre as colunas de fumaça das bombas com um brilho que parecia uma imitação fantasmagórica do farol.

Avançamos lentamente pelo casco até chegar à outra ponta do navio. Para alcançar o farol, teríamos que nadar mais uns cinquenta metros em mar aberto.

— Acho que devemos fazer o seguinte — disse Emma. — Ele já viu como Bronwyn é forte, então é ela quem corre mais perigo. Jacob e eu encontramos Golan e chamamos a atenção dele enquanto Wyn chega de fininho por trás e o acerta com uma pancada na cabeça. Enquanto isso, Millard pega a gaiola. Alguém se opõe?

Como se fosse uma resposta, ouvimos um tiro. No começo não reconhecemos o que era, pois não soava como os disparos distantes e intensos que estávamos escutando. Aquele era de calibre pequeno (mais um *poc* do que um *bum*), e só quando ouvimos o segundo disparo, acompanhado de um esguicho de água próximo, compreendemos que era Golan atirando.

— Recuar! — gritou Emma.

Ficamos de pé no casco do navio e corremos até ele sumir debaixo dos nossos pés, então mergulhamos. Um instante depois, emergimos todos juntos, quase sem ar.

— E lá se vai o elemento surpresa! — exclamou Millard.

Golan parou de atirar, mas dava para vê-lo de guarda na porta do farol, empunhando a arma.

— Ele pode ser um desgraçado maligno, mas burro não é — comentou Bronwyn. — Ele sabia que a gente viria.

— Agora a gente não pode ir! — disse Emma, dando um tapa na água. — Senão ele acaba com a gente!

Millard ficou de pé no casco do navio.

— Ele não pode atirar no que não consegue ver. Eu vou lá.

— Você não é invisível no mar — disse Emma. — Dã!

Era verdade; o corpo dele abria um espaço negativo na água.

— Sou mais do que você — retrucou ele. — Eu o segui por toda a ilha e ele nem se deu conta. Acho que consigo avançar incógnito mais uns cem metros.

Não havia como discutir, porque nossas únicas alternativas eram nos dar por vencidos ou ir de encontro a uma chuva de tiros.

— Pois bem — disse Emma. — Se você acha mesmo que consegue...

— Alguém aqui tem que ser o herói — retrucou Millard, e saiu andando pelo casco.

— Essa vai para a lista de últimas palavras célebres — murmurei.

Ao longe, Golan esperava na porta do farol, na névoa. Ele se ajoelhou e apontou a arma com o braço apoiado em um corrimão.

— Cuidado! — gritei.

Mas era tarde demais. Um tiro ecoou. Millard gritou.

Todos subimos no casco e corremos até ele. Tive certeza absoluta de que também estava prestes a levar um tiro, e por um instante pensei que os borrifos de água que nossos pés levantavam eram causados na verdade por uma saraivada de balas. Mas os tiros cessaram por um instante — *Ele está recarregando a arma* —, o que nos fez ganhar um pouco de tempo.

Millard estava ajoelhado no casco, atordoado, o sangue escorrendo pelo peito. Foi a primeira vez que vi a forma de seu corpo, coberto de vermelho.

Emma o segurou pelo braço.

— Millard! Você está bem? Fale alguma coisa!

— Preciso me desculpar. Parece que tudo o que consegui foi levar um tiro.

— Temos que estancar a hemorragia! — gritou Emma. — E levar Millard de volta!

— Sem chance — retrucou ele. — Esse sujeito nunca mais vai deixar vocês se aproximarem tanto. Se voltarmos agora, com certeza vamos perder a srta. Peregrine.

Ouvimos mais tiros. Senti uma bala passar zunindo pela minha orelha.

— Por aqui! — gritou Emma. — Mergulhem!

No começo, fiquei sem saber o que ela pretendia, pois estávamos a uns trinta metros da ponta do navio naufragado, mas então vi para onde Emma estava correndo. Era para o buraco no casco, a porta que dava para o compartimento de carga.

Bronwyn e eu levantamos Millard e fomos atrás de Emma. Os projéteis de metal se chocavam no casco à nossa volta. O barulho parecia o de alguém chutando uma lata de lixo.

— Prenda a respiração — avisei a Millard.

Chegando à entrada, mergulhamos em pé. Descemos alguns degraus e paramos. Tentei manter os olhos abertos, mas a água salgada incomodava demais. Eu sentia o gosto do sangue na água.

Emma me entregou o tubo de ar, e o passamos de um para outro, mas eu estava sem fôlego por ter corrido segurando Millard, e o ar que eu conseguia pelo tubo a cada poucos segundos não bastava. Meus pulmões doíam, e comecei a ficar zonzo.

Alguém me puxou pela camisa. *Vamos subir.* Subi a escada lentamente. Bronwyn, Emma e eu emergimos apenas o suficiente para respirar e falar enquanto Millard continuava alguns metros debaixo d'água, respirando pelo tubo.

Falamos sussurrando, com os olhos fixos no farol.

— Não podemos ficar aqui — constatou Emma —, senão Millard vai morrer!

— Talvez a gente leve vinte minutos para chegar à praia — falei. — Ele pode muito bem morrer no caminho.

— Não sei o que fazer!

— O farol está perto — disse Bronwyn. — Vamos levá-lo até lá.

— Aí damos de cara com Golan e *todo mundo* morre! — exclamei.

— Isso não vai acontecer.

— Por quê? Você é a prova de balas?

— Talvez — respondeu Bronwyn, com ar de mistério, então respirou fundo e desapareceu escada abaixo.

— O que ela quis dizer? — perguntei.

Emma parecia preocupada.

— Não faço a menor ideia. Mas, seja o que for, é melhor que ela vá rápido.

Abaixei a cabeça para ver o que Bronwyn estava fazendo, mas só consegui ver Millard na escada, sob nossos pés, rodeado por peixes-lanterna curiosos. Senti o casco tremer, e em seguida Bronwyn emergiu segurando um pedaço retangular de metal de quase dois metros de altura por mais de um de largura, com um buraco redondo com rebites na parte de cima. Ela tinha arrancado a porta do compartimento de carga.

— E o que você vai fazer com isso? — perguntou Emma.

— Vou até o farol — respondeu Bronwyn, já se levantando com a porta erguida na frente do corpo.

— Ele vai atirar em você! — gritou Emma, e logo em seguida ouvimos um disparo, que ricocheteou na porta.

— Incrível! — exclamei. — É um escudo!

Emma deu uma risada.

— Wyn, você é um gênio!

— Millard vem montado nas minhas costas — instruiu ela. — Vocês, fiquem atrás.

Emma tirou Millard da água e posicionou os braços dele em volta do pescoço de Bronwyn.

— Lá embaixo é magnífico — murmurou ele. — Emma, por que nunca me contou sobre esses anjos?

— Que anjos?

— Os lindos anjos verdes que vivem ali embaixo. — Ele tremia, e sua voz parecia delirante. — Foram tão gentis... ofereceram me levar para o céu.

— Ninguém vai para o céu agora — disse Emma, parecendo preocupada. — Segure-se firme em Bronwyn, entendeu?

— Tudo bem... — respondeu ele, meio ausente.

Emma se colocou atrás de Millard, segurando-o nas costas de Bronwyn para evitar que escorregasse, e eu fiquei atrás de Emma, o último vagão de nosso trenzinho bizarro. Começamos a avançar pelo casco em direção ao farol.

Éramos um alvo grande, e Golan começou a esvaziar o pente em nossa direção. O som das balas ricocheteando na porta era ensurdecedor, mas, de alguma forma, reconfortante. De repente, depois de dar uns dez tiros, ele parou, mas eu não chegava a ser otimista de pensar que sua munição tinha acabado.

Quando chegou à extremidade do navio, Bronwyn nos levou com cuidado para o mar aberto, mantendo sempre a enorme porta à nossa frente. Nosso trenzinho virou uma fila nadando em cachorrinho logo atrás dela. Enquanto avançávamos, Emma fazia perguntas a Millard e o obrigava a respondê-las, em uma tentativa de evitar que ele perdesse a consciência.

— Millard! Quem é nosso primeiro-ministro?

— Winston Churchill. Ficou maluca?

— Qual é a capital da Birmânia?

— Ih, não faço ideia. Rangum?

— Boa! A data do seu aniversário?

— Quer parar de gritar e me deixar sangrar em paz?

Não demoramos para percorrer a distância entre o navio e o farol. Enquanto Bronwyn subia as pedras segurando nosso escudo, Golan deu mais alguns tiros, e o impacto a desequilibrou. Estávamos agachados atrás de Bronwyn quando ela cambaleou e quase escorregou pelas pedras — o que, somando-se seu peso e o da porta, teria nos esmagado, mas Emma plantou as mãos na lombar de Bronwyn e a empurrou para cima, até que por fim, a muito custo, tanto Bronwyn quanto a porta chegaram a terra firme. Engatinhamos atrás dela em pelotão, tremendo no ar frio da noite.

Com largura máxima de uns cinquenta metros, as pedras sobre as quais o farol se erguia formavam, tecnicamente, uma ilhota. Na base enferrujada da construção, doze degraus de pedra conduziam a uma porta aberta. Era onde estava Golan, apontando a arma.

Eu me arrisquei a dar uma olhada pela portinhola e vi nosso inimigo com uma gaiolinha na outra mão. Dentro, duas aves se debatiam, tão espremidas que mal dava para distinguir uma da outra.

Um tiro passou zunindo. Eu me abaixei.

— Se chegarem mais perto, eu mato as duas — gritou Golan, sacudindo a gaiola.

— É mentira — falei. — Ele precisa das *ymbrynes*.

— Como você pode saber? — retrucou Emma. — Ele é maluco!

— Bom, não podemos ficar aqui sem fazer *nada*.

— Vamos correr até lá! — disse Bronwyn. — Ele não vai saber o que fazer. Mas, se quiserem que funcione, temos que ir AGORA!

Antes mesmo de podermos opinar, Bronwyn já havia partido com tudo na direção do farol. Só nos restou segui-la — afinal, ela estava carregando nossa proteção. Logo depois, as balas já ricocheteavam na porta e tiravam lascas das pedras perto dos nossos pés.

A sensação era de estar pendurado no último vagão de um trem em alta velocidade. Bronwyn era aterrorizante: gritava como uma bárbara, as veias do pescoço a ponto de explodir, as costas e os braços sujos com o sangue de Millard. Naquele momento, fiquei muito feliz por não estar do outro lado da porta.

Estávamos próximos do farol.

— Atrás do muro, todos vocês! — gritou Bronwyn.

Emma e eu pegamos Millard e o levamos depressa para a esquerda, para nos protegermos atrás do outro lado do farol. Enquanto corríamos, vi Bronwyn erguer a porta acima da cabeça e arremessá-la em Golan.

Ouvi um estrondo, seguido por um grito. Instantes depois, Bronwyn também se escondeu atrás do muro, corada e ofegante.

— Acho que acertei ele! — exclamou, empolgada.

— E as aves? — perguntou Emma. — Você pensou nelas, pelo menos?

— Ele largou a gaiola. Elas estão bem.

— Você poderia ter falado com a gente antes de sair correndo feito uma maluca e arriscar nossa vida! — reclamou Emma.

— Shhhh — sussurrei. Ouvimos um fraco rangido metálico. — O que foi isso?

— Ele está subindo a escada — respondeu Emma.

— Melhor vocês irem atrás dele — balbuciou Millard.

Olhamos surpresos para ele, que estava apoiado no muro.

— Só depois de cuidar do seu ferimento — falei. — Algum de vocês sabe fazer um torniquete?

Bronwyn arrancou a perna da própria calça.

— Eu sei — respondeu ela. — Vou estancar o sangramento enquanto vocês vão atrás do acólito. Acertei ele em cheio, mas ainda não é suficiente. Não deixem que ele tenha tempo de se recuperar.

— Vamos? — perguntei, me virando para Emma.

— Se assim eu puder derreter a cara desse acólito — disse ela, formando pequenos arcos de fogo palpitantes entre as mãos —, então conte comigo.

*　　*　　*

Emma e eu passamos por cima da porta de metal retorcida, caída na escada, e entramos no farol, que não era mais do que um espaço estreito e extremamente alto; em suma, um cone gigantesco. Uma escadaria esquelética subia em caracol do chão até um patamar de pedra a mais de trinta metros de altura. Dava para ouvir Golan subindo os degraus, mas estava escuro demais para saber a que distância ele estava do topo.

— Você consegue enxergá-lo? — perguntei, olhando para cima, nauseado pela altura.

Minha resposta foi o tiro que ricocheteou numa parede próxima, seguido de outro que ficou cravado no chão perto dos meus pés. Pulei para trás, com o coração na boca.

— Aqui! — gritou Emma, me puxando pelo braço para o único lugar do farol onde os tiros de Golan não conseguiriam nos acertar: bem abaixo da escada.

Subimos alguns degraus, que já estavam balançando feito um barco no meio de uma tempestade.

— Essa escada é de matar de medo! — exclamou Emma, segurando-se ao corrimão com tanta força que as juntas de seus dedos estavam brancas. — Mesmo se chegarmos ao topo sem cair, ele vai acabar atirando em nós!

— Se não dá para subir, talvez a gente possa fazê-lo descer.

Comecei a me balançar de um lado para o outro, enquanto puxava o corrimão com força e batia os pés nos degraus para fazer a estrutura tremer de cima a baixo. Por um instante, Emma me olhou como se eu tivesse enlouquecido, mas logo entendeu minha ideia e começou a bater os pés e a se balançar comigo. Em pouco tempo a escada já sacudia com violência.

— E se isso tudo vier abaixo? — perguntou ela, aos gritos.

— Vamos torcer para isso não acontecer!

Balançamos ainda mais forte, e com isso uma chuva de porcas e parafusos começou a cair. O corrimão sacudia com tamanha violência que eu mal conseguia me segurar. Ouvi Golan gritar uma sequência espetacular de palavrões, então algo retiniu escada abaixo e caiu perto de nós.

A primeira coisa que eu pensei foi: *Ah, meu Deus. E se foi a gaiola?* Desci a escada correndo e passei por Emma para descobrir o que era.

— O que está fazendo?! Ele vai atirar em você!

— Não vai, não! — respondi, erguendo, triunfante, a arma de Golan.

A arma era pesada e estava quente depois de tantos tiros disparados. Eu não sabia se ainda estava carregada nem como descobrir isso naquele breu. Tentei (em vão) me lembrar de alguma coisa útil de uma das poucas aulas de tiro que meu avô tinha recebido permissão para me dar, mas acabei correndo de volta para a escada e ficando perto de Emma.

— Ele está encurralado lá no alto — falei. — Temos que ir devagar, tentar argumentar, porque ninguém sabe o que ele pode fazer com as aves.

— Meu argumento vai ser jogá-lo escada abaixo — respondeu Emma, cerrando os dentes.

Começamos a subir. A escada tremia muito e era tão estreita que só podíamos ir um atrás do outro, abaixando a cabeça para não bater nos degraus acima. Rezei para que nenhuma das partes principais da escada tivesse cedido de tanto a sacudirmos.

Quando estávamos quase no topo, reduzimos o ritmo. Não tive coragem de olhar para baixo; naquele momento, só conseguia me concentrar nos meus pés nos degraus, na minha mão deslizando no corrimão trêmulo e na outra segurando a pistola. Nada mais existia.

Eu me preparei para um ataque a qualquer momento, mas não aconteceu. A escada dava para uma abertura no patamar de pedra acima das nossas cabeças, pelo qual eu conseguia sentir o frio cortante do ar noturno e ouvir o sussurro do vento. Ergui a pistola na frente, depois apareci com a cabeça pela passagem. Eu estava tenso e pronto para a briga, mas não via Golan. De um lado girava a enorme lâmpada do farol, protegida por um vidro espesso. Eu estava tão perto dela que, para não ficar cego, era obrigado a fechar os olhos quando o feixe de luz passava por meu rosto. Do outro lado havia uma grade de proteção comprida. Depois, só o vazio: o equivalente a dez andares de ar e, lá embaixo, nada além de rochas e um mar em fúria.

Subi na plataforma estreita e me virei para oferecer a mão a Emma. Ficamos parados lá em cima, com as costas no vidro quente que protegia a lâmpada do farol e de frente para o vento gelado.

— A Ave está por perto — sussurrou Emma. — Eu sinto isso.

Ela girou o punho, e uma intensa bola de fogo vermelha surgiu de sua mão. Algo na cor e na intensidade da chama deixava claro que daquela vez ela não tinha produzido uma luz, mas uma arma.

— Melhor a gente se separar — falei. — Você vai por um lado e eu vou pelo outro. Assim, ele não vai conseguir fugir sem ser visto.

— Estou com medo, Jacob.

— Eu também. Mas ele está ferido, e nós temos a arma dele.

Ela assentiu com a cabeça e tocou no meu braço, então virou as costas para mim.

Contornei a lâmpada devagar, empunhando a arma talvez carregada, e aos poucos o que havia do outro lado começou a se revelar.

Vi Golan encostado na grade de proteção, de cócoras e cabisbaixo, com a gaiola entre os joelhos. Seu nariz tinha um corte profundo que sangrava bastante, e filetes vermelhos riscavam seu rosto como lágrimas.

Uma luzinha vermelha presa às barras da gaiola piscava a cada poucos segundos.

Dei outro passo à frente, e ele levantou a cabeça e me viu. Seu rosto estava coberto de sangue ressecado, o olho branco estava vermelho e injetado, e ele salivava pelos cantos da boca.

Golan pegou a gaiola e se levantou, vacilante.

— Coloque a gaiola no chão — ordenei.

Ele se agachou como se fosse obedecer, mas tentou me driblar e saiu em disparada. Gritei e fui atrás dele, mas assim que sumiu atrás da lâmpada eu vi o brilho da bola de fogo de Emma iluminando o concreto. Golan voltou uivando de dor, com o cabelo fumegante e cobrindo o rosto com o braço.

— Pare! — gritei.

Ele percebeu que não tinha para onde fugir, então levantou a gaiola para se proteger e a sacudiu com violência. As aves grasnaram e tentaram bicar sua mão através das barras.

— É isso que vocês querem? — gritou Golan. — Vá em frente, me queime! As aves vão pegar fogo também! Atire em mim, e eu vou jogá-las daqui de cima!

— Não se eu atirar na sua cabeça!

Ele deu uma risada.

— Você não seria capaz de atirar em alguém nem se quisesse. Você esquece que eu sou intimamente familiar com a sua pobre, frágil psique. Se atirasse, teria pesadelos.

Tentei me imaginar curvando o dedo no gatilho e o apertando. O coice da pistola e o estampido terrível. O que havia de tão difícil? Por que minha mão tremia só de eu pensar na possibilidade? Quantos acólitos meu avô tinha matado? Dezenas? Centenas? Se fosse ele no meu lugar, Golan já estaria morto, abatido quando estava de cócoras, atordoado na grade. Eu já tinha desperdiçado aquela oportunidade; uma fração de segundo de indecisão e medo que talvez custasse a vida das *ymbrynes*.

A lâmpada gigante passou à nossa frente, nos iluminando e nos transformando em silhuetas brancas incandescentes. Golan, de frente para a lâmpada, fez uma careta e virou o rosto. *Mais uma chance perdida*, pensei.

— Ponha a gaiola no chão e venha com a gente — falei. — Ninguém mais precisa se machucar.

— Não sei, não — disse Emma. — Se Millard não sobreviver, talvez eu repense isso.

— Vocês querem me matar? — perguntou Golan. — Certo, acabem logo com isso. Mas só vão adiar o inevitável. Isso sem contar que só vão piorar a própria situação. Agora já sabemos onde encontrar vocês. Outros iguais a mim estão a caminho, e posso garantir que, em comparação com o efeito colateral que eles vão provocar, o que fiz com seu amigo vai parecer caridade.

— Acabar *logo* com isso? — repetiu Emma, a chama faiscando em suas mãos. — E quem disse que vai ser rápido?

— Eu já avisei, vou matar as aves — ameaçou Golan, abraçando a gaiola.

Emma deu um passo na direção dele.

— Eu tenho oitenta e oito anos. Tenho cara de quem precisa de um par de babás? — Sua expressão era dura, impenetrável. — Nem sei há quanto tempo não aguentávamos mais ficar debaixo das asas dessa mulher. Juro que você vai nos fazer um favor.

Nervoso, Golan balançava a cabeça, nos olhando de cima a baixo. *Ela está falando sério?* Por um momento, ele pareceu verdadeiramente assustado, mas então respondeu:

— Você está blefando!

Emma esfregou as mãos e as afastou lentamente, invocando uma ampla faixa de fogo.

— Vamos descobrir, então — desafiou ela.

Eu não sabia até que ponto Emma levaria aquilo adiante, mas precisava intervir antes que as aves acabassem pegando fogo ou caindo no abismo.

— Diga o que quer com as *ymbrynes*, e talvez ela pegue leve com você — aconselhei.

— Só queremos terminar o que começamos — respondeu Golan. — Sempre foi isso.

— Está falando do experimento? — disse Emma. — Vocês já tentaram uma vez, e veja só no que deu. Acabaram virando monstros!

— Sim, mas como a vida seria entediante se sempre acertássemos de primeira! — Ele sorriu. — Desta vez vamos reunir os talentos de todas as melhores manipuladoras do tempo de todo o planeta, como essas duas aqui. Não vamos falhar de novo. Já tivemos cem anos para descobrir o que deu errado. No fim das contas, só precisávamos de uma reação mais forte!

— Uma reação *mais forte?* — repeti. — Da última vez vocês explodiram metade da Sibéria!

— Se é para errar, que seja um erro espetacular!

Eu me lembrei do sonho profético de Horace, sobre nuvens de cinzas e terra arrasada, e compreendi o que ele tinha visto. Se os acólitos e os etéreos falhassem de novo, destruiriam muito mais do que oitocentos quilômetros de florestas inabitadas. E, caso acertassem e se transformassem nos semideuses imortais que sempre haviam sonhado ser… Tive um calafrio só de imaginar. Viver sob o domínio deles seria um inferno por si só.

A luz do farol deu mais uma volta e cegou Golan outra vez. Meu corpo se enrijeceu e me preparei para atacá-lo, mas o momento passou rápido demais.

— Não importa — disse Emma. — Pode sequestrar quantas *ymbrynes* quiser. Elas nunca vão ajudar vocês.

— Ah, vão, sim. Senão, vamos matá-las uma a uma. E, se isso não funcionar, vamos matar *vocês* um a um e obrigá-las a assistir.

— Você é louco! — exclamei.

As aves começaram a entrar em pânico e grasnar. Golan gritou ainda mais forte:

— Não! Loucos *mesmo* são vocês, peculiares, que se escondem do mundo quando poderiam governá-lo; sucumbem à morte quando poderiam dominá-la; deixam o lixo genético comum que é a raça humana empurrá-los para a clandestinidade, quando poderiam facilmente transformar todos eles em escravos, o que não seria nada mais do que justo! — A cada frase, ele sacudia a gaiola. — *Isso*, sim, é loucura!

— Pare! — exclamou Emma.

— Quer dizer que você se *importa*, sim!

Golan balançou a gaiola ainda mais forte. De repente, a luzinha vermelha presa às barras começou a brilhar com o dobro da intensidade, o que fez Golan balançar a cabeça e procurar algo no escuro atrás de si. Em seguida, ele voltou a olhar para Emma.

— É isso o que você quer? Então toma!

Ele recuou o braço e pareceu que ia jogar a gaiola no rosto de Emma. Ela gritou e se abaixou. Fazendo o movimento de um arremessador de disco, Golan girou o corpo até a gaiola passar por cima de Emma e finalmente a lançou. A gaiola voou de sua mão, passou por cima da grade e caiu dando cambalhotas até ser engolida pela noite.

Soltei um palavrão. Emma gritou e se jogou contra a grade, agarrando o ar enquanto a gaiola caía no mar. Nesse momento de confusão, Golan pulou para cima de mim e me derrubou, depois me deu um soco na barriga e outro no queixo.

Fiquei tonto e sem ar. Ele tentou tomar a arma de mim, e precisei de todas as minhas forças para impedir. Foi então que me dei conta: se ele a queria tanto, devia estar carregada. Eu a teria jogado por cima da grade, mas ele já estava prestes a tirá-la de mim, e eu não podia soltá-la. Emma gritava *Desgraçado, seu desgraçado!*, e então suas mãos em chamas surgiram por trás dele e o agarraram pelo pescoço.

Ouvi a carne de Golan chiar como um bife gelado em contato com a chapa quente. Ele uivou de dor e caiu, seu cabelo ralo pegando fogo. Mas logo em seguida suas mãos se fecharam no pescoço de Emma, como se ele não se importasse em se queimar, desde que conseguisse estrangulá-la. Eu me levantei de um pulo, ergui a arma com as duas mãos e a apontei para ele.

Por um breve instante, tive uma chance clara de acertá-lo. Tentei esvaziar a mente e me concentrar apenas em firmar os braços, criando uma linha imaginária que ia do meu ombro ao alvo: a cabeça de um homem. Não, não de um homem, mas da deformação do que um dia fora um homem. Uma coisa. Uma força que havia organizado o assassinato do meu avô, implodido tudo aquilo que eu humildemente havia chamado de vida — por mais mal vivida que pudesse ser. Uma força que tinha me levado até aquele lugar e aquele momento, de um jeito muito parecido com as forças menos más e violentas que tinham vivido e tomado decisões por mim desde que eu tinha idade suficiente para decidir sobre qualquer coisa. *Relaxe as mãos, puxe o ar, prenda a respiração.* Naquele momento, eu tinha a chance de revidar — uma chance mínima que eu já sentia começar a escapar entre os dedos.

Aperte o gatilho.

A arma deu um coice nas minhas mãos, e o tiro soou como se a terra estivesse se abrindo, tão terrível e repentino que fechei os olhos. Quando voltei a abri-los, tudo parecia estranhamente paralisado. Apesar de Golan estar atrás de Emma, imobilizando os braços dela enquanto a conduzia à força para a grade, parecia que os dois estavam fundidos em bronze. Será que as *ymbrynes* haviam se transformado em humanas e lançado sua magia em nós? Mas de repente tudo voltou a se pôr em movimento. Emma se desvencilhou de Golan, que cambaleou para trás, tropeçou e caiu sentado na grade.

Surpreso, ele me encarou boquiaberto e tentou articular alguma coisa, mas descobriu que não conseguia. Então, levou as mãos ao buraco do tamanho de uma moeda que eu tinha feito em sua garganta. O sangue brotou entre seus dedos e desceu pelos braços. Por fim, suas forças se esgotaram, ele caiu para trás e se foi.

No momento em que sumiu da nossa vista, Golan foi esquecido. Emma apontou para o mar e gritou:

— Olhe ali! Ali!

Segui a direção de seu dedo e olhei com atenção. Ao longe, distingui vagamente o brilho de um LED vermelho balançando nas ondas. Corremos para dentro do farol e descemos a escada bamba a toda velocidade. Não tínhamos muitas esperanças de alcançar a gaiola antes de ela afundar para sempre, mas mesmo assim decidimos tentar.

Saímos às pressas do farol e vimos Millard com um torniquete, Bronwyn ao lado. Ele gritou alguma coisa que não consegui escutar direito, mas bastou para me convencer de que continuava vivo. Segurei Emma pelo ombro e gritei *A canoa!*, apontando na direção da pedra onde Golan a amarrara, mas só então me dei conta de que estava longe demais; estávamos do lado errado do farol e não daria tempo de pegá-la. Emma me arrastou para o mar aberto, e, sem pensar duas vezes, mergulhamos.

Mal senti o frio. Só conseguia pensar em alcançar a gaiola antes que desaparecesse sob as ondas. Nadamos em frente, cuspindo água e engasgando quando ondas negras batiam em nosso rosto. Era difícil dizer a que distância estávamos do sinalizador, nada mais do que um simples ponto de luz em um oceano agitado de escuridão. O sinal subia e descia, ia e vinha, e por duas vezes o perdemos de vista e tivemos que parar para procurá-lo freneticamente até voltar a localizá-lo.

A forte correnteza carregava a gaiola para o oceano e nos levava junto. Se não a pegássemos logo, nossos músculos não aguentariam o esforço e acabaríamos nos afogando. Guardei esse pensamento mórbido para mim quanto pude, mas o ponto luminoso sumiu pela terceira vez, e o procuramos por tanto tempo que nem sabíamos mais ao certo onde havia sumido naquele mar negro e bravo.

— Temos que voltar! — gritei.

Emma não me deu ouvidos. Seguiu nadando à minha frente, mar adentro. Agarrei seus pés, mas ela se soltou, dando chutes.

— A gaiola sumiu! — gritei. — Não vamos conseguir!

— Cale a boca! Cale a boca! — gritou Emma, e, pela sua respiração ofegante, percebi que estava tão exausta quanto eu. — Cale a boca e procure!

Agarrei Emma e gritei com ela, mas ela tentou me chutar. Quando percebeu que eu não iria soltá-la e que não conseguiria me forçar a isso, começou a chorar, um uivo desesperado, sem dizer uma palavra.

Tentei arrastá-la de volta para o farol, mas ela parecia uma pedra, me puxando para baixo d'água.

— Você tem que nadar! — gritei. — Senão vamos nos afogar!

Foi então que vi um brilho vermelho quase imperceptível. Estava perto, pouco abaixo da superfície da água. No começo, não falei nada, com medo de ter sido apenas fruto da minha imaginação, mas então a luz piscou outra vez.

Emma começou a gritar de alegria. A impressão era de que a gaiola tinha ido parar sobre outro navio naufragado, pois de que outra maneira ficaria parada em um ponto tão raso? Como a gaiola havia acabado de afundar, eu me permiti pensar que talvez as aves ainda estivessem vivas.

Nadamos e nos preparamos para mergulhar e ir até lá, apesar de eu não saber de onde tiraríamos fôlego, de tão esgotados que estávamos. Então, estranhamente, a gaiola pareceu subir na nossa direção.

— O que está acontecendo? — perguntei, aos gritos. — Isso é outro navio naufragado?

— Não pode ser. Não tem nenhum aqui.

— Então o que será?!

Parecia uma baleia comprida, larga e cinzenta prestes a emergir, ou um navio fantasma saindo de sua tumba. De repente, uma espécie de onda poderosa veio de baixo e nos empurrou para longe. Tentamos nadar contra a correnteza, mas o mar nos sacudia como se não passássemos de destroços à deriva no meio de um maremoto. Então, a massa disforme alcançou nossos pés e também nos obrigou a subir, montados em seu dorso.

A coisa saiu da água abaixo de nós, chiando e retinindo feito um monstro mecânico gigantesco. Fomos pegos por um redemoinho de ondas espumantes vindas de todos os lados que nos atirou violentamente contra uma superfície de grades metálicas. Nós dois nos agarramos àquilo para não sermos varridos para o mar. Estreitei os olhos e tentei enxergar alguma coisa através do spray de água salgada, e descobri que a gaiola estava presa entre o que pareciam ser duas barbatanas, uma pequena e outra grande, que despontavam do dorso do monstro. Nesse momento, a luz do farol passou iluminando a área, e, com a claridade, percebi que não eram barbatanas, mas uma torre de comando e um enorme canhão fixo. Não estávamos montados em um monstro, um navio naufragado ou uma baleia...

— É um submarino alemão! — gritei.

Não podia ser coincidência que aquela embarcação tivesse subido bem debaixo dos nossos pés. Com certeza, Golan estava esperando por ela.

Emma já estava de pé e corria pelo convés oscilante na direção da gaiola. Eu me levantei com dificuldade, mas, quando comecei a correr atrás dela, uma onda varreu o convés e nos derrubou.

Ouvi um grito. Quando ergui a cabeça, vi um homem de uniforme cinza saindo de uma escotilha na torre de comando com uma pistola apontada para nós.

Ele disparou uma saraivada de balas, que retiniram no convés. Estávamos muito longe da gaiola — ele nos faria em pedacinhos antes que a alcançássemos —, mas percebi que Emma iria tentar mesmo assim.

Corri para detê-la, e rolamos pelo convés até cair no mar. As ondas negras se fecharam sobre nossas cabeças enquanto as balas bombardeavam a água e deixavam trilhas de bolhas.

Quando voltamos à superfície, Emma me agarrou e gritou:

— Por que você fez isso? Eu estava quase pegando a gaiola!

— Ele ia matar você! — retruquei, fazendo força para me soltar.

Então percebi que Emma estava tão concentrada na gaiola que nem tinha visto o homem. Apontei para o convés, onde o atirador caminhava a passos largos na direção das aves. Ele pegou a gaiola e a sacudiu. A portinha se abriu, e pensei ter visto algo se mexer dentro dela — um motivo para ter esperança. Nesse momento, o farol varreu tudo ao nosso redor, e vi claramente o rosto do homem, a boca curvada em um sorriso malicioso, os olhos insondáveis e opacos. Era um acólito.

Ele enfiou a mão na gaiola e tirou uma ave encharcada lá de dentro. Do passadiço, outro soldado assobiou para o acólito, que correu de volta para a escotilha carregando a ave.

O submarino começou a chacoalhar e ranger. A água ao nosso redor borbulhava como se estivesse fervendo.

— Nade, senão o submarino vai puxar a gente para baixo junto com ele! — gritei para Emma, mas ela não me escutou. Seus olhos estavam fixos em outro lugar: um ponto de água escura próximo da popa do submarino.

Emma nadou naquela direção. Tentei impedi-la, mas ela se livrou de mim. Logo depois, acima do gemido do submarino, ouvi um grito alto e agudo. Era a srta. Peregrine.

Estava boiando entre as ondas, se esforçando para manter a cabeça acima da água, batendo uma asa enquanto a outra parecia quebrada. Emma a pegou. Avisei que precisávamos sair dali.

Começamos a nadar para nos afastar dali, com o pouco de força que nos restava. Atrás de nós, um redemoinho se abria, e a água deslocada pelo submarino voltava a toda velocidade para preencher o vazio que ele ia deixando ao submergir.

O mar estava se consumindo e tentando nos consumir também. No entanto, contávamos com um barulhento e alado símbolo da vitória — ou pelo menos uma vitória parcial —, o que nos deu energia suficiente para lutar contra a correnteza mais forte.

Então, ouvimos nossa musculosa amiga Bronwyn gritar nossos nomes enquanto atravessava as ondas para nos resgatar.

* * *

Emma e eu estávamos deitados nas pedras sob o céu que começava a clarear, respirando com dificuldade e tremendo de exaustão. Millard e Bronwyn nos fizeram uma porção de perguntas, mas não tínhamos fôlego para respondê-las. Eles tinham visto o corpo de Golan cair, o submarino aparecer na superfície e sumir e a srta. Peregrine sair da água, mas não a srta. Avocet; isso bastava para imaginarem o resto da história. Eles nos abraçaram até pararmos de tremer, e Bronwyn colocou a diretora debaixo do braço, para aquecê-la. Quando já nos sentíamos um pouco melhores, recuperamos a canoa de Emma e remamos de volta para a praia.

No momento em que chegamos, todas as crianças entraram na água rasa para nos receber.

— A gente ouviu tiros!

— Que navio estranho era aquele?

— Cadê a srta. Peregrine?

Saímos da canoa, e Bronwyn levantou a camisa para mostrar a ave aninhada ali. As crianças se amontoaram, e a srta. Peregrine ergueu o bico e grasnou, mostrando que estava cansada, mas bem. Todos gritaram de alegria.

— Vocês conseguiram! — exclamou Hugh.

Olive fez uma dancinha, cantando:

— A Ave, a Ave, a Ave! Emma e Jacob salvaram a Ave!

Mas a comemoração foi breve. Logo as crianças notaram a ausência da srta. Avocet e o estado alarmante de Millard. O torniquete estava bem firme, mas ele havia perdido muito sangue e ficava cada vez mais fraco. Enoch lhe ofereceu o casaco e Fiona lhe deu seu gorro de lã.

— Vamos levar você ao médico do vilarejo — disse Emma a ele.

— Bobagem — retrucou Millard. — Ele nunca conheceu um garoto invisível e não saberia o que fazer se encontrasse um. Ou trataria o lugar errado ou sairia correndo aos gritos.

— Não importa se ele sair correndo aos gritos — disse Emma. — Assim que a fenda reiniciar, ele não vai se lembrar de nada.

— Olhe em volta. A fenda deveria ter sido reiniciada há uma hora.

Millard tinha razão. O céu estava calmo, a batalha havia acabado, mas as colunas de fumaça ainda se misturavam às nuvens.

— Isso não é bom — constatou Enoch, e todos ficaram quietos.

— De qualquer maneira, tudo de que eu preciso para me curar está na casa — disse Millard. — É só vocês me darem um pouco de láudano e limparem a ferida com álcool. A bala só pegou na carne. Em três dias vou estar novinho em folha.

— Mas ainda está sangrando — disse Bronwyn, apontando para as gotas vermelhas que pingavam na areia.

— Então amarre essa droga de torniquete com mais força!

Bronwyn obedeceu, e Millard gemeu de um jeito que fez todo mundo se encolher, depois desmaiou nos braços dela.

— Ele está bem? — perguntou Claire.

— Só apagou — respondeu Enoch. — Ele não está tão bem quanto finge.

— O que a gente faz agora?

— Pergunte à srta. Peregrine! — exclamou Olive.

— Sim. Ponha a ave no chão para ela poder se transformar — indicou Enoch. — Ela não vai poder dizer nada enquanto continuar nessa forma.

Bronwyn a colocou em uma área seca da areia, e todos nos afastamos e esperamos. A srta. Peregrine deu alguns pulinhos e bateu a asa boa, depois girou a cabeça emplumada e olhou para nós — mas isso foi tudo. Ela continuou na forma de ave.

— Talvez ela queira um pouco de privacidade — sugeriu Emma. — Vamos ficar de costas.

Foi o que fizemos, formando um círculo ao redor dela.

— Já pode ir — disse Olive. — Ninguém está olhando.

Um minuto depois, Hugh deu uma espiada.

— Nada. Ainda ave.

— Talvez ela esteja cansada demais e morrendo de frio — disse Claire.

Como a maioria concordou que isso era plausível, decidimos voltar para casa, tratar Millard com os remédios que tivéssemos e torcer para que, depois de descansar um pouco, tanto a diretora quanto a fenda voltassem ao normal.

CAPÍTULO ONZE

Marchamos pela trilha íngreme e atravessamos a colina como se fôssemos uma companhia de veteranos de guerra esgotados, em fila indiana e de cabeça baixa. Bronwyn carregava Millard nos braços, e a srta. Peregrine tinha se aconchegado na espécie de ninho formado pelo cabelo emaranhado de Fiona. A paisagem estava tomada por crateras fumegantes e terra recém-revirada, como se algum cachorro gigante tivesse cavado o terreno todo. Todos nos perguntávamos o que nos aguardava ao chegar à casa, mas ninguém ousava fazer essa pergunta em voz alta.

A resposta veio antes mesmo de sairmos da floresta. Enoch chutou alguma coisa sem querer e se abaixou para enxergar o que era. Viu um tijolo meio queimado.

O pânico se instalou. As crianças começaram a correr pela trilha. Ao chegarem ao jardim, os mais novos começaram a chorar. Havia fumaça por toda parte. A bomba não tinha pousado no dedo de Adão, como de costume, mas o partido ao meio e explodido. Os fundos da casa tinham se reduzido a uma pilha fumegante de escombros. Pequenos focos de incêndio ardiam na estrutura carbonizada de dois quartos. Onde antes ficava o arbusto de Adão havia uma cratera tão funda que caberia uma pessoa de pé. Foi fácil visualizar o que o lugar se tornaria no futuro: aquela ruína deprimente e profanada que eu tinha descoberto semanas antes. A casa do pesadelo.

A srta. Peregrine saltou do cabelo de Fiona e começou a correr de um lado para outro pelo gramado chamuscado, grasnando.

— Diretora, o que houve? — perguntou Olive. — Por que ainda não se transformou?

A srta. Peregrine só conseguia grasnar. Parecia tão confusa e amedrontada quanto todos nós.

— Por favor, volte a ser humana! — implorou Claire, se ajoelhando diante dela.

A diretora batia a asa boa, pulava e parecia se esforçar, mas ainda assim não conseguia se transformar. As crianças a rodearam, preocupadas.

— Tem algo errado — constatou Emma. — Se ela pudesse virar humana, já teria feito isso.

— Talvez seja por isso que a fenda temporal não reiniciou — arriscou Enoch. — Vocês se lembram do acidente que a srta. Kestrel* sofreu na estrada, quando ela foi arremessada da bicicleta? Ela bateu a cabeça e ficou na forma de ave por uma semana. Foi quando a fenda temporal dela parou de funcionar.

— E o que isso tem a ver com a srta. Peregrine?

Enoch suspirou.

— Talvez ela só tenha batido a cabeça e só precisemos esperar até que se recupere.

— Uma coisa é um caminhão a toda — retrucou Emma. — Passar por maus bocados nas mãos de acólitos é outra completamente diferente. Não dá para saber o que aquele desgraçado fez com a srta. Peregrine antes de a gente chegar ao farol.

— Acólitos? No plural?

— Foram acólitos que levaram a srta. Avocet — falei.

— Como você sabe? — perguntou Enoch.

— Eles eram aliados de Golan, não eram? E eu vi os olhos do homem que tentou atirar em nós. Não tenho a menor dúvida.

— Então já podemos dar a srta. Avocet por morta — disse Hugh. — Com certeza vão matá-la.

— Talvez não — discordei. — Pelo menos não por enquanto.

— Se tem uma coisa que eu sei sobre os acólitos, é que eles matam peculiares — disse Enoch. — É da natureza deles. É o que eles fazem.

— Não, Jacob tem razão — disse Emma. — Antes de morrer, o acólito nos contou por que eles têm sequestrado as *ymbrynes*. Eles vão obrigá-las a produzir de novo a reação que criou os etéreos, só que maior. Bem maior.

Ouvi alguém abafar o choro. Todos os outros ficaram em silêncio. Olhei ao redor à procura da srta. Peregrine e a encontrei pousada com um ar triste na beira da cratera onde antes havia o arbusto de Adão.

— Temos que detê-los — disse Hugh. — Temos que descobrir para onde estão levando as *ymbrynes*.

---

* Em português, "franceiro". (N. da E.)

— Mas como? — perguntou Enoch. — Seguindo um submarino?

Ouvi alguém pigarrear alto atrás de mim, para chamar nossa atenção. Quando nos viramos, vimos Horace sentado no chão de pernas cruzadas.

— Eu sei para onde estão indo — disse ele, baixinho.

— Como assim você sabe?

— Não importa como ele sabe; ele *sabe* — disse Emma. — Para onde estão levando a srta. Avocet, Horace?

Ele balançou a cabeça.

— Não sei o nome, mas vi o lugar.

— Então desenhe o que viu — pedi.

Ele pensou por um momento e então se levantou com ar solene. Parecendo um evangelizador maltrapilho naquele terno preto rasgado, foi até uma pilha de cinzas que tinham escapado por um buraco na parede da casa e pegou no chão um punhado de fuligem. Então, sob o luar suave, fez movimentos amplos com a mão para pintar em uma das paredes deterioradas.

Fomos até lá. Ele desenhou uma fileira de listras verticais cortadas por espirais com um traço mais fino, como se fosse uma grade com arame farpado no topo. De um lado havia uma floresta sombria. O chão estava coberto de neve, representada em preto. E só.

Quando terminou, Horace cambaleou para trás e se sentou pesadamente na grama, com um olhar distante e vazio. Emma tocou seu ombro com delicadeza e perguntou:

— Horace, o que mais você sabe sobre esse lugar?

— Fica em um lugar frio.

Bronwyn deu um passo à frente para observar o desenho. Ela segurava Olive pelo braço, a cabeça da menina pousada suavemente em seu ombro.

— Para mim, parece uma prisão — disse.

Olive levantou a cabeça.

— Bem, e então? — disse ela, baixinho. — Quando a gente vai?

— Para onde? — perguntou Enoch, erguendo os braços. — Isso é só um monte de rabiscos!

— Fica em *algum lugar* — retrucou Emma, virando-se para encará-lo.

— Mas não podemos simplesmente ir para um lugar qualquer com neve e procurar uma prisão.

— E também não podemos ficar aqui.

— Por que não?

— Olhe o estado deste lugar. Olhe a diretora. A gente passou muito tempo aqui, mas acabou.

Enoch e Emma discutiram por um tempo, cada um defendendo o próprio ponto de vista, e as crianças tomaram partido. Os que estavam a favor de Enoch argumentavam que haviam passado tempo demais distantes do mundo, que se fossem embora acabariam sendo vitimados pela guerra ou capturados pelos etéreos. Segundo eles, era melhor permanecer ali, onde pelo menos conheciam o terreno. Os outros rebatiam afirmando que a guerra e os etéreos já os haviam encontrado e que não tinham mais escolha. Os etéreos e os acólitos voltariam para buscar a srta. Peregrine, e em número ainda maior. Isso sem falar no próprio estado em que ela se encontrava.

— Vamos procurar outra *ymbryne* — sugeriu Emma. — Se alguém sabe como ajudar a diretora, é uma das amigas dela.

— Mas e se todas as outras fendas temporais também tiverem parado de funcionar? — perguntou Hugh. — E se todas as *ymbrynes* já tiverem sido sequestradas?

— Não podemos pensar desse jeito. *Alguma* deve ter sobrado.

— Emma tem razão — disse Millard, deitado no chão com a cabeça apoiada em um pedaço de alvenaria, como se fosse um travesseiro. — Se a alternativa é esperar e simplesmente torcer para que não venham mais etéreos atrás de nós ou que a diretora se recupere, acho que na verdade não temos alternativa.

Envergonhados, os dissidentes acabaram concordando em abandonar a casa. Empacotariam seus pertences, solicitariam algumas embarcações atracadas na baía e, pela manhã, todos partiriam.

Perguntei a Emma como eles fariam para se orientar; afinal, nenhuma das crianças tinha saído da ilha em quase oitenta anos, e a srta. Peregrine não podia falar nem voar.

— Temos um mapa — respondeu ela, virando a cabeça lentamente e olhando para a casa fumegante. — Quer dizer, se não tiver sido queimado.

Eu me ofereci para ajudar a procurá-lo.

Cobrimos o rosto com roupas molhadas e nos aventuramos no interior da casa, entrando pela parede destruída. As janelas estavam estilhaçadas, e o ar, carregado de fumaça, mas com o brilho do fogo na mão de Emma encontramos o caminho para a biblioteca. Todas as estantes tinham caído umas por cima das outras, como peças de dominó, mas nós as empurramos de lado, nos agachamos e reviramos os livros espalhados pelo chão. Por sorte, foi fácil encontrar o mapa — era o maior volume da biblioteca. Emma gritou de alegria e o ergueu.

A caminho da saída, encontramos álcool, láudano e ataduras para Millard. Assim que ajudamos a limpar a ferida e pôr um curativo, nos sentamos para examinar o livro. Era mais um atlas do que um mapa, com encadernação de couro acolchoado e tingido de um bordô bem escuro, cada página cuidadosamente ilustrada e em papel que parecia ser de pergaminho. Era uma obra muito bonita e muito antiga, tão grande que ocupava todo o colo de Emma.

— Nós o chamamos de *Mapa dos dias* — explicou ela. — Tem a localização de todas as fendas temporais conhecidas.

A página em que ela havia aberto parecia um mapa de Turquia, embora não houvesse nenhuma indicação das estradas e das fronteiras. Em vez disso, havia pequenas espirais espalhadas, as quais entendi que fossem a localização das fendas. No meio de cada espiral havia um símbolo único que correspondia a uma legenda no pé da página, onde eles reapareciam ao lado de uma lista de números. Apontei para uma que dizia *29/3/316-?/?/399* e perguntei:

— O que é isso? Algum código?

Ela passou o dedo na linha da espiral.

— Esta fenda levava a 29 de março de 316 d.C. e existiu até algum momento do ano de 399, mas não sabemos exatamente o dia e o mês.

— O que aconteceu em 399?

Emma deu de ombros.

— Aqui não diz.

Virei a página e abri em um mapa da Grécia, ainda mais cheio de mapas e números que o anterior.

— Mas de que adianta marcar todas elas? Como vocês conseguiriam chegar a essas fendas antigas?

— Saltando de uma para a outra — interveio Millard. — É muito complexo e arriscado, mas, se nos deslocamos para uma fenda aberta cinquenta anos atrás, por exemplo, descobrimos que podemos acessar um monte de fendas que deixaram de existir nesses cinquenta anos. Se você entrar nelas, vai encontrar outras fendas mais, e assim por diante, exponencialmente.

— Isso é viagem no tempo — constatei, atônito. — Viagem no tempo *de verdade*.

— Acho que sim.

— Então, este lugar... — falei, apontando para o desenho que Horace fizera na parede. — A gente teria que descobrir não só *onde* fica, mas também *quando*?

— Infelizmente, é isso mesmo. E, se a srta. Avocet foi mesmo capturada por acólitos, que têm fama de ser muito bons em saltos no tempo, é bem provável que ela e as outras *ymbrynes* tenham sido levadas para algum lugar no passado. Isso dificulta muito a busca, além de ser bem mais perigoso. Nossos inimigos conhecem bem a localização das fendas antigas e costumam ficar à espreita perto da entrada delas.

— Então, que bom que eu vou com vocês — falei.

Emma se virou para mim.

— Ah, que ótimo! — exclamou ela, e me abraçou. — Tem certeza?

Confirmei que iria. Mesmo exaustas, as crianças comemoraram com gritos e palmas. Algumas me abraçaram. Até Enoch apertou minha mão. Mas, quando voltei a olhar para Emma, seu sorriso havia desaparecido.

— Qual é o problema? — perguntei.

Ela se agitou, incomodada.

— Tem uma coisa que você precisa saber, mas tenho medo de que isso faça você desistir de vir com a gente.

— Isso não vai acontecer — garanti.

— Quando a gente for embora daqui, a fenda vai se fechar — disse ela. — Talvez você nunca mais consiga voltar para o tempo de onde veio. Pelo menos, não facilmente.

— Não tem nada que me prenda lá — retruquei depressa. — Mesmo que eu pudesse voltar, não sei se iria querer.

— Isso é o que você diz agora. Mas preciso que tenha certeza.

Fiz que sim com a cabeça, então me levantei.

— Aonde você vai? — perguntou Emma.

— Andar um pouco.

Não fui muito longe, só dei uma volta pelo jardim. Caminhei devagar, contemplando o céu já limpo e pontilhado por inúmeras estrelas, também elas viajantes do tempo. Quantos daqueles antigos pontos luminosos eram os últimos ecos de sóis já mortos? E quantos mais já haviam nascido, mas sua luz ainda não havia nos alcançado? Se todos os sóis, menos o nosso, deixassem de existir naquela noite, quantas gerações teríamos que esperar até perceber que estávamos sozinhos no universo? Eu sempre soubera que o céu estava cheio de incógnitas, mas, até aquele momento, nunca havia imaginado como a própria Terra podia ser misteriosa.

Cheguei ao ponto em que a trilha entrava na floresta. Em uma direção estava minha casa e tudo o que eu conhecia — tudo que era familiar, seguro, sem mistérios.

Só que isso *não era verdade*. Não mais. Os monstros haviam matado meu avô e ido atrás de mim. Cedo ou tarde, apareceriam novamente. Será que um dia eu voltaria para casa e encontraria meu pai agonizando no chão? Ou minha mãe? Na outra direção, as crianças se juntavam em pequenos grupos agitados, armando esquemas e planejando o futuro, coisa que não faziam havia muito, muito tempo.

Voltei para junto de Emma, que continuava concentrada em seu enorme livro. A srta. Peregrine estava ao lado dela, batendo o bico em alguns lugares do mapa. Quando me aproximei, Emma levantou a cabeça.

— Tenho certeza — confirmei.

Ela sorriu.

— Fico feliz.

— Só tem uma coisa que eu preciso fazer antes de ir.

*   *   *

Cheguei ao vilarejo pouco antes de amanhecer. A chuva tinha finalmente cessado, e um dia de céu azul nascia no horizonte. A rua principal parecia um braço cheio de veias expostas, com sulcos longos por onde a água do temporal havia passado e levado o cascalho do chão.

Entrei no bar vazio e subi para os quartos. As cortinas estavam fechadas, e a porta do quarto do meu pai também, o que me deixou aliviado, porque eu ainda não sabia como contar tudo. Então, me sentei, peguei caneta e papel e escrevi uma carta.

Tentei explicar tudo. Falei das crianças peculiares, dos etéreos e de como todas as histórias de vovô Portman eram verdadeiras. Contei o que havia acontecido com a srta. Peregrine e a srta. Avocet e tentei fazê-lo entender por que eu precisava ir embora com eles. Implorei para que não se preocupasse comigo.

Em seguida, parei e reli tudo. Não estava bom. Ele jamais acreditaria naquilo. Pensaria que eu tinha enlouquecido do mesmo jeito que vovô, ou então que havia fugido, sido sequestrado ou me jogado de cabeça de algum penhasco. De um jeito ou de outro, eu estava prestes a arruinar sua vida. Amassei a folha e a joguei na lixeira.

— Jacob?

Eu me virei e o vi encostado no batente da porta, com cara de sono, o cabelo desgrenhado e vestido com uma camisa e uma calça jeans imundas de lama.

— Oi, pai.

— Vou fazer uma pergunta simples e direta e gostaria de uma resposta simples e direta. Onde você passou a noite?

Notei que ele estava se esforçando para manter a serenidade.

Decidi não mentir mais.

— Está tudo bem, pai. Eu estava com meus amigos.

Foi como se eu tivesse puxado o pino de uma granada.

— SEUS AMIGOS SÃO IMAGINÁRIOS! — berrou ele, e se aproximou de mim com o rosto corado de raiva. — Quem me dera sua mãe e eu nunca tivéssemos deixado aquele seu psiquiatra maluco nos convencer a deixar você vir para cá, porque isso tem sido um *desastre* total! Você acabou de mentir para mim pela última vez! Agora, vá para seu quarto e comece a fazer a mala. Vamos embora na primeira barca!

— Pai...

— E, quando chegarmos, você só sai de casa depois que encontrarmos um psiquiatra que não seja um completo *imbecil*!

— Pai!

Por um instante eu me perguntei se teria que fugir dele. Imaginei ele me segurando contra minha vontade, pedindo ajuda, me colocando na balsa em uma camisa de força.

— Eu não vou voltar com você — afirmei.

Ele estreitou os olhos e inclinou a cabeça, como se não tivesse escutado direito. Eu estava prestes a repetir quando alguém bateu à porta.

— Vá embora! — gritou meu pai.

A pessoa bateu de novo, dessa vez com mais insistência. Meu pai correu até a porta e a abriu com força. Foi então que vi Emma no alto da escada, com uma pequena bola de fogo azul pairando acima de sua mão. A seu lado estava Olive.

— Olá — cumprimentou Olive. — A gente veio ver o Jacob.

Meu pai olhou para as duas com uma expressão atônita.

— O que é isso...?

As garotas se esgueiraram para passar por ele e entraram.

— O que vocês estão fazendo *aqui*? — murmurei.

— Só queríamos nos apresentar — respondeu Emma, abrindo um sorriso amplo para meu pai. — Conhecemos seu filho há pouco tempo, por isso pensamos que seria apropriado fazer uma visita.

— Certo... — disse meu pai, seus olhos indo de uma para a outra.

— Ele é muito legal — continuou Olive. — E muito corajoso!

— E bonito! — acrescentou Emma, piscando para mim.

Ela começou a girar a bola de fogo entre as mãos, como se fosse um brinquedo. Hipnotizado, meu pai não tirava os olhos da esfera.

— S-sim, é — gaguejou ele. — Com certeza.

— Você se importa se eu tirar os sapatos? — perguntou Olive, e, sem esperar uma resposta, foi em frente. Logo começou a flutuar na direção do teto. — Obrigada. Estou muito mais confortável agora!

— Estas são minhas amigas, pai. Elas fazem parte do grupo de amigos de quem eu estava falando. Esta aqui é Emma, e aquela ali no teto é Olive.

Ele cambaleou para trás.

— Devo estar dormindo ainda — disse ele, desnorteado. — Me sinto tão cansado...

Uma cadeira se levantou do chão e flutuou até ele, seguida por uma atadura bem colocada que balançava no ar.

— Então, sente-se, por favor — disse Millard.

— Está bem — respondeu meu pai, obedecendo.

— O que você está fazendo aqui? — cochichei para Millard. — Você não devia estar de repouso?

— Eu estava passando aqui por perto. — Ele me mostrou um frasco de comprimidos de aparência moderna. — Devo admitir que eles fazem uns analgésicos maravilhosos no futuro!

— Pai, este é Millard. Você não consegue vê-lo porque ele é invisível.

— Muito prazer...

— O prazer é todo meu — disse Millard.

Cheguei perto do meu pai e me ajoelhei a seu lado. Ele balançava a cabeça de leve.

— Eu vou embora, pai. Talvez você não me veja por um tempo.

— Ah, é? Vai para onde?

— Vou fazer uma viagem.

— Uma viagem — repetiu ele. — E quando volta?

— Não sei.

Ele balançou a cabeça.

— Igualzinho ao seu avô.

Millard encheu um copo com água da torneira e o ofereceu ao meu pai, que aceitou, como se copos flutuantes fossem a coisa mais normal do mundo. Provavelmente estava convencido de que tudo aquilo não passava de um sonho.

— Bem, boa noite — completou ele, então se apoiou na cadeira para se levantar e foi cambaleando para seu quarto. Antes de entrar, parou na porta e chamou: — Jacob?

— O que foi, pai?

— Tome cuidado, está bem?

Fiz que sim com a cabeça, e ele fechou a porta. Um segundo depois, eu o ouvi se jogar na cama.

Sentei e esfreguei o rosto. Não sabia como me sentia.

— Ajudamos em alguma coisa? — perguntou Olive, ainda no teto.

— Não sei dizer — respondi. — Acho que não. Ele simplesmente vai acordar e achar que foi um sonho.

— Você pode escrever uma carta — sugeriu Millard. — Diga o quiser, porque ele não vai poder nos seguir.

— Eu escrevi. Mas isso não serve de *prova*.

— Ah, entendi seu problema.

— Ótimo problema — interveio Olive. — Quem dera os *meus* pais tivessem me amado o suficiente para se preocupar quando saí de casa.

Emma segurou a mão de Olive, em um gesto de carinho.

— Talvez eu tenha uma prova.

Emma tirou uma pequena carteira da faixa na cintura do vestido e pegou uma foto de dentro. Em seguida, entregou-a a mim. Era um retrato dela com meu avô, de quando ele era novo. Na imagem, Emma estava completamente absorvida por ele, que por sua vez parecia estar com a cabeça longe dali. Era triste e lindo ao mesmo tempo, e resumia o pouco que eu sabia do relacionamento entre os dois.

— Foi tirada pouco antes de Abe ir para a guerra — explicou Emma. — Seu pai vai me reconhecer, não vai?

Sorri para ela.

— Parece que você não envelheceu um dia sequer.

— Maravilha! — exclamou Millard. — Aí está sua prova.

— Você anda com isso na carteira? — perguntei, devolvendo-lhe a foto.

— Sim. Mas não preciso mais dela. — Emma foi até a mesa, pegou minha caneta e começou a escrever no verso da fotografia. — Como seu pai se chama?

— Franklin.

Quando ela terminou, me entregou o retrato. Olhei dos dois lados, então peguei minha carta da lixeira, desamassei-a e a deixei na mesa junto com a foto de Emma.

— Prontos? — perguntei.

Meus amigos me esperavam à porta.

— Só se você também estiver.

Partimos na direção da colina. Antes de chegar ao ponto mais alto, eu sempre parava para ver o quanto já havia andado, mas dessa vez segui andando. Às vezes é melhor não olhar para trás.

Quando chegamos ao *cairn*, Olive deu tapinhas nas pedras como se o lugar fosse um animal de estimação, dizendo:

— Adeus, velha fenda. Você foi uma fenda maravilhosa, e vamos sentir muitas saudades.

Emma apertou seu ombro carinhosamente, e as duas entraram.

Nos fundos da câmara, Emma aproximou a chama da parede e me mostrou algo que eu não tinha notado antes: uma longa lista de datas e iniciais gravadas nas pedras.

— São todas as outras vezes em que esta fenda foi usada — explicou. — Todos os outros dias em que foi ativada.

Olhei com atenção e li um *P.M. 3/2/1853*, um *J.R.R. 1/4/1797* e um *X.J. 1580* praticamente ilegível. Perto do chão vi uns sinais estranhos que não consegui decifrar.

— São inscrições rúnicas — disse Emma. — Bem antigas.

Millard revirou o cascalho até encontrar uma pedra afiada. Então, usando outra pedra como martelo, talhou uma inscrição abaixo das outras, e nesta se lia *A.P. 3/9/1940*.

— Quem é A.P.?

— Alma Peregrine — respondeu Millard, e deu um suspiro. — Era ela quem deveria estar escrevendo isto, não eu.

Caro Franklin,

Foi um grande prazer conhecê-lo. Nesta foto você pode ver seu pai e eu, tirada na época em que ele morou aqui conosco. Espero que seja suficiente para convencê-lo de que ainda me encontro entre os vivos e de que as histórias de Jacob não são invenções.

Jacob vai viajar comigo e com meus amigos por um tempo. Cuidaremos uns dos outros o melhor que pudermos. Um dia, quando o perigo tiver passado, seu filho voltará para casa. Você tem minha palavra.

Cordialmente,

Emma Bloom

P.S.: Soube que você descobriu uma carta enviada por mim a seu pai muitos anos atrás. Foi inapropriado de minha parte, especialmente por não ter sido solicitada. Garanto que ele nunca a respondeu — Abe foi um dos homens mais honrados que já conheci.

— Acha que um dia outra *ymbryne* vai chegar aqui e criar outra fenda? — perguntou Olive, passando a mão na inscrição rústica.

— Tomara que sim — respondeu Millard. — Tomara mesmo.

* * *

Enterramos Victor. Bronwyn levantou a cama e a carregou para fora com o irmão ainda deitado. Com todas as crianças no gramado, ela lhe deu um último beijo na testa e, por fim, cobriu-o com os lençóis. Nós, garotos, levantamos os cantos da cama como fôssemos carregadores de caixão e o levamos para a cratera da bomba. Em seguida, saímos do buraco, menos Enoch, que tirou um homúnculo de argila do bolso e o deitou delicadamente sobre o peito do amigo.

— Este é meu melhor soldado. Fique com ele para lhe fazer companhia.

O homenzinho de barro se sentou, e Enoch o empurrou de volta com o polegar. Então, o boneco rolou de lado, colocou um braço debaixo da cabeça e pareceu dormir.

Depois que enchemos o buraco de terra, Fiona arrastou alguns arbustos e trepadeiras para cobrir a cova e começou a fazê-los crescer. Mais tarde, no momento em que todos os outros já haviam terminado de arrumar suas coisas para a viagem, o Adão estava de volta a seu antigo lugar, mas passando a marcar a tumba de Victor.

Depois que as crianças se despediram da casa, algumas levando pedaços de tijolo ou flores do jardim como recordação, cruzamos a ilha pela última vez: passamos pela fumegante floresta carbonizada e pelo pântano repleto de marcas de bomba; atravessamos a colina e chegamos ao vilarejo tomado por fumaça de turfa, os moradores recuperando o fôlego nas portas e varandas, tão cansados e entorpecidos que mal pareciam notar o pequeno desfile de crianças peculiares diante deles.

Seguíamos em silêncio, porém empolgados. As crianças não tinham dormido, mas não daria para notar só de olhar para elas. Era 4 de setembro, e pela primeira vez em muito, muito tempo, os dias estavam passando outra vez. Algumas disseram que sentiam a diferença: o ar parecia encher mais seus pulmões, e o sangue corria mais rápido pelas veias.

Todos se sentiam mais vivos, mais reais.

Eu também.

Eu costumava sonhar em fugir da minha vida normal, mas minha vida nunca foi normal. Simplesmente não tinha notado como era extraordinária. Do mesmo modo, nunca imaginei que sentiria falta de casa. No entanto, enquanto colocávamos nossas coisas nos barcos ao amanhecer, diante de um novo abismo que dividiria minha vida em Antes e Depois, pensei em tudo o que estava prestes a deixar para trás — meus pais, minha cidade, aquele que tinha sido meu melhor e único amigo — e compreendi que partir não seria como eu tinha imaginado, como me livrar de um peso. A lembrança deles era tangível e pesada, e eu sempre a carregaria comigo.

Por outro lado, minha antiga vida era um cenário tão irrecuperável quanto a casa bombardeada das crianças. As portas das nossas gaiolas haviam voado pelos ares.

Para que dez crianças peculiares e uma ave peculiar coubessem em apenas três barcos a remo, tivemos que abandonar muitas coisas nas docas ou jogá-las na água, ali mesmo. Quando terminamos, Emma sugeriu que alguém dissesse algo, um discurso para marcar a jornada que teríamos pela frente, mas ninguém pareceu encontrar as palavras adequadas. Foi então que Enoch ergueu a gaiola da srta. Peregrine, que deu um pio estridente. Respondemos com um grito que era ao mesmo tempo de vitória e de lamento por tudo o que havíamos perdido e pelo que ainda iríamos conquistar.

Hugh e eu remávamos no primeiro barco, com Enoch sentado nos observando da proa, preparado para quando chegasse sua vez de revezar, enquanto Emma, com um chapéu, olhava para a ilha que se afastava. O mar era como um espelho ondulado que se estendia infinitamente à nossa frente. O dia estava quente, mas uma brisa fresca subia da água, e eu poderia ter remado com alegria por horas a fio.

Fiquei me perguntando como era possível uma calma daquelas pertencer a um mundo em guerra.

Em outro barco, Bronwyn acenou e levantou a câmera fotográfica da srta. Peregrine na altura dos olhos. Sorri para ela. Não tínhamos levado nenhum dos velhos álbuns; talvez aquela fosse a primeira foto a entrar em um novo. Era estranho pensar que um dia eu talvez tivesse minha própria pilha de fotos amareladas para mostrar a meus netos descrentes — e minhas próprias histórias fantásticas para compartilhar.

Então Bronwyn baixou a câmera, ergueu o braço e apontou para alguma coisa do outro lado. Ao longe, vi silhuetas negras contra o sol nascente, uma procissão silenciosa de navios de guerra que recortava o horizonte.

Começamos a remar mais depressa.

Sobre as fotografias

Todas as fotografias deste livro são autênticas, retratos antigos que, com a exceção de alguns poucos que sofreram um tratamento mínimo, publico aqui sem alterações. Foram gentilmente emprestados por dez colecionadores que passaram anos e incontáveis horas vasculhando caixas enormes cheias de fotos desordenadas em mercados de pulgas, lojas de antiguidades e vendas de garagem em busca de algumas poucas transcendentais, resgatando imagens belas e com significado histórico da obscuridade — e, muito possivelmente, da lata do lixo. É um trabalho motivado por amor e sem glamour algum, e eu considero esses pesquisadores os heróis anônimos do mundo da fotografia.

A seguir, reproduzo uma lista de todas as fotografias usadas neste livro e seus respectivos proprietários.

Agradecimentos

Gostaria de agradecer a:

Todos da Quirk, em especial Jason Rekulak, pela paciência aparentemente infinita e suas muitas ideias excelentes; Stephen Segal, pelas leituras minuciosas e pela perspicácia; e Doogie Horner, sem sombra de dúvida o melhor designer de livros/humorista em atividade atualmente.

Minha mãe, a quem devo tudo, claro.

Todos os meus amigos colecionadores de fotografias: o generosíssimo Peter Cohen; Leonard Lightfoot, que me apresentou ao pessoal; Roselyn Leibowitz; Jack Mord, do Thanatos Archive; Steve Bannos; John Van Noate; David Bass; Martin Isaac; Muriel Moutet; Julia Lauren; Yefim Tovbis; e especialmente Robert Jackson, que me permitiu passar muitas horas agradáveis vendo fotos peculiares em sua sala de estar.

Chris Higgins, a quem considero uma das principais autoridades em viagem no tempo, por sempre atender aos meus telefonemas.

Laurie Porter, que tirou minha fotografia usada na entrevista e na sobrecapa deste livro, quando estávamos no Deserto de Mojave explorando uns sombrios casarões abandonados.

UM BATE-PAPO COM
RANSOM RIGGS

© Laurie Porter

Ransom Riggs nasceu na Flórida, mas hoje mora em Los Angeles. Nesse meio-tempo, se formou na Kenyon College e na faculdade de cinema e televisão da Universidade do Sul da Califórnia. *O lar da srta. Peregrine para crianças peculiares*, seu primeiro romance, estreou na quinta posição da lista de mais vendidos do *The New York Times*. Ele se encontrou com Jason Rekulak, diretor de criação da Quirk Books, para conversar sobre suas origens peculiares.

Pode nos contar como nasceu este livro? O que veio primeiro: a história ou as fotografias?
Não sei de onde surge a maioria das minhas ideias, mas a história da origem da série é muito específica. Há alguns anos, comecei a colecionar retratos antigos, do tipo que se encontra em pilhas na maioria dos mercados de pulgas por uma ninharia. Era um hobby ocasional, nada sério, mas notei que, entre as fotos, aquelas em que apareciam crianças eram as que eu achava mais estranhas e intrigantes. Comecei a me perguntar quem tinham sido algumas daquelas crianças esquisitas, quais eram suas histórias, mas as fotos eram muito antigas, anônimas... eu não tinha como descobrir. Então, pensei: se não posso saber as histórias verdadeiras, vou inventá-las.

Primeiro vieram as fotos, mas eu nunca parei de colecioná-las. Mesmo na época em que estava escrevendo a história, continuei buscando mais retratos com os quais trabalhar. No fim das contas, uma coisa influenciou a outra. Às vezes, eu encontrava uma fotografia nova que simplesmente exigia participar da história, então arranjava um jeito de fazê-la entrar; em outras ocasiões, procurava determinado tipo de foto que se encaixasse na minha ideia de história. Foi um processo de escrita divertido, estranho e natural, diferente de tudo o que eu já havia tentado.

Houve o caso de alguma foto ótima que você simplesmente não conseguiu encaixar na narrativa?
Um monte. Algumas vão entrar em livros futuros, enquanto outras provavelmente vão continuar órfãs. Por exemplo, eu tenho uma foto fantástica de um garotinho de suspensórios no batente da porta. A iluminação ao redor dele é impactante, o menino tem uma expressão sombria e parece estranhamente *imóvel*, apesar de tudo indicar que está no meio do ato de atravessar uma porta. Por que ele está simplesmente *parado* ali? Fica claro que está prestes a dar uma notícia horrível, ou talvez comer o cérebro de alguém. Parece cena de um filme *noir*. Infelizmente, nunca encontrei um uso para ela na história.

Ainda mais trágica é a história do Papai Noel que fugiu. Existem muitas fotos perturbadoras de papais noéis de lojas de departamento espalhadas pelo mundo, mas quando comecei a escrever este livro encontrei a versão definitiva do Papai Noel assustador, um homem com olheiras profundas que parecia ter passado os últimos três dias de porre. Além disso, os olhos em si eram opacos. Imagino que o homem tivesse pupilas, que de alguma forma foram borradas quando o retrato foi batido, mas nessa foto elas estão invisíveis, e os olhos são de um branco leitoso. Na verdade, foi esse retrato que me deu a ideia de dei-

xar as pupilas de todos os acólitos opacas. Infelizmente, o dono da foto era bastante ligado a ela, o que é compreensível. Por isso, demorei mais de um ano para convencê-lo a vendê-la para mim, e quando isso aconteceu o livro já tinha ido para a gráfica. Então, o acólito disfarçado de Papai Noel, do capítulo nove, é apenas o segundo mais assustador que já vi.

É uma verdade quase universal que palhaços são considerados assustadores, e, embora eu tivesse uma foto razoavelmente boa de um palhaço com uma garotinha, pensei que o livro não precisava de mais pessoas mascaradas ou usando maquiagem pesada, nem de menininhas perto de sombras ameaçadoras, papais noéis e coisas do tipo, então eu a deixei para lá. Mas esse retrato tem tantos elementos estranhos que eu quis compartilhá-lo. Dê uma olhada no rosto do palhaço. É só impressão minha, ou ele está morrendo de medo?

Quantas fotos você reuniu antes de escolher as cerca de cinquenta finais que aparecem no livro?
Além de peneirar em caixas cheias de retratos velhos em mercados de pulga e lojas de antiguidades, passei horas e horas na casa de alguns colecionadores muito pacientes e generosos, revirando caixas, pastas e álbuns que transbordavam com imagens fantásticas. Levando-se em conta que a maioria dos colecionadores possui, no mínimo, dezenas de milhares de fotos — e, com frequência, muito mais do que isso —, eu diria que mais de cem mil fotos passaram pelas minhas mãos durante a criação deste livro.

Você cursou a faculdade de cinema e televisão da Universidade do Sul da Califórnia e trabalhou nessas duas indústrias. Como

essas experiências embasaram o processo de criação do livro? Diversos críticos elogiaram as qualidades cinematográficas do livro. É difícil traduzir isso em números, porque este é meu primeiro romance. Se eu tivesse escrito um antes da faculdade de cinema e outro depois, teria uma resposta mais definida. Mas acho que escrever roteiros e trabalhar em filmes me ajudou a pensar em imagens e sequências de imagens de um jeito que antes eu não era capaz. Talvez, como resultado, eu tenha a tendência de visualizar cenas de um modo que não conseguia cinco anos atrás. Às vezes, quando estou escrevendo, eu me imagino dirigindo a cena, o que não deixa de ser verdade, da mesma forma que as mentes dos leitores invocam imagens do que estão lendo. Por exemplo: *Eles entraram no quarto*. Esse é um exemplo de plano geral. Mas *O lábio dela tremia* é um exemplo de um close.

O livro começa com uma citação de Ralph Waldo Emerson (1803-1882), e, claro, Jacob recebe do avô um livro do escritor. Como a filosofia de Emerson influenciou este romance?
Emerson tinha uma influência muito mais pesada no primeiro rascunho, mas acabei diminuindo bastante seu envolvimento no livro. Parte disso teve a ver com o fato de que a história mudou de rumo. Na versão antiga, Jacob conhecia as crianças peculiares aos poucos e demorava vários capítulos para acreditar que elas eram reais. Emerson fala muito sobre a possibilidade de criaturas fantásticas existirem fora do nosso campo de visão, e muitas de suas citações mais conhecidas quase parecem se referir diretamente às crianças peculiares. "O poder que nele reside é novo na natureza", escreve ele no ensaio "A confiança em si" (1841), "e ninguém além dele sabe o que é capaz de fazer, tampouco ele, até que tenha tentado". Isso certamente vale para as crianças e tam-

bém para Jacob. E há este trecho de "A natureza" (1836): "Na floresta, também o homem se desprende de seus anos, como a serpente o faz com sua pele, e em qualquer momento da vida ele é sempre um menino. Na floresta reside a juventude eterna." Não é difícil imaginar que Emerson esteja descrevendo a floresta em volta da casa da srta. Peregrine e seus jovens moradores.

Um dos temas deste livro, e acho que de todo romance que trata de um mundo secreto, é o despertar. O despertar do protagonista para uma realidade fantástica, maravilhosa e, de certa forma, terrível que ele dificilmente teria imaginado antes, mas que estava bem debaixo de seu nariz o tempo todo. No fim, Jacob escreve que sua vida nunca foi normal, mas que "simplesmente não tinha notado como era extraordinária". Perceber a extraordinariedade do mundo é um dos temas mais recorrentes de Ralph Waldo Emerson. Veja este trecho, também de "A Natureza": "Se as estrelas surgissem uma vez a cada mil anos, como os homens acreditariam nelas, as adorariam e preservariam por muitas gerações a recordação da cidade de Deus que lhes fora mostrada?"

Quais outros escritores o inspiram ou o influenciam de forma especial?
Muitos, mas é difícil traçar uma linha reta entre a obra deles e a minha. Ler John Green me fez ver como a literatura juvenil pode ser ambiciosa e atraente. É muito melhor do que a maioria das obras que eu lia em minha época de adolescente. Quando estou escrevendo, gosto de ler mestres donos de uma técnica que eu nem sequer posso esperar alcançar, só para manter meus padrões elevados. As obras de Cormac McCarthy; *The Things They Carried* [As coisas que eles carregavam], de Tim O'Brien,

que tem uma prosa extremamente poderosa e econômica. Quando estou escrevendo, também tenho o costume de ler muita não ficção, para me ajudar a dar uma textura convincente às partes históricas. *The Likes of Us* [Os semelhantes a nós] e *Barnardo Boy* são relatos em primeira pessoa de como era a vida nos orfanatos britânicos na primeira metade do século XX e me foram muito úteis. E os poemas de Seamus Heaney me serviram de inspiração para escrever sobre pântanos enlameados e as coisas estranhas que contêm.

Você gostaria de ver esses pântanos enlameados ao vivo? Se pudesse viajar no tempo para qualquer fenda temporal na história, para onde e quando gostaria de ir?

Por incrível que pareça, ninguém nunca me perguntou isso! Não sei se existem fendas nos lugares que vou mencionar (além do mais, eu não poderia entrar nelas, porque não sou peculiar), mas adoraria ver Nova York na segunda metade do século XIX. Ou algumas das grandes cidades europeias antes de serem bombardeadas durante a Segunda Grande Guerra. Uma verdadeira cidade romana também seria muito interessante. A opulência e a energia multicultural de Veneza em seu ápice, no século XVI ou XVII. A Rota da Seda, quando foi atravessada por Marco Polo. A lista é imensa!

Estamos empolgados com a sequência de *O lar da srta. Peregrine para crianças peculiares*. O que pode nos contar sobre o que vem por aí?

O primeiro livro foi sobre a abertura de uma porta e a descoberta de um mundo. No segundo livro, vamos explorá-lo. Mas essa exploração não vai ter nada de uma viagem turística, pois o mundo está encarando uma ameaça mortal e existencial, tanto das potências do Eixo quanto dos corrompidos, que são os acólitos e os etéreos. Jacob e seus novos amigos embarcam em uma aventura no tempo e desafiam a morte para salvar as *ymbrynes*, seu estilo de vida e talvez o próprio mundo peculiar como um todo. E, enquanto lutam para impedir os planos catastróficos de seus inimigos, eles se envolvem em todo tipo de situações peculiares e desastrosas, conhecem os mais variados seres curiosos e pessoas incomuns, e exploram lugares que nunca teriam sequer imaginado.

Ainda estou elaborando os detalhes, mas uma coisa eu prometo: o segundo livro será cheio de surpresas!

Enquanto isso, pensei em compartilhar algumas fotos para satisfazer todo mundo. Não quero entregar demais, mas você pode esperar ver coisas como...

ANIMAIS PECULIARES!

HOMENS DOBRÁVEIS!

FUGITIVOS DE PRISÃO!

PESSOAS DE UM PASSADO DISTANTE!

E FENDAS TEMPORAIS EM LUGARES EXÓTICOS!

LEIA A SEGUIR
O PRIMEIRO CAPÍTULO DO SEGUNDO VOLUME DA SÉRIE

O LAR DA SRTA. PEREGRINE

PARA CRIANÇAS PECULIARES

CIDADE DOS ETÉREOS

Remamos pela baía, passando por barcos balançantes com a ferrugem vazando das emendas dos cascos, por bandos de aves marinhas silenciosas amontoadas nas ruínas de docas afundadas e cobertas de cracas, por pescadores que baixavam as redes para nos encarar, estupefatos, sem saber se éramos reais ou imaginários — uma procissão de fantasmas flutuando na água ou de pessoas que em breve virariam fantasmas. Éramos dez crianças e uma ave em três pequenos barcos instáveis, remando em silêncio, com vontade, para alto-mar, deixando para trás rapidamente a única baía segura em quilômetros, que se exibia rochosa e mágica à luz azul-dourada do amanhecer. Nosso objetivo, a costa irregular do País de Gales, estava em algum lugar à frente, visível apenas como um borrão difuso, uma mancha de tinta ao longo do horizonte.

Passamos pelo velho farol, uma construção tranquila de longe, que ainda na noite anterior fora cenário de muitos traumas. Foi lá que, com bombas explodindo por todo lado, quase nos afogamos e quase fomos despedaçados por balas. Foi lá que peguei uma arma, puxei o gatilho e matei um homem, um ato ainda incompreensível para mim. Foi lá que perdemos a srta. Peregrine, para depois a recuperarmos das garras de aço de um submarino — embora ela tenha sido devolvida com um problema cuja solução não sabíamos como obter. Estava empoleirada na proa do mesmo barco que eu, vendo desaparecer o santuário que criara, perdendo-o um pouco mais a cada remada.

Finalmente, passamos do quebra-mar e alcançamos o oceano. A superfície espelhada da baía deu lugar a pequenas ondas que golpeavam as laterais dos barcos. Quando ouvi um avião costurando as nuvens, deixei os remos deslizarem e olhei para o alto, imaginando nossa pequena esquadra vista daquela altura: o mundo que eu escolhera, tudo o que eu tinha nele, nossas preciosas vidas peculiares, tudo contido em três lascas de madeira à deriva sobre o olho vasto e sempre aberto do mar.

Misericórdia.

Nossos barcos deslizavam pelas ondas sem grandes problemas, os três lado a lado, avançando na direção da costa com a ajuda de uma corrente. Remávamos em turnos, para adiar a exaustão, apesar de eu me sentir tão forte que passei quase uma hora me recusando a largar o posto. Eu me perdi no ritmo das remadas, os braços traçando longas elipses no ar, como se tentassem puxar algo que relutava em se aproximar. Hugh manejava os remos do outro lado, e Emma estava atrás dele, sentada na proa, os olhos ocultos pela aba larga do chapéu, debruçada sobre o mapa aberto nos joelhos. De vez em quando ela erguia a cabeça para conferir algo no horizonte. Só de olhar para seu rosto ao sol eu já sentia uma onda de energia que desconhecia em mim.

Sentia como se pudesse remar para sempre. Até que, gritando de um dos outros barcos, Horace perguntou quanto de oceano ainda nos separava da terra firme. Emma olhou para a ilha e depois para o mapa, medindo com dedos esticados, e respondeu, não muito segura:

— Sete quilômetros? — Millard, que também estava em nosso barco, murmurou algo no ouvido dela. Emma franziu o cenho, virou o mapa de lado, franziu o cenho de novo. — Quer dizer, oito e meio.

Ao ouvir essas palavras, me senti desanimar um pouco; e notei que todos tiveram a mesma reação.

Oito quilômetros e meio: uma viagem de uma hora na barca nauseante que me levara a Cairnholm semanas antes. Uma distância banal se pegássemos um barco a motor, de qualquer tamanho que fosse. Um quilômetro e meio a menos do que meus tios fora de forma percorriam em corridas beneficentes e apenas alguns a mais do que minha mãe se gabava de remar nos aparelhos da academia chique que frequentava. No entanto, a barca que ligava a ilha ao continente só passaria a existir trinta anos depois, e aparelhos de simulação de remo não levavam passageiros nem exigiam correções constantes de curso só para permanecerem na direção certa. Pior ainda: o canal que estávamos atravessando era traiçoeiro, um famoso destruidor de navios. Eram oito quilômetros e meio de mar imprevisível e instável, com o fundo coberto por destroços de naufrágios e ossos esverdeados de marinheiros mortos — e, à espreita, em algum lugar na escuridão de várias braças de profundidade, nossos inimigos.

Aqueles do grupo que se preocupavam com essas coisas achavam que os acólitos estavam por perto, em algum lugar abaixo de nós, esperando naquele submarino alemão. Se já não soubessem que tínhamos fugido da ilha, logo descobririam. Eles não tinham se dado a todo aquele trabalho para raptar a srta. Peregrine só para desistir depois de falharem uma vez. Por conta dos navios de guerra que se moviam ao longe como centopeias e dos aviões britânicos que faziam a patrulha nos céus, era muito perigoso para o submarino ir à tona em plena luz do dia, mas quando caísse a noite seríamos presa fácil. Eles iriam atrás de nós, levariam a srta. Peregrine e afundariam os barcos. Portanto, continuávamos remando: nossa única esperança era chegar ao continente antes que anoitecesse.

* * *

Remamos até os braços doerem e os ombros travarem. Remamos até acabar a brisa da manhã, o sol parecer brilhar através de uma lente de aumento e o suor se acumular no pescoço. Só então percebi que ninguém tinha se lembrado de trazer água e que o filtro solar dos anos 1940 era a sombra. Remamos até esfolar a palma das mãos, até termos certeza de que não conseguiríamos dar mais uma remada sequer, mas mesmo assim dávamos mais uma, depois outra e mais outra.

— Você está suando em bicas — comentou Emma. — Me deixe remar um pouco, antes que você derreta.

A voz dela me despertou de um transe. Aceitei a oferta, aliviado. Deixei que Emma ocupasse o assento do remo, mas vinte minutos depois pedi para voltar à tarefa. Não gostei dos pensamentos que tomaram minha mente enquanto meu corpo descansava. Fiquei imaginando meu pai acordando e descobrindo que eu sumira dos quartos em Cairnholm, a carta incompreensível de Emma em meu lugar, o pânico que tomaria conta dele depois. Flashes de lembranças traziam de volta coisas terríveis que eu testemunhara nos últimos tempos: um monstro me puxando para suas mandíbulas; meu ex-psiquiatra em uma queda fatal; um homem enterrado em um caixão de gelo, arrancado do outro mundo por um momento para falar ao meu ouvido com a voz rouca produzida pela meia garganta que lhe restava. Então remei, apesar da exaustão, apesar da impressão de que minha coluna nunca mais voltaria a ficar ereta, apesar das mãos em carne viva devido ao atrito, e tentei não pensar em nada. Aqueles remos eram ao mesmo tempo uma sentença de morte e um bote salva-vidas.

Bronwyn, aparentemente incansável, remava sozinha em um dos barcos. Olive, à frente dela, não ajudava, pois não conseguiria puxar os remos sem se empurrar para cima, e um vento mais forte a faria sair voando como uma pipa. Então Olive gritava palavras de estímulo enquanto Bronwyn fazia o trabalho de duas, três ou mesmo quatro pessoas, considerando que todas as malas e caixas aumentavam o peso do barco, cheio de roupas, comida, mapas, livros e um monte de objetos menos úteis — como vários jarros de corações de répteis em conserva, sacudindo na bolsa de lona de Enoch, ou a maçaneta arrancada da casa da srta. Peregrine, que Hugh encontrou na grama quando estávamos a caminho dos barcos e resolveu que não podia viver sem; o travesseiro enorme que Horace resgatara da casa em chamas (seu travesseiro da sorte, explicou ele, além de ser a única coisa que mantinha sob controle os pesadelos paralisantes).

Outros objetos eram tão preciosos que as crianças se agarravam a eles mesmo enquanto remavam. Fiona levava entre os joelhos um vaso de terra com minhocas do jardim; Millard riscara o rosto com pó de tijolos pulverizados pelas bombas, uma esquisitice que lembrava um ritual de luto. Apesar de parecerem estranhos os itens que guardavam e a que se agarravam, em parte eu simpatizava com aquilo: era tudo o que lhes restava da casa onde viveram. Só porque sabiam que estava perdida, não significava que soubessem como se desapegar dela.

Depois de três horas remando como escravos nas galés, a distância reduzira a ilha ao tamanho de uma mão aberta. Em nada lembrava a fortaleza agourenta cercada de penhascos em que eu pusera os olhos pela primeira vez algumas semanas antes. Dali, parecia frágil, um pedaço de rocha prestes a ser levado pelas ondas.

— Vejam! — gritou Enoch, ficando de pé no barco ao lado do nosso. — Está sumindo!

Um nevoeiro espectral encobria a ilha. Paramos de remar para vê-la desaparecer.

— Digam adeus à nossa ilha — falou Emma, levantando-se e tirando o chapelão. — Talvez a gente nunca mais volte a vê-la.

— Adeus, ilha — disse Hugh. — Você foi muito boa para nós.

Horace largou o remo e acenou.

— Adeus, casa. Vou sentir falta de todos os seus quartos e jardins, principalmente da minha cama.

— Adeus, fenda temporal. — Olive fungou. — Obrigada por ter nos protegido todos esses anos.

— Bons anos — completou Bronwyn. — Os melhores que eu vivi.

Também me despedi, em silêncio, de um lugar que me transformara para sempre, de um lugar que, mais que qualquer cemitério, guardaria para sempre a memória e o mistério de meu avô. Meu avô e aquela ilha estavam completamente interligados, e me perguntei, agora que os dois não existiam mais, se um dia eu entenderia o que tinha acontecido comigo: o que eu havia me tornado; o que estava me tornando. Eu tinha ido à ilha para solucionar o mistério que era meu avô e acabara solucionando meu próprio mistério. Ver Cairnholm desaparecer era como ver a última chave que restava para o mistério afundar sob as ondas escuras.

Então a ilha simplesmente sumiu, engolida por uma montanha de neblina. Como se nunca tivesse existido.

*   *   *

Não demorou para a névoa nos alcançar. Aos poucos, nosso campo de visão foi diminuindo, o continente ao longe sumiu e o sol se reduziu a um pálido botão branco. Seguimos em círculos, movidos pela corrente, até perdermos todo o senso de direção. Por fim, paramos, guardamos os remos e esperamos na calmaria lúgubre, torcendo para que a névoa se dispersasse. Até que isso acontecesse, não adiantava avançar.

— Não estou gostando disso — comentou Bronwyn. — Se esperarmos demais, vai anoitecer, e aí vamos ter que nos preocupar com coisas piores do que o mau tempo.

Como se tivesse ouvido Bronwyn e resolvido nos colocar em nosso devido lugar, o clima ficou ruim *de verdade*. Um vento forte começou a soprar e em questão de segundos nosso mundo se transformou. Ao nosso redor, o mar começou a se crispar em ondas encapeladas de branco, que batiam contra os cascos e invadiam os barcos, molhando nossos pés com água gelada. Em seguida, começou a chover forte, as gotas perfurando nossa pele como balas de revólver. Começamos a ser atirados de um lado para o outro, como brinquedos de borracha numa banheira.

— Fiquem de frente para as ondas! — gritou Bronwyn, cortando a água com os remos. — Se elas pegarem o barco de lado, vamos virar!

Estávamos quase todos sem condições de remar em águas calmas, quanto mais em um mar revolto, e o restante tinha medo até de pegar nos remos. Por isso, em vez de remar, nos agarramos às bordas dos barcos como se nossa vida dependesse daquilo.

Uma parede de água veio direto na nossa direção. Os barcos subiram a onda gigantesca, ficando quase na vertical. Emma se agarrou a mim, enquanto eu agarrava a forqueta do remo. Atrás de nós, Hugh abraçou o assento. Descemos pelo outro lado da onda como em uma montanha-russa, o que fez meu estômago ir parar nos pés. Enquanto descíamos a toda, tudo que não estava preso ao barco — o mapa de Emma, a bolsa de Hugh, a mala vermelha de rodinhas que eu trouxera da Flórida — passou voando sobre nossas cabeças e caiu na água.

Não havia tempo para nos preocuparmos com o que havia sido perdido, já que nem dava para enxergar os outros barcos. Quando conseguimos nos reequilibrar, de joelhos, tentamos nos localizar em meio à confusão e gritamos por nossos amigos. Houve um terrível momento de silêncio, até que ouvimos vozes respondendo ao nosso chamado. O barco de Enoch surgiu da neblina, todos os quatro passageiros acenando para nós.

— Vocês estão bem? — gritei.

— Ali! — responderam os quatro. — Ali!

Só então me dei conta de que o aceno não era um cumprimento. Eles estavam tentando chamar nossa atenção para algo na água, a uns trinta metros de distância: o casco de um barco virado.

— É o barco de Bronwyn e Olive! — exclamou Emma.

Estava emborcado, com o fundo enferrujado para cima. Não havia sinal algum das meninas.

— Temos que chegar mais perto! — gritou Hugh.

Esquecendo a exaustão, pegamos novamente os remos e seguimos até lá, gritando os nomes delas ao vento.

Remamos contra uma corrente de roupas caídas das malas abertas, cada vestido ondulante por que passávamos parecendo uma menina afogada. Meu coração martelava no peito, e, apesar de eu estar tremendo e encharcado, mal sentia o frio. Alcançamos o casco virado ao mesmo tempo que o barco de Enoch. Olhamos em volta, à procura.

— Onde elas estão? — gemeu Horace. — Ah, se tivermos perdido as duas...

— Ali embaixo! — exclamou Emma, apontando. — Talvez estejam presas embaixo do barco!

Tirei um dos remos da forqueta e o bati no casco virado.

— Se estiverem aí, saiam! — gritei. — Vamos resgatar vocês.

Por um momento terrível, não tivemos resposta, e senti que se esvaía minha esperança de conseguirmos resgatá-las. Até que veio uma batida em resposta, seguida por um soco que arrebentou o fundo do casco, lançando lascas de madeira pelos ares. Todos pulamos de susto.

— É a Bronwyn! — gritou Emma. — Elas estão vivas.

Com mais alguns golpes, Bronwyn abriu um buraco da largura de uma pessoa. Estendi o remo; ela o pegou, e, com a ajuda de Hugh e Emma, conseguimos puxá-la da água agitada para o nosso barco, enquanto o dela afundava e era tragado pelas ondas. Bronwyn estava em pânico, histérica, gritando com o pouco fôlego que lhe restava. Gritava por Olive, que continuava desaparecida.

— Olive... Temos que achar Olive — balbuciou Bronwyn assim que entrou no barco. Ela tremia e cuspia água do mar. Então ficou de pé no barco, que balançava, e apontou para a tempestade. — Lá! — gritou. — Estão vendo?

Cobri os olhos para evitar a chuva forte e me virei na direção em que ela apontava, mas só vi nuvens e ondas.

— Não estou vendo nada!

— Ela está lá! — insistiu Bronwyn. — A corda!

Então eu vi: o que ela indicava na água não era uma menina se agitando, mas uma grossa corda de cânhamo trançado se erguendo do mar, quase invisível naquele caos; uma linha marrom que se estendia para o alto até desaparecer na bruma. Olive devia estar amarrada na outra ponta, por isso não a víamos.

Remamos até lá, e Bronwyn puxou a corda. Um instante depois, Olive apareceu lá no alto, no nevoeiro, amarrada à corda pela cintura. Os sapatos de chumbo tinham caído de seus pés, mas Bronwyn já a amarrara à corda da âncora, que repousava no fundo do mar. Se não fosse por isso, Olive sem dúvida estaria perdida nas nuvens.

Olive apertou Bronwyn em um abraço e gritou de alegria:

— Você me salvou! Você me salvou!

Ao ver as duas se abraçando, senti um nó na garganta.

— Ainda não estamos fora de perigo — disse Bronwyn. — Temos que chegar a terra firme antes do anoitecer, ou vai ser ainda pior.

A tempestade diminuiu um pouco e a força do mar abrandou, mas era inimaginável remar por muito mais tempo, mesmo em um mar completamente calmo. Não tínhamos percorrido nem metade do caminho até o continente e eu já estava desesperado de exaustão. Minhas mãos latejavam. Meus braços pesavam como troncos de árvore. Para completar, o balanço incessante e inclinado do barco começava a causar um incômodo inegável em meu estômago, e, a julgar pela cor esverdeada dos rostos à minha volta, eu não era o único.

— Vamos descansar um pouco — sugeriu Emma, tentando nos encorajar. — Vamos descansar e tirar a água dos barcos e esperar a neblina passar...

— Neblinas como essa têm vontade própria — retrucou Enoch. — Pode durar dias. Daqui a algumas horas já vai ser noite, aí vamos ter que torcer para sobreviver, para que os acólitos não encontrem a gente. Vamos ficar indefesos até amanhecer.

— E sem água — acrescentou Hugh.

— Nem comida — completou Millard.

Olive ergueu as mãos e declarou:

— *Eu* sei para que lado fica!

— Para que lado fica o quê? — indagou Emma.

— A terra firme. Vi quando estava lá no alto, na ponta daquela corda.

Olive explicou que havia ultrapassado a neblina e avistado a costa.

— Grande coisa — resmungou Enoch. — Ficamos um tempão remando em círculos enquanto você estava lá em cima.

— Então me deixem subir de novo.

— Tem certeza? — perguntou Emma. — É perigoso. E se um vento pegar você ou a corda arrebentar?

Olive assumiu uma expressão determinada.

— Me deixem subir.

— Quando ela cisma assim, não tem como discutir — comentou Emma. — Pegue a corda, Bronwyn.

— Você é a garotinha mais corajosa que já conheci — disse Bronwyn, e se pôs em ação.

Ela puxou a âncora para o interior do barco, e, com a extensão extra de corda que ganhamos com isso, amarramos os dois barcos um ao outro para que não se separassem mais, depois soltamos Olive, que foi flutuando neblina acima.

Enoch rompeu o silêncio:

— E aí? — perguntou o menino, impaciente.

— Estou vendo! — veio a resposta, um guincho em meio ao barulho de fundo das ondas. — Bem em frente!

— Pra mim já está ótimo! — exclamou Bronwyn.

Enquanto ainda apertávamos a barriga, sentados, sem condições de fazer nada, ela passou para o barco da frente e começou a remar, guiada apenas pela minúscula voz de Olive, um anjo invisível no céu.

— Esquerda... Mais para a esquerda... Não tanto!

Assim, seguimos lentamente rumo ao continente, a neblina sempre em nosso encalço; compridos ramos cinzentos que mais pareciam dedos fantasmagóricos de uma assombração, tentando nos puxar de volta.

Como se a própria ilha não estivesse muito disposta a nos deixar partir.

PRÓXIMOS LIVROS
DA SÉRIE

Cidade dos etéreos

Biblioteca de Almas

LEIA TAMBÉM

CONTOS PECULIARES

www.intrinseca.com.br

1ª edição	NOVEMBRO DE 2016
reimpressão	OUTUBRO DE 2017
impressão	GEOGRÁFICA
papel de miolo	PÓLEN SOFT 70G/M²
tipografia	SABON